*Weigel, Rudolph*

# Sammlung von Bildnissen, Bildniswerken, Kunstbuechern, Kupferstichen aller Schulen

Weigel, Rudolph

**Sammlung von Bildnissen, Bildniswerken, Kunstbuechern, Kupferstichen aller Schulen**

Inktank publishing, 2018

www.inktank-publishing.com

ISBN/EAN: 9783750128514

# Rudolph Weigel's Kunstauction.

# Catalog

der vom

Königlich Preussischen Oberst a. D. Ritter hoher Orden etc.

## Herrn Ignaz von Szwykowski

Verfasser von „Anton von Dyck's Bildnisse bekannter Personen" etc.

## hinterlassenen Sammlung

von

## Bildnissen, Bildnisswerken, Kunstbüchern, Kupferstichen aller Schulen etc.

worunter die Iconographie van Dyck's, die Werke von Bause, Schmidt, Wille, mehrere sehr seltene Portraitsammelwerke und eine streng wissenschaftlich geordnete Portraitsammlung,

welche

den 24. October 1859 und folgende Tage

## zu Leipzig

im R. Weigel'schen Kunstauctionslocale

### Königstrasse No. 23.

durch Herrn Raths-Proclamator **Engel**

gegen baare Zahlung in Courant öffentlich versteigert werden.

---

## Leipzig,

Druck von J. B. Hirschfeld.

1859.

# Zur gef. Beachtung.

Die Versteigerung geschieht **gegen baare Zahlung**, und werden die auswärtigen Käufer ersucht, ihre Commissionaire mit Baarkasse zu versehen.

Aufträge erbittet man sich spätestens 8 Tage vor der Versteigerung, *doch macht man aufmerksam, dass denselben entweder ein Theil des muthmaasslichen Erstehungsquantums baar oder Accreditive auf hiesige Banquierhäuser beizufügen sind, oder auch dass durch Postvorschuss der Betrag des Erkauften nachgenommen werden darf, ohne welche Sicherheitsstellung jene unberücksichtigt gelassen werden.*

Es wird ferner ersucht, die Preise bei den Aufträgen *genau* zu bestimmen, da es bei den vielen Commissionen zu oft in Verlegenheit führt, wenn approximative Gebote gethan werden; wenn ein Gebot um wenige Groschen nicht überschritten worden, ist keineswegs anzunehmen, dass es der Auftraggeber deshalb erlangt haben würde, sondern dass höhere Limiten vorlagen, und versteht es sich ohnehin von selbst, dass derjenige, welcher das höchste Gebot gethan, die betreffende Nummer auch nur erhalten und verlangen kann.

Nachstehende *Buch*- und *Kunsthandlungen* übernehmen Aufträge und sind mit Catalogen versehen:

| | |
|---|---|
| In AACHEN | *Cremer*'sche Buchh. |
| – ALTONA | bei *A. Lehmkuhl & Comp.* |
| – AMSTERDAM | – *F. Buffa & fils.* — *F. Müller.* — *J. H. A. Jonkers.* |
| – ARNSBERG | – *F. W. Brisken.* |
| – AUGSBURG | – *F. Butsch.* — *F. Ebner.* |
| – BAIREUTH | – *C. Giessel.* |
| – BASEL | – *H. Fischer & Comp.* — *J. L. Fuchs & Comp.* — *Neukirch*'sche Buchh. |
| – BERLIN | – *Besser*'sche Buchh. — *C. G. Ende.* — *Enslin*'sche Buchh. — *J. F. Linck.* — Auctions-Commissionair *A. Meyer.* — *Nicolai*'sche Sort.-Buchh. — *Oehmigke's* B. — *Gebr. Rocca.* — *Jos. Rocca.* — *Schneider & Comp.* — *E. H. Schroeder.* — *J. A. Stargardt.* |
| – BERNBURG | – *A. Schmelzer.* |
| – BONN | – *M. Lempertz.* — *A. Marcus.* |

| In BRAUNSCHWEIG | bei *E. Leibrock.* — *G. C. E. Meyer sen.* |
| | — *C. W. Ramdohr.* |
| - BREMEN | - *J. G. Heyse.* — *H. L. J. Kraus.* |
| | — *Kühtmann & Comp.* — *H. Strack.* |
| - BRESLAU | - *Gosohorsky's* Buchh. — *W. G. Korn.* |
| | — *J. Max & Comp.* — *Trewendt.* |
| - BRÜSSEL | - *B. van der Kolk.* — *C. Muquardt.* |
| - COBURG | - *Meusel & Sohn.* |
| - CÖLN | - *J. M. Heberle.* — *G. Honnef.* — *Rom-* |
| | *merskirchen's* B. — *J. G. Schmitz* |
| | Sort. Handlung. |
| - COPENHAGEN | - *A. F. Höst.* — *Th. Lind.* — *Lose &* |
| | *Delbanco.* — *C. A. Reitzel's* Buchh. |
| - CRACAU | - *D. E. Friedlein.* |
| - DANZIG | - *L. Homann's* B. — *B. Kabus.* — *F.* |
| | *A. Weber.* |
| - DORPAT | - *E. J. Karow.* |
| - DRESDEN | - *E. Arnold.* — *E. Geller.* — *F. C.* |
| | *Janssen.* — *Frau Lotzmann, Schlossg.* |
| | No. 33. — *A. Reichel.* — *G. Schönfeld.* |
| - DÜSSELDORF | - *J. Buddeus'*sche B. — *A. W. Schulgen.* |
| - ERFURT | - *C. Villaret.* |
| - FLORENZ | - *L. Bardi.* |
| - FRANKFURT a. M. | - *H. Keller.* — *F. A. C. Prestel.* |
| - GENT | - *C. Muquardt.* |
| - GÖRLITZ | - *C. A. Starke.* |
| - GOTHA | - *Becker's*che B. — *E. F. Thienemann.* |
| - GÖTTINGEN | - *Dieterich's*che Buchhandlung. |
| - HAAG | - *A. G. de Visser.* |
| - HAGEN | - *Gust. Butz.* |
| - HALLE | - *J. F. Lippert.* — *H. W. Schmidt's* |
| | Sort.-Buchhandlung. |
| - HAMBURG | - *B. S. Berendsohn.* — *Commeter's*che |
| | Kunsthandl. — *G. Heubel.* — *Hoff-* |
| | *mann & Campe.* — Makler *C. Meyer.* |
| | — *Perthes, Besser & Mauke.* |
| - HANNOVER | - *F. Brecke.* — *Hahn's*che Hofbuch. — |
| | *V. Lohse.* — *H. Oppermann.* — *C.* |
| | *Schrader's* Nachfolger. |
| - HEIDELBERG | - *Adolph Emmerling.* |
| - INNSBRUCK | - *F. Unterberger.* |
| - KIEL | - *Th. Klose.* — *Schwers'*sche Buchh. — |
| | Universitäts-Buchhandlung. |

In KÖNIGSBERG in Pr.   bei *Bon's* Buchh. — *Gräfe & Unzer.*
- LEYDEN              - *E. J. Brill.*
- LONDON             - *P. & D. Colnaghi.* — *E. A. Evans
                       & Sohn.* — *D. Nutt.* — *Williams &
                       Norgate.*
- LÜBECK             - *von Rohden'sche* Buchhandlung.
- LÜTTICH            - * *Ch. van Marck.*
- MAGDEBURG          - *E. Bänsch.* — *F. Kägelmann.*
- MAILAND            - *Meiners & Sohn.*
- MAINZ              - *G. Frommann.* — *V. von Zabern.*
- MANNHEIM           - *G. Frisch.*
- MINDEN             - *Keiser & Co.*
- MÜNCHEN            - *J. Aumüller.* — *F. Gypen.* — *Mey &
                       Widmayer.* — *L. von Montmorillon.* —
                       Antiq. *Dr. G. K. Nagler.* — *M. Ravizza.*
- MÜNSTER            - *Coppenrath'sche* Buchh. — *Theissing'-
                       sche* Buchh.
- NEAPEL             - *A. Detken.*
- NEISSE             - *J. Graveur.*
- NEUSTRELITZ        - *G. Barnewitz.*
- NORDHAUSEN         - *F. Förstemann.*
- NÖRDLINGEN         - *C. H. Beck'sche* Buchhandlung.
- NÜRNBERG           - Auct. *J. A. Börner.* — *F. Heerdegen.*
- OLDENBURG          - *Schulze'sche* Buchh. — *G. Stalling.*
- PADERBORN          - *W. Crüwell.* — *Wesener.*
- PARIS              - *Clement.* — *A. Franck.* — *Guichardot.*
                       — *Ch. Leblanc.* — *A. W. Schulgen.* —
                       *E. Tross.* — *Vignères.*
- S. PETERSBURG      - *F. Ebner,* Kunsthandlung.
- POSEN              - *J. Lissner.*
- PRAG               - *Calve'sche* Buchh. — *F. A. Credner.*
                       — *Ehrlich's* Buchh.
- REGENSBURG         - *G. J. Manz.* — *Montag & Weiss.*
- ROSTOCK            - *Stiller'sche* Hofbuchhandlung.
- SCHAFFHAUSEN       - *Hurter'sche* Buchhandlung.
- SCHWEIDNITZ        - *L. Heege.*
- SCHWERIN           - *Oertzen & Schlöpke.* — *Stiller'sche*
                       Hofbuchhandlung.
- SONDERSHAUSEN      - *G. Bertram.*
- STETTIN            - *A. Cartellieri.* — *Müller'sche* Buchh.
                       — *F. Nagel.*
- STOCKHOLM          - *A. Bonnier.* — *Levertin & Sjöstedt.*
                       *Samson & Wallin.*

| | |
|---|---|
| In STRALSUND | bei *C. Hingst.* |
| - STRASSBURG | - *Treuttel & Würtz.* |
| - STRAUBING | - *Schorner's*che Buchhandlung. |
| - STUTTGART | - *A. Liesching & Co.* — *J. Weise.* |
| - TRIEST | - *H. F. Münster.* |
| - TÜBINGEN | - *L. F. Fues's*che Buchhandlung. |
| - UTRECHT | - *W. F. Dannenfelser.*—*Kemink & Sohn.* |
| - VENEDIG | - *H. F. Münster.* |
| - VERONA | - *H. F. Münster.* |
| - WARSCHAU | - *H. Natanson.* |
| - WEIMAR | - *W. Hoffmann.* |
| - WIEN | - *Artaria & Co.* — *C. Gerold & Sohn.* |
| | — *Lechner's* Universitäts- Buchhand- |
| | lung. — *L. F. Neumann.* — |
| | *F. Paterno.* |
| - WRIEZEN | - *F. Röder.* |
| - WÜRZBURG | - *Stahel's*che Buchhandlung. |
| - ZÜRICH | - *F. Hanke.* — *F. Höhr.* |

In **Leipzig** übernehmen Aufträge:

Herr Kunsthändler *C. G. Börner.*
- Proclamator *Engel,*
- Buchhändler *H. Fritzsche,*
-     -     - *H. Hartung,*
-     -     - *Kirchhoff & Wigand,*
-     -     - *K. F. Köhler,*
-     -     - *R. Kössling,*
-     -     - *C. H. Reclam,*
- Kunsthändler *L. Rocca,*
- Buchhändler *O. A. Schulz,*
-     -     - *F. Voigt,*
-     -     - *L. Voss,*
-     -     - *T. O. Weigel,*

und der Unterzeichnete:      *Rudolph Weigel.*

Nach jeder der hiesigen Kunstauctionen sind gedruckte *Versteige-rungspreislisten* für 2½ Ngr. zu haben.

# Leipziger Kunstauctionen.

---

Der Unterzeichnete übernimmt und besorgt den Verkauf sowohl grosser Sammlungen als kleiner Beiträge von Kupferstichen, Handzeichnungen, Oelgemälden, Kunstbüchern etc. durch Auctionen, welche unter seiner Garantie von dem verpflichteten Proclamator abgehalten werden. Das Vertrauen, welches während fünf und siebzig Jahren Käufer und Verkäufer den von ihm und seinen Vorfahren veranstalteten Auctionen schenkten, beruht vor allem auf der gewissenhaften Anfertigung der Cataloge und pünktlichen Ausführung der Aufträge. Diejenigen öffentlichen Kabinette und Kunstfreunde, welche Doubletten oder Sammlungen versteigern lassen wollen, belieben sich der Bedingungen wegen an ihn zu wenden.

### *Rudolph Weigel.*

# ÜBERSICHT.

## Erste Abtheilung.

### Bücher, Kupferwerke und Handschriften.

# Zweite Abtheilung.

Kupferstiche, Radirungen, Holzschnitte, Lithographien und Stahlstiche.

12

# Vorbemerkung.

Die nachstehend verzeichnete Bücher- und Bildniss-
Sammlung des verstorbenen Oberst Ignaz von Szwykowski bietet ein in ihrer Art einziges Beispiel rastlosen
Sammlerfleisses. Von jeher mit lebhafter Neigung zum Sammeln von Bildnissen begabt, unternahm der Verstorbene, als
ihm nach 37jähr., ruhmvoll bestandenen Kriegs-Diensten im
preuss. Heere, im 52. Jahre durch Pensionirung vollkommene
Musse zur Betreibung seiner Lieblingsstudien gewährt wurde,
das leider unvollendet gebliebene Werk einer „Iconographischen
Registratur" d. h. eines vollständigen Katalogs sämmtlicher
iconographischen Werke nach ihrer historischen und künst-
lerischen Bedeutung, dessen (62 Bog. starke) Vorrede (Nr. 761
dieses Verzeichnisses) eine Vorstellung von der Tendenz und
dem Umfang des beabsichtigten Ganzen zu geben im Stande
ist. Mit unermüdetem jugendlichen Eifer und einer bewun-
dernswürdigen Ausdauer sammelte, studirte und schrieb der
Verstorbene um das vorgesteckte Ziel zu erreichen, und die
einzelnen vollendeten Stücken, nämlich „A. v. Dycks Iconographie" und die „Sammelwerke altniederländischer Maler-
Portraits", welche im Naumann-Weigel'schen Archiv veröffent-
licht wurden, geben ein Zeugniss seiner überaus umfänglichen

Arbeiten. In gleicher Weise bietet fast jedes Buch und jedes Bildniss der nachfolgenden Sammlung Notizen für das unternommene Werk. Sämmtliche Bildniss-Sammlungen sind mit alphabetischen Registern versehen, den Büchern Recensionen, den Bildnissen historisch - biographische Notizen, zahllose Auctionspreise und Nummern bekannter Portraitcataloge beigeschrieben, so dass einem Bildniss-Sammler schwerlich wieder Gelegenheit geboten werden dürfte, mit der Vermehrung seiner Sammlung zugleich ein so instructives Material zu erwerben, als hier dargeboten ist. — Der Büchercatalog ist von dem Verstorbenen selbst auf das Sorgfältigste verfasst und für die Portraitsammlung ist ein von ihm in den Hauptzügen entworfenes System zu Grunde gelegt worden, dessen Uebersichtlichkeit sich hoffentlich den Beifall der Kunstfreunde erwerben wird.

# Erste Abtheilung.

## Bücher, Kupferwerke und Handschriften.

---

## I. Bildende Kunst und Ikonographie.

### 1. Künstler-Biographien.

#### A. Lexica, Wörterbücher und dergleichen.

**1¹⁻ᵈ. d'Argenville, Anton Joseph Dezallier.** Leben der berühmtesten Maler, nebst einigen Anmerkungen über ihren Charakter u. s. w. Aus dem Französischen übersetzt, verbessert und mit Anmerkungen erläutert (von J. J. Volkmann). 1. bis 4. Thl. Leipzig, 1767. 8. In 4 Pappbdn. (R. W.*) N. 67a.)

**3. Descamps.** La vie des peintres flamands, allemands et hollandois avec des portraits grav. en taille douce etc. etc. Tom. I—IV. Paris, 1753, 54, 60—64. Mit in den Text gedruckten Künstler-Bildnissen von den besten Stechern Frankreichs um die Mitte des 18. Jahrhund. Darunter sehr viele Blätter von dem berühmten E. Fiquet. In 4 Pppbdn. gr. 8. (R. W. No. 1625.)

**4. Fuesslin, J. Rudolph.** Allgemeines Künstler-Lexikon oder kurze Nachricht von dem Leben und den Werken der Maler, Bildhauer, Baumeister, Kupferstecher, Kunstgiesser, Stahlschneider u. s. w., nebst einem angehängten Verzeichniss der Bildnisse der in diesem Lexikon enthaltenen Künstler in alphabet. Ordnung beschrieben. Zürich, 1763. 4. Hlbfz.

---

*) R. W. bedeutet Rudolph Weigel's Kunst-Katalog.

1

**4ª. Erstes Supplement,** enthaltend einige 100 alte und neue Artikel, welche in dem Lexikon selbst nicht erschienen sind, nebst einer grossen Anzahl von Berichtigungen, Zusätzen und Verbesserungen. Zürich, 1767. 4. 2 Hlbfzbde. Ladenpr. mit dem Suppl. bis 1779 7⅓ Thlr. (R. W. No. 9701 in 3 Suppl.-Bdn.)

**5. Doppelmayr, Jo. Gabr.** Historische Nachricht von den Nürnberger Mathematicis und Künstlern. In 2 Theilen ans Licht gestellt. Nürnberg, P. C. Monath. 1730. Mit Kupfertafeln, wovon jedoch hier No. IX. fehlte, als das Buch in T. O. Weigel's Auction verkauft wurde. fol. Pappbd. (R. W. No. 1606.)

**6. Fuesslin, J. Casp.** Hoc Monumentum Memoriae Clarissimorum Helvetic. Gentis Pictorum L. M. Q. Posuit. Der deutsche Titel: Geschichte und Abbildung der besten Maler der Schweiz. 1. Thl. Zürich, 1755 und 2. Thl. 1756. Erste Ausgabe mit zierlichen Vignetten und Bildnissen in ersten trefflichen Abdrücken. Zusammen in engl. Lederbd. gr. 8. Jetzt schon sehr selten.

**7ª⁻ᵉ. Fuesslin, J. Casp.** Hoc Monumentum Memoriae Clarissimorum Helvetic. Gentis Pictorum L. M. Q. Posuit. (Wenn auch in den lateinischen Worten übereinstimmend, so ist doch zu dieser Ausgabe ein neues Titelblatt in Kupfer gest., deutsch: Joh. Caspar Fuesslin's Geschichte der besten Künstler in der Schweiz. 1. u. 2. Bd. Zürich, 1769, 3. Bd. 1770, 4. Bd. 1774 und Anhang (als 5. Bd.) 1779. Zusammen 5 Oct.-Bde. in Pappbd. mit gestochenen Titelblättern, Vignetten und 132 Bildnissen auf besondern Blättern abgezogen. (R. W. No. 99.)

**8ª⁻ᵉ. Huber und Rost.** Handbuch für Kunstliebhaber und Sammler über die vornehmsten Kupferstecher und ihre Werke. Vom Anfange dieser Kunst bis auf die gegenwärt. Zeit. Chronologisch und in Schulen geordnet, nach der französ. Handschrift des Hrn. M. Huber bearbeitet von C. C. H. Rost. 1. u. 2. Bd. deutsche Schule. Zürich, 1796. 3. u. 4. Bd. italienische Schule 1799. 5. u. 6. Bd. niederländische Schule 1801 u. 1802. 7. u. 8. Bd. französische Schule 1804, u. 9. Bd. die englische Schule enthaltend 1808. Die 3 letzten Bände von C. G. Martini. Complett. 9 Bde. in 5 Hlbfzbdn. (R. W. No. 167.)

**9ª⁻ᵇ. Heller, Jos.** Praktisches Handbuch für Kupferstichsammler, oder Lexikon der vorzüglichsten und beliebtesten Kupfer-

stecher, Formschneider und Lithographen, nebst Angabe ihrer
besten und gesuchtesten Blätter u. s. w. 1. Bdchn. A — J.
2. Bdchn. K — Z. Bamberg, 1855. 8. Hlbfzbd. (R. W.
No. 71.) Dazu 3. und letztes Bdchn. Bamberg. 8. Lwdbd.
(Ladenpr. 1 ℛℓ. R. W. No. 4732.)

10. **Hüsgen, Hnr. Seb.** Artistisches Magazin. Enthaltend
das Leben und die Verzeichnisse 'der Werke hiesiger und
anderer Künstler. Nebst einem Anhang von Allem, was in
öffentlichen und Privatgebäuden der Stadt Frankfurt Merkwürdiges u. s. w. u. s. w., wie auch einem Verzeichniss
aller hiesigen Künstler-Portraiten. Nebst 2 Kpfrtfln. Frankfurt a. M., 1790. 8. Hlbfzbd. (R. W. No. 96.)

11. **Immerzeel.** De Levens en Werken der Hollandsche en
Vlaamsche Kunstschilders, Beldhouwers, Graveurs en Bouw-
meesters van het Begin der vijftiende Eeuw tot heden. Dree
Deelen. Amsterdam, 1842, 43. gr. 8. Ausser dem Titel-
bilde sind 261 kleine, elegant in Holz geschnitt. Portraits
in den Text gedruckt. Ganzleinwdbd. (R. W. No. 12145
und 12805. Ladenpr. 9 ℛℓ.)

13. **Kilian, George Christoph.** Allgemeines Künstler-Lexikon oder Lebensbeschreibungen von 223 berühmten Künstlern, Malern und Kupferstechern, und Anzeige ihrer Werke
mit ihren wohlgetroffenen Bildnissen. In Contorni gestochen
von G. Ch. Kilian. 4 Bdchn. in einem Pbd. Augsburg,
1797. (R. W. No. 9702.)

14ᵃ·ᵇ. **Meusel, Jo. George.** Deutsches Künstlerlexikon oder
Verzeichniss der jetzt lebenden deutschen Künstler, nebst
einem Verzeichniss sehenswürdiger Bibliotheken u. s. w.
Lemgo, 1778. 2 Thle. 8. Hlbfrzbd. (Ladenpr. 1²/₃ ℛℓ.
R. W. No. 92.)

Angebunden an den ersten Theil:

**Nicolai, Fr.** Nachricht von den Baumeistern, Bildhauern,
Kupferstechern, Malern, Stukkateuren und andern Künstlern,
welche vom 13. Jahrhundert bis jetzt in Berlin sich aufge-
halten haben und deren Kunstwerke zum Theil daselbst noch
vorhanden sind. Berlin u. Stettin, 1786. In 8. (Ladenpr.
⁷/₁₂ ℛℓ. R. W. No. 3330.)

Desgleichen an den zweiten Theil:

**Keller, Hnr.** Nachrichten von allen in Dresden lebenden
Künstlern. Gesammelt und herausgegeben von H. Keller.
Leipz., 1789. 8. (R. W. No. 95.)

16. **Dumesnil, R.** Le peintre graveur Français ou catalogue raisonné des estampes gravées par les peintres et dessinateurs de l'école française. Tome septième (Artistes nés dans les 15., 16. et 17. siècles) Deuxième Partie. — Auskunft von 11 Künstlern, darunter Gérard, Edelinck. Paris, 1844. gr. 8. brochirt. (R. W. No. 14080.)

17. **W. Seidel und Dr. Hagen.** Nachrichten über Danziger Kupferstecher, aus: Neue Preussische Provinzial-Blätter. Bd. III. Heft 3. und Bd. IV. Heft 1. Königsberg in Preussen, 1847. 8. Pbd. (R. W. No. 16933.)

19. **Ludw. v. Winkelmann Edler von Uermitz.** Handbuch zur nähern Kenntniss alter und guter Gemälde, zur geschwinden Einsicht für Kunstliebhaber, zur Bequemlichkeit für Reisende, als ein Sackbuch dienend. Augsburg, 1781. 8. Hlbfrzbd. (R. W. No. 1503.)

20. **Lit. A. C. Nilson.** Ueber niederländische Kunst, oder biographisch-technische Nachrichten von den vorzüglichsten Meistern in der Zeichenkunst und Malerei in den vereinigten Niederlanden u. s. w. Aus den vorzüglichsten Quellen bearbeitet. (Pr. 1¼ ℛℳ) Augsburg u. Leipz., 1834. 8. Hlbfrzbd. (R. W. No. 1620.)

21. **Praktisches Handbuch** zur Kupferstichkunde, od. Lexikon derjenigen vorzüglichsten Kupferstecher, sowohl der älteren, als bis auf die neueste Zeit, deren Werke sich zu einer schönen Zimmer-Verzierung eignen. Verfasst und zusammengetragen von einem Kunstfreunde. Magdeburg, 1840. 8. Hlblwdbd. (Ladenpr. 1¾ ℛℳ R. W. 10901.)

23. Geschlechts- und Wappenbeschreibungen zu dem Tyroffischen neuen adelichen Wappenwerk. 1. Bd. 1. Heft. Nürnberg, 1791. 4. Pbd. mit vielen Wappen.

24. Adress-Handbuch des Rheinbundes 1812. Desgl. mit Wappen-Bildern. gr. 8. Pbd.

25. Der durchlauchtigen Welt vollständiges Wappenbuch, in welchem die Kaiserl., Königl., Churfürstl. und Fürstl. Wappen geistl. und weltl. Standes in Deutschland nach den Regeln der Heraldik vorgestellt u. beschrieben sind. Nürnberg, 1767. Zuerst: kurze Einleitung zur Wappen-Kunst und zur Art des Blasonirens. gr. 8. Pbd.

26. Wappen-Buch der Obrigkeit von Danzig durch **Nicolaum Lang.** Reiche Wappenbilder. 1694. kl. 4. Schweinslederbd.

### B. Leben und Werke einzelner Meister.

27. **C. Becker.** Jobst Amman, Zeichner u. Formschneider, Kupferätzer u. Stecher. Nebst Zusätzen von R. Weigel. Mit 17 Holzschnitten u. Register. Leipzig. 1854. kl. 4. Lwdbd.

28. **J. Fréd. de Bartsch.** Catalogue des Estampes de J. Adam de Bartsch, de l'ordre de Leopold, Conslr. aulique et premier garde de la bibliothèque Imp. etc. Par Frédr. de Bartsch, écrivain de la Bibl. Imp. et Roy. de la cour. Vienne, 1818. Mit dem Bildnisse des Künstlers und einer von ihm gest. Vignette. gr. 8. Hlbfrzbd. (R. W. No. 200.)

29 **Keil, Dr. G.** Katalog des Kupferstichwerkes von Joh. Fr. Bause. Mit einigen biograph. Notizen und dem Portrait des Künstlers. Leipzig. gr. 8. Leinwdbd. Die Auflage dieses Katalogs ist auf 200 Exemplare beschränkt worden. (R. W. No. 17455.)

30. **Berger, Daniel.** Anzeige sämmtlicher Werke von Hrn. — Rector und Lehrer der Kupferstechkunst bei der k. preuss. Akademie der Künste und mechanischen Wissenschaften in Berlin. Mit Genehmigung des Künstlers herausgegeben und nach der Zeitfolge geordnet. Nebst dessen Bildniss. No. 1. Leipzig, 1792. 8. Hlbfrzbd. (R. W. No. 205.) Eine 2. Nummer ist wohl nicht mehr erschienen.

31. **Jakoby.** Chodowiecki's Werke, oder Verzeichniss sämmtl. Kupferstiche, welche der verstorb. Hr. Daniel Chodowiecki, Direct. der k. preuss. Akad. der Künste, v. 1758 bis zu seinem Tode 1800 verfertigt und nach der Zeitfolge geordnet hat. Mit dem Bildniss d. Künstlers. Berlin, 1814. 8. Pbd. (R. W. No. 201.)

32. **Hirzel.** Ueber Diogg den Maler, einen Zögling der Natur. Den Manen des weiland k. dänisch. Kammerhrn. von Schumacher gewidmet. Zürich und Leipzig, 1792. 8. Pbd. (R. W. No. 124.)

33. **Joseph Heller.** Das Leben und die Werke **Albrecht Dürer's.** In 3 Bdn. 2. Bd. Mit 3 Abbild. Leipzig, 1831. gr. 8. Hlbfrzbd. (R. W. No. 188.) Der 1. u. 3. Thl. sind wohl bis jetzt gar nicht erschienen.

34. **Dürer, Albrecht.** Reliquien von —. Seinen Verehrern gegeweiht. Nürnberg, 1828. 16. Mit dem Bildniss d. Meisters, Abbildung seines Wohnhauses u. 2 Facsimiles. Pbd. in Futteral. (R. W. No. 114.)

35. **Fr. Kind.** Van Dycks Landleben. Mit d. Portrait des Künstlers u. 6 Kupfern. Leipzig, 1817. 8. Pbd. in Futteral. (R. W. No. 4652.)

36. **Wm. Hookham Carpenter.** Mémoires et documents inédits sur Antoine van Dyk, P. P. Rubens et autres artistes contemporains publiés d'après les pièces originales des Archives royales d'Angleterre, des collections publiques et autres sources. Traduit d'Anglais par Louis Hymans. Anvers, 1845. 4. Mit dem Bildniss von Rubens und van Dycks auf einem Titelblatte. Pbd. (R. W. 14717.)

37. **Parthey, G.** Wenzel Hollar, beschreibendes Verzeichniss seiner Kupferstiche. Berlin, 1853. gr. 8. Hlbfrzbd. (Ladenpr. 4 ℳ)

38. **Dr. W. Ackermann.** Sir Godfrey Kniller, der Portrait-Maler, im Verhältniss zur Kunstbildung seiner Zeit. Lübeck, 1845. 4. geheftet. (R. W. No. 14711.)

39. **G. Chr. Braun.** Raphael Sanzio's von Urbino Leben und Werke. 2. vermehrte und berichtigte Aufl. Wiesbaden, 1819. 8. Pbd. (R. W. No. 4612.)

40. **K. Förster.** Rafael, Kunst und Künstlerleben in Gedichten. Mit Portr. und 10 Kpfrn. nach Gemälden von Rafael. Leipzig, 1817. gr. 8. Pbd. (R. W. No. 37.)

41. **Morgan, Lady.** Salvator Rosa u. seine Zeit. Uebers. von George Lotz. 1. und 2. Bd. Braunschweig, 1824. 8. Hlbfrzbd. (R. W. No. 7689.)

42. **Dr. G. F. Waagen.** Ueber den Maler Petrus Paulus Rubens. Aus dem histor. Taschenbuch herausgegeben von Fr. v. Raumer für 1833. Mit Rubens Portrait, gestoch. von Eichens. Leipzig, 1833. 8. Hlbfrzbd. (R. W. No. 132.)

43. **Füssli, Joh. Casp.** George Philipp Rugendas und Johannes Kupetzki's Leben. Zürich, 1758. 4. Hand-Exempl. des Hrn. v. Murr mit dessen Notizen. Pbd. (R. W. No. 120.)

44. **Alfred Reumont.** Andrea del Sarto. Mit einem Grundriss d. Vorhofs der Servitenkirche in Florenz. Leipzig, 1835. 8. Hlbfrzbd. (R. W. No. 6606.)

45. **Crayen, M.** Catalogue de l'oeuvre de feu George Frédéric Schmidt, Graveur du roi de Prusse etc. Londres, 1789. gr. 8. Hlbfrzbd. Mit dem Bilde des Meist. gest. v. Wagner in Leipzig. (R. W. No. 202.)

46. **Jakoby, L. D.** Schmidt's Werke, od. beschreibend. Verzeichniss sämmtlicher Kupferstiche und Radirungen, welche der berühmte Künstler George Fried. Schmidt von Anno 1729

his zu seinem Tode 1775 verfertigt hat. Nach der französ.
Ausgabe frei bearbeitet, mit verschiedenen Vermehrungen u.
Verbesserungen versehen. Mit dem Bildniss d. Künstlers gest.
v. D. Berger. 1813. Berlin, 1815. gr. 8. Leinwdbd. (R.
W. No. 203.)

47. **M. C. Le Blanc** de la Bibliothèque Royale de Paris. Le
Graveur en taille douce ou Catalogues raisonnés des estam-
pes dues aux graveurs les plus célèbres. Vol. II. l'oeuvre de
R. Strange. Leipsic, 1848. 8. broch. (R. W. No. 16996.)

48. ————— Vol. I. l'oeuvre de J. G. Wille. Leipsic, 1847.
8. br. (R. W. No. 16314.)

49. **Thienemann, Georg Aug. Wilh.** Leben und Wirken
des unvergleichlichen Thiermalers und Kupferstechers Johann
Elias Ridinger mit dem ausführlichen Verzeichniss seiner
Kupferstiche, Schwarz-Kunstblätter und der von ihm hinterlassenen grossen Sammlung von Hand-Zeichnungen. Nebst
Ridinger's Portrait und 12 aus seinen Zeichnungen entlehnten Kupferstichen. Leipzig, 1856. gr. 8. Hlbfrzbd.

50. **Engelmann, Wilhelm.** Dan. Chodowiecki's sämmtl.
Kupferstiche, beschrieben, mit historischen, literarischen und
biographischen Nachweisungen, der Lebensbeschreibung des
Künstlers. Mit 3 Kupferplatt., Copien der seltensten Blätter
des Meisters enthaltend. Leipzig, 1857. 8. Hlbfrzbd.

50[a. b.]. Erklärungen zu D. Chodowiecki's Kalenderkupfern. 27
Heftchen. 16. Aus Kalendern herausgenomm. in 2 Cartons.

## 2. Bücher über Kunst und Kunst-Geschichte.

51. **Apin, M. Sigm. Jacob,** Prof. Publ. Norimbergensis.
Anleitung, wie man Bildnisse berühmter und gelehrter Män-
ner mit Nutzen sammeln u. denen dagegen gemachten Ein-
wendungen gründlich begegnen soll. Kürzlich entworfen etc.
Nürnberg, 1728. 8. Hlbfrzbd. Mit Papier durchschossen.
Dies Exemplar supplirt von Ludw. Salom. Eyring und Jo.
Philipp Eschenbach, dann noch von Izolz. (R. W. No. 3395.)

52. **d'Arclois de Montani.** Abhandlung von den Farben zum
Porcellain- und Email-Malen u. s. w. Leipzig, 1797. 8.
Hlbfrzbd. Der Titel handschriftl. ergänzt. Ladenpr. 7 ggr.

53. **Christen, Jo. Fr.** Anzeige und Auslegung der Monogram-
matum. Einzelne u. verzogene Anfangsbuchstaben d. Namen,
auch andere Züge und Zeichen, unter welchen berühmte
Maler, Kupferstecher u. a. dergl. Künstler auf ihren Werken

sich verborgen haben u. s. w. Leipzig, 1747. 8. Hlbfrzbd.
Ladenpr. ³/₄ ℛ. (R. W. No. 224.)

54ᵃ⁻ᶜ. **Du Bos.** Kritische Bemerkungen über die Poesie und
Malerei. Aus d. Franz. 3 Thle. Kopenhagen, 1760. 61.
8. Frzbd. (R. W. No. 1420.)

55ᵃ·ᵇ. **Fiorillo, Jo. Dom.** Kleine Schriften artistischen Inhalts. 1. u. 2. Bd. Mit Kpfrn. Göttingen, 1803 u. 1806.
Zwei Oct.-Frzbde. (R. W. No. 145.)

56. **Gottsched, Joh. Chrph.**, der Weltweisheit ordentlicher
Lehrer in Leipzig u. s. w. Handlexikon, oder kurzgefasstes
Wörterbuch der schönen Wissenschaften und freien Künste.
Leipzig, 1760. S. Ldrbd. Ladenpr. 2²/₃ ℛ. Exemplar aus
der Bibliothek des Verfassers.

57ᵃ·ᵇ. **Heinecken, C. H.** Nachrichten von Künstlern u. Kunst-
sachen. Leipzig, 1768 und 2. Thl. mit vielen Kpfrn. 1769.
2 Hlbfrzbde. 8. (R. W. No. 143.)

58. **Heller, Jos.** Geschichte der Holzschneidekunst von den
ältesten bis auf die neuesten Zeiten. Nebst zwei Beilagen,
enthaltend den Ursprung der Spiel-Karten und ein Verzeichniss der sämmtlichen xylographischen Werke. Mit sehr viel.
Holzschn. Bamberg, 1823. In 8. Pbd. (R. W. No. 180.)

59. **Heller, Jos.** Monogrammen-Lexikon, enth. die bekannten,
zweifelhaften und unbekannten Zeichen, so wie die Abkür-
zungen der Namen, der Zeichner, Maler, Formschneider,
Kupferstecher, Lithographen u. s. w., mit kurzen Nachrichten über dieselben. Bamberg, 1831. 8. Hlbfrzbd. (R. W.
No. 226.)

60ᵃ⁻ᶜ. **Hirsching, Frd. Karl Gtlb.** Nachrichten von sehens-
würdig. Gemälden, Kupferstichsammlungen, Münz-, Gemmen-,
Kunst- und Naturalien-Kabinetten u. s. w. 1. bis 6. Bd.
Erlangen, 1786—1792. In 8. 3 Pbde. (R. W. No. 4728.)

61. **Köhler, Joh. David.** Anweisung für reisende Gelehrte,
Bibliotheken, Münz-Kabinette, Antiquitäten-Zimmer, Bilder-
Säle, Naturalien- u. Kunstkammern, u. d. m. mit Nutzen zu
besehen. Frankfurt u. Leipzig, 1762. 8. Pbd.

62. **Kupferstecherkunst.** Geschichtl. Uebersicht der —. In
ihren Monumenten aus den Privatsamml. Leipzigs. 1. Abthl.
deutsche Künstler 1841. 2. Abthl. italienische Künstler 1842.
3. Abthl. niederländische Künstler 1843. broch. (R. W. No.
11360. 12187 und 12834.)

63. **Lessing, Gotth. Ephr.** Wie die Alten den Tod gebildet.
Eine Untersuchung etc. Berlin, 1769. 4. Hlbfrzb. (R. W.

No. 1433.) Ausgabe von 1800. 8. (Diese ältere Ausgabe wird in dem Catalog von Ludw. Tieck No. 7499 als „fort rare, avec belles epreuves" bezeichnet. Ladenpr. $^2/_3$ ℛ.)

64. **Lessing, Gotth. E.** Laokoon oder die Grenzen d. Malerei u. Poesie. Mit beiläufigen Erläuterungen verschieden. Punkte der alten Kunstgeschichte. Neue vermehrte Aufl. Berlin, 1788. S. Hlbfrzbd. (R. W. No. 6.)

67$^{a-c}$. **Meusel, J. G.** Miscellaneen artistisch. Inhalts. 1. bis 30. Heft. Erfurt, 1779 bis 1787 in 5 Bdn. S. Hlbfrzbd. Ladenpr. 5. ℛ. (R. W. No. 138.)

67$^d$. —————— Museum für Künstler u. für Kunstliebhaber. 1. bis 4. Stck. mit 4 Portraits. Leipzig, 1794—95. 8. Hlbfrzbd. Ladenpr. 2$^2/_3$ ℛ. (R. W. No. 137.)

68$^{a-c}$. —————— Museum für Künstler und Kunstliebhaber, oder Fortsetzung der Miscellaneen artistischen Inhalts. 1. bis 18. Stck. Mannheim, 1787—92. 8. In 3 Hlbfrzbdn. (R. W. No. 136.)

69$^{a-c}$. —————— Neue Miscellaneen artist. Inhalts f. Künstler u. Kunstliebhaber. Fortsetzg. d. neuen Museums für Künstler u. Kunstliebhaber. 1. bis 15. Stck. Leipzig, 1795—1803. 8. In 3 Halbfrzbdn. (R. W. No. 139.)

70$^{a-e}$. —————— Archiv für Künstler u. Kunstliebhaber. Dresden, 1803. 1. Bd. 1. u. 2. Stck. 4. broch. (R. W. No. 140.)

71$^{a-f}$. **Murr, Ch. G. von.** Journal zur Kunstgeschichte und zur allgem. Literatur. Nürnberg, 1775—1784. 8. 1—12. Thl. In 6 Pbdn. Das ganze Werk besteht aber aus 17 Thln. und noch 2 Thln. Neues Journal. Compl. von 1775—1799. Mit vielen Kupfern und Holzschn. Nürnberg u. Leipzig. 8 ℛ. Ladenpr. der ersten 17 Bände 14$^1/_3$ ℛ. (R. W. No. 135.)

72. **Reinhold, Ch. Ludolph.** Akad. der bild. Künste, nebst einer vollständigen Mythologie oder Beschreibung der Muster der Alten und wie dieselben ihre Götter, Könige, Priester und Helden bildeten. Für Maler, Bildhauer, Baumeister und Dichter. Mit 14 Kpfrn. Münster u. Osnabrück, 1788. gr. 8. Pbd. Ladenpr. 1$^1/_2$ ℛ. (R. W. No. 16920.)

73. **Riem, A.** Ueber die Malerei der Alten. Ein Beitrag zur Geschichte der Kunst, veranlasst von B. Rode. Berlin, 1787. gr. 4. Pbd. Mit Radirungen von Rode, theils in den Text gedruckt, theils auf besonderen Bogen abgezogen. (R. W. No. 64.)

74. **Schetelig, J. A. G.** Ikonograph. Bibliothek. 1. bis 5. Stck. Hannover, 1795 u. Celle, 1800. kl. 4. Exempl. auf Schreibpap.

1 *

Mit handschriftlicher Beifügung der Recensionen aus: Göttingsches Magazin, neue allgemeine deutsche Bibliothek und allgem. Liter.-Zeitg. Hlbfrzbd. (R. W. No. 4742.)

75[a-d]. **Sulzer, J. G.** Allgemeine Theorie der schönen Künste in einzelnen nach alphabetischer Ordnung der Kunstwörter auf einander folgenden Artikeln. 1. Thl. A—J. Leipzig, 1773. 2. Thl. von K—Z. Leipzig. 1775. 8. In 4 Hlbfrzbdn. (R. W. No. 3.)

76[a. b]. **Sulzer's** Nachträge zu: allgemeine Theorie der schönen Künste von einer Gesellschaft von Gelehrten. 1. Bdes. 1. Stck. (Charaktere der vornehmsten Dichter aller Nationen.) Leipzig. 1792 u. 2. Bdes. 1. u. 2. Stck. Leipz., 1793. 8. 8 ℛ. 2 Hlbfrzbde. Es sind im Ganzen 8 Thle. à 1 ¹/₃ ℛ., es fehlen also hier 6 Bde.: 3—8.

77[a. b]. **Sulzer's** literarische Zusätze zu: allgemeine Theorie der schönen Künste v. Frdr. v. Blankenburg. Leipz., 1796—98. 8. 1. B. A—G. Ladenpr. 1⁵/₆ ℛ. 2. Bd. H—R. 1²/₃ ℛ. Der 3. Bd. fehlt. Hlbfrzbd.

78[a-c]. **Volkmann,** Dr. **J. J.** Historisch-kritische Nachrichten von Italien, welche eine genaue Beschreibung dieses Landes u. s. w., insbesondere der Werke der Kunst, nebst einer Beurtheilung derselben enthalten. 1. Bd. Leipzig, 1770. 2. Bd. 1770 u. 3. u. letzt. Bd. 1771. 8. Hlbfrzbd. Ladenpr. 6 ℛ. (R. W. No. 3356.)

79. **Walter, F. A.** Alte Malerkunst u. Johann Gottlieb Walters Leben und Werke. Mit 2 Kpfr. Berlin, 1821. gr. 8. Hlbfrzbd. (R. W. No. 1511.)

80. **Naumann,** Dr. **R.** Die Malereien in den Handschriften der Stadt-Bibliothek zu Leipzig. Leipzig. 1855. 8. br.

81. **Szwykowski, Ign. v.** Histor. Skizze über die frühesten Sammelwerke altniederländ. Maler-Portraits. Leipzig, 1856. gr. 8. br.

82[a. b]. **Schasler,** Dr. **M.** Berlins Kunstschätze. 1. Abtheilung: Die k. Museen von Berlin. Ein prakt. Handb. zum Besuch der Galerien, Sammlungen u. Kunstschätze d. alten u. neuen Museums. Berlin, 1855. 2. Abth.: Die öffentl. und Privat-Kunstsammlungen, Kunstinstitute u. Ateliers der Künstler u. Kunstindustriellen von Berlin. Ein prakt. Handb. zum Besuch des k. Schlosses u. s. w. Berlin, 1856. 12. br.

83. **Laborde, Léon de.** Histoire de la Gravure en manière noire. Paris, 1839. 8. Hlbfrzbd.

84. Geschichte der seit 300 Jahren in Breslau befindlich. Stadt-

buchdruckerei, als ein Beitrag zur allgem. Geschichte der
Buchdruckerkunst. Breslau, 1804. Mit 4 Bildnissen u. 4 er-
läuternd. Kpfrpltn. Pbd.

84ᴬ. **Naumann**, Dr. **R.** u. **Weigel, R.** Archiv für d. zeichnenden Künste, mit besonderer Beziehung auf Kupferstecher-
u. Holzschneidekunst u. ihre Geschichte. 4. Jahrg. 4. Heft.
Leipzig, 1858. 8. br.

### 3. Gemälde-Gallerien, Kupferstich-Cabinette und Museen.

85. Allgemeines Verzeichniss des k. Kunst-, naturhistorischen u.
antiken Museums zu Berlin, 1850, und
85ᴬ. Leitfaden für die k. Kunstkammer und das ethnographische
Cabinet zu Berlin. Berlin, 1844. Beides zusammen. 8. st. br.

86. **Wagen,** Dr. **G. F.** Verzeichniss der Gemäldesamml. des
k. Museums zu Berlin. Berlin, 1832. 8. (R. W. No. 234.) u.
Nachweisung der Nummern, unter welchen die einzelnen
Bilder der Gemäldesammlung des k. Museums in den frühern
Auflagen des Verzeichnisses aufgeführt sind. Berlin, 1845.
Beigelegt noch:
Erklärung der Fresco-Gemälde am Museum. Nach Schinkel's
Entwürfen bearb. v. Dr. Ph. Löwe. 3. Aufl. Berl., 1851. br.

87. Neues Buch. Sach- und Ortsverzeichniss der k. sächs. Gemäldegallerie zu Dresden. Dresd., 1819. 8. Pbd. Ladenpr.
1⅓ ℛ. (R. W. No. 231b.)

88. Verzeichniss der k. Gemäldegallerie zu Dresden. Dresd., ohne
Jahrzahl. 8. br.

89. **Hase.** Verzeichniss der alten u. neuen Bildwerke in Marmor
u. Bronze in den Sälen des k. Antikensammlung zu Dresden.
2. verbesserte Aufl. Mit einem Kpfr. Dresden, 1829. 8. br.
(R. W. No. 4967.)

90. **Hübner, J.** Verzeichniss der Dresdner Gallerien, mit einer
historischen Einleitg. Auf hohe Veranlassg. 1856. 8. st. br.

91. Galerie Imperiale et Royale de Florence. Sixième édition,
ornée des planches de la Vénus des Médicis, de celle de
Canova et de l'Apollon. Florence, 1822. 8. br. (R. W.
No. 12520.)

92ᵃ⁻ᶜ. **Florent.** Le Comte, Sculpteur et Peintre. Cabinet des Sin-
gularitez d'Architecture, peinture, sculpture et gravure ou
Introduction à la Connoissance des plus beaux Arts figurés
sous les Tableaux, les Statues et les Estampes. Tom. I. II.
III. Brüssel, 1702. kl. 8. 3 Frzbde. (R. W. No. 3385.)

93. **Frenzel, J. G. A.** Die Kupferstichsammlung v. Friedrich
August II., König von Sachsen. Beschrieben u. mit einem
histor. Ueberblick der Kupferstecherkunst begleitet. Leipz.,
1854. 4. br. (R. W. No. 19996.)

94. Giustinianische Gallerie, die ehemalige, bestehend aus vorzüglichen Gemälden aus der Hand der berühmtest. Meister
der italien., französ. u. niederländ.-deutschen Schule. Aus-
gestellt nebst 14 andern Stücken vom 12. Mai an, zum
Besten d. weibl. Wohlthätigkeitsvereins im Akademiegebäude
unter d. Linden. Berlin, 1816. 8. Pbd. (Aus dem Französ.
übers. von Delaroche.)

95. Möglichst kurz gefasste Beschreibung der Glyptothek Sr.
Maj. d. Königs Ludwig I. v. Baiern. München, 1855. 16. br.

96. **Kabrun's** Bildergallerie, in Danzig. Verzeichn. eines Theiles
derselben. Danzig, 1820. 8. Mit 2 Portr. br. Auszug aus
No. 1950. Auf 35 Seiten.

97. **Musée Napoléon.** Notice des Statues, Bustes et Bas-
reliefs de la Galerie des Antiques du Musée, ouverte pour
la première fois, le 18 Brumaire an IX. Paris, 1814.
(R. W. No. 1829.) Zusammengeb. mit:
Notice des Tableaux des écoles francaise et flamande ex-
posés dans la grande Galerie, dont l'ouverture a eu lieu
le 18 Germinal an VII., et des tableaux des écoles de Lom-
bardie et de Boulogne, dont l'exposition a eu lieu le 25
Messidor an IX. Paris. (Prix 1 fr. 50 Cent.) und
Notices des dessins originaux, esquisses peintes, cartons,
gouaches, pastels, émaux, miniatures et vases étrusques,
Exposés au Musée Napoléon, dans la Galerie d'Apollon en
Messidor de l'an X. de la république Française. Seconde
Partie. Paris, an XII. kl. 8. In 1 Hlbfrzbd.

99. Notice de Statues etc. etc. nochmals. Paris, an XII., nur
240 S. Auf 186 S. und beigebunden: Supplément à la
notice des Antiques du Musée contenant l'indication des
Monuments, exposés dans les salles des Fleuves, de Silène,
du gladiateur et des Muses. Paris, 1815. In 1 Bd. 8. Pbd.

100. Catalogue du Cabinet des objets précieux appartenans à la
riche Collection du Musée Bourbon à Naples. Am Schluss
der 159. Seite: Naples, 1820. 8. br.

101[a—d]. Catalogue général des portraits formant la Collection de
S. A. R. Mgr. le Duc d'Orléans au 1. Mai 1829. Tom.
prém. et tom. seconde. Dabei:
Première Partie par ordre chronologique. Paris, 1829. gr. 8.

Tom. troisième et quatrième. Paris, 1830. gr. 8. Seconde
Partie par ordre alphabetique. 667 und 727 S. 4 Bde.
br. (R. W. No. 3462.)

102. Katalog der Raczynskischen Bildersammlung. 1847. S. br.
(R. W. No. 9908.)

103. **Rumohr.** Geschichte der k. Kupferstichsammlg. zu Copenhagen. Ein Beitrag zur Geschichte der Kunst u. Ergänzung
der Werke von Bartsch u. Brulliot. Herausgeg. von C. F.
Rumohr u. J. M. Thiele. Leipzig, 1835. gr. 8.

104. Description de la Galerie et du Cabinet du roi à Sans-Souci.
Potsdam, 1764. 8. Frzbd. Ladenpr. $^2/_3$ ℛℓ. Mit avant pro-
pos von Math. Oesterreich. (R. W. No. 236.)

105. Verzeichniss d. Gemälde in den k. bair. Gallerie zu Schleiss-
heim. München, 1831. 8. Mit Plan. Diesem Exemplar fehlt
das Titelbl. u. der Text von S. 1 bis incl. 12, im Ganzen
die 60 ersten Nrn.

106. **Ch. v. Mechel.** Verzeichniss der Gemälde der k. k.
Bildergallerie in Wien. Nach der von ihm auf allerhöchst.
Befehl i. J. 1781 gemachten neuen Einrichtg. Wien, 1783.
Mit Vignetten u. 4 Kpfrn. gr. 8. Hlbfrzbd. (R. W. No. 1821.)

107. **Rigler, H.** Verzeichniss v. der k. k. Gemäldegall. in Wien.
Wien, 1786. 8. Pbd. Nur 158 S. (R. W. No. 16966.)

108. **Winkler.** Historische Erklärungen der Gemälde, welche
ders. in Leipzig gesammelt. Leipzig, 1768. Mit den Portrs.
und Vignetten v. J. F. Bause. gr. 8. Roth. Juchtenbd.
(R. W. No. 250.)

109. **Dillis, G. v.** Verzeichniss der Gemälde in der k. Pinakothek zu München. Mit einem Grund- u. Aufrisse. 2. Aufl.
München, 1839. 8. Pbd.

110. Verzeichniss der Gemälde in der k. Pinakothek zu München.
München, 1856. 8. geh.

111. **Teniers, D.** Le théâtre des Peintures de D. Teniers, natif d'Anvers, peintre et Ayde de chambre des serinissimes prince Leopold Guillaume Arche-Duc et Don Jean d'Autriche, auquel
sont représentés les dessins tracés de sa main et gravés en
cuivre par ses soins sur les Originaux Italiens, que le seren.
Archeduc a assemblés en son Cabinet de la cour de Brus-
selles. Bruxelles, 1660. gr. f. Das blosse Verzeichniss in 4
Sprachen: Französ., Latein., Italien. u. Holländ. br.

14

## 4. Kataloge.

### A. Antiquarische und Verlagskataloge.

112. **Avonzo.** Catalogue général des Gravures et Lithographies en noir et en couleur. Paris. 8.

113. Verzeichniss der Verlagsartikel von Joseph Berrmann, Kunst- u. Musikalienhändler in Wien. 4.

114. **Boydell, J.** Catalogue raisonné d'un Recueil d'Estampes d'après les plus beaux tableaux qui soient en Angleterre. Les planches sont dans la possession de Jean Boydell, et ont été gravées par lui, et les meilleurs Artistes de Londres. Londres, 1779. gr. 4. Phd. (R. W. No. 3426.)

115. **Bulla, frères,** et **Jouy.** Catalogue général des Gravures et Lithographies. Paris. 4.

116. **Bulla, frères** à Paris. Catalogue No. 2. de l'École du Dessin. Nouvelle publication en tous genres pour l'étude du dessin, specialités d'Albums, d'études élémentaires pour le dessin, le coloris et l'Aquarelle. Nouvelles boites à dessin. Paris. 8.

117. **Drugulin, W. E.** Deutscher Portrait-Katalog. Leipzig. Anhang: Ausländer. 8. Ladenpr. ²/₃ ℛ.

118. **Evans, E.** Catalogue of a Collection of engraved portraits the largest ever submitted to the public; comprising nearly Twenty Thousand portraits of persons connected with the History and Literature of this Country etc. 1836. 8. Phd. (R. W. No. 6702.)

119. **Goupil Vibert** et **Comp.** Catalogue du fonds de —. Paris. 4.

120. **Gropius, G.** Verlags-Katalog. Berlin, 1833. 8.

121. **Kuhr, J.** Katalog der Verlags-Sortiments-Handlung. Berlin, 1843. 8.

122. **Lüderitz**'sche Kunstverlagshandlg. in Berlin. 2. Verzeichniss lithogr. Kunstartikel. 1837—45. 8.

123. Catalogue des Estampes des trois écoles. Portraits, Catalogues, Pompes funèbres, Paris, Cartes géographiques etc., qui se trouvent à Paris au Musée Central des Arts, augmenté du Cabinet du Roi et plusieurs autres Suites.

124. **Rocca, Gebr.** Verlagskatal. Berlin u. Göttingen. 1841. 8.

125ᵃ⁻ᵈ. **Weigel, R.** Kunstkatalog. Leipzig, 1833—1857. 4 Bde. Hlblwdbd.

126. **Weiss, G.** Verzeichniss der vorzüglichsten neuen Kupferstiche deutscher, italien., französ. u. engl. Meister etc. Berlin, 1821. 8.

127. **Nicolai**'sche Buchhandlung in Berlin u. Stettin. Verzeichniss von 200 Bildnissen berühmter Männer, vorzüglich Gelehrte in allen Wissenschaften, Staatsmänner, Musiker und Künstler. 1816. Einzelnes Quartblatt.

128. Catalogo delle Stampe intagliate in Rame a Bullino ed in Aqua forte, esistenti nella Calcografia della Rev. Camera Apostolica. Roma, 1816. 8. geh.

129. **Heitzmann, J.** Portraits-Katalog. Verzeichniss aller Portraits, welche in Deutschland bis Ende des Jahres 1857 erschienen und noch vom Verleger zu beziehen sind, mit Einschluss einer grossen Anzahl ausländischer Portraits. München, 1858. gr. 8. br.

130. Catalogues des Estamp. anciennes, qui composent le Magazin de H. Weber à Bonn. 1. partie: Portraits, gravés par Ant. v. Dyck. br.

131ᵃ·ᵇ. **Drugulin, W.** Allgemeiner Portrait-Katalog, 1. u. 2. Lfrg. 1858. br.

132. Catalogue de L'Allgemeine niederländische Buchhandlung des Hochhausen et Fournes, Editeurs. 1835. Bruxelles et Leipzig.

133. Katalog einer Auswahl von werthvollen, seltenen und grössern Werken aus dem antiquarischen Bücherlager von K. F. Köhler in Leipzig. 1856.

134ᵃ·ᵇ. Verzeichniss werthvoller u. seltener Bücher, Autographen und Portraits des antiquar. Lagers von Hermann Hartung. Leipzig, 1856. No. 27 u. 1858 No. 34.

## B. Auctions - Kataloge.

136. **Ackermann, Dr. W. A.** Verzeichniss vorzüglicher, für die Geschichte der Kunst besonders wichtiger Kupferstiche u. s. w., Prachtwerke und Bücher zur Kunstgeschichte. Leipzig, 1844. Phd. (R. W. No. 14085.)

137. ———————— Verzeichniss von Kupferstichen, verschiedenen Kunstblättern, zur Kunstgeschichte gehörigen Büchern und and. Kunstgegenständen. Leipzig, 1853. (R. W. No. 19391.)

138. **Ampach, Chr. Lebr. von.** Verzeichniss der Kunstsammlung von Kupferstichen, Radirungen u. s. w., Prachtwerken u. dergl. Gemälden. Berlin, 1832. Verfasst vom Ober-Landgerichtsrath Jungmeister. (R. W. No. 3409. mit Preisen.)

140. **Barth, W. A.** Katalog der Sammlung von Oelgemälden, gewählt. Kupferstichen, Radirungen u. s. w. Leipz., 1853. br.

141. **Baumgärtner, J. A.** Auctionsverzeichniss werthvoller Oelgemälde. 1856. 216 Nummrn. br.

142. **Blücher, von.** Verzeichniss der Kupferstiche aus der französ. Schule. Nebst einer bedeutenden Sammlung von Handzeichnungen berühmter Meister, wie auch einige Bücher zur Geschichte der Kunst. Berlin, 1829. br.

143. **Bögehold, J. C.** Verzeichniss der Sammlung von Kupferstichen, Radirungen, Schwarzkunstblättern u. Steindrücken. Leipzig, 1844. br.

144ᵃ·ᵇ. **Brandes.** Kupferstich-Cabinet alter u. neuer berühmter Meister aus allen Schulen vom Anfange der Kupferstecherkunst bis auf gegenwärt. Zeit. Erster Theil: engl., deutsche u. italien. Schule. Nebst einer grossen Portraitsammlung. Leipzig, 1796. Zweiter Theil: niederländ. und französ. Schule. Leipzig, 1797. In diesem Exempl. sind die Preise beigeschrieben, mit alleiniger Ausnahme der engl. Schule, 2 Pbde. 2 ℳ. (R. W. No. 4785.)

145. **Graf Brühl u. Schadow.** Verzeichniss einer Sammlg. v. Originalhandzeichnungen u. Kupferstichen. Dresd., 1850. br.

146. **Carrier, M.** Catalogue des Tableaux des grands maîtres flamands, hollandois, italiens, espagnols et français composant le Cabinet etc. Paris, 1846. br.

147. **Comte de Corneillan.** Catalogue raisonné d'une très-précieuse Collection d'Estampes etc. Deux Parties: la première est composée d'estampes toutes avant la lettre, la seconde avec la lettre de premières épreuves dont beaucoup sont avec des remarques etc. Berlin, 1824. br. (R. W. No. 4788.)

148. **Czarnikow** zu Sondershausen. Verzeichniss einer werthvollen Sammlung verschiedener Kunstgegenstände und Münzen. 1845. br.

149. **Darnstedt, J. A.** Verzeichniss der Kupferstich- und Handzeichnungssammlungen aus dem Nachlasse desselb. u. des k. Münzgraveur und Medailleur Anton Friedrich König. Dresden, 1847. br.

150. **Derschau, II .A. von.** Verzeichniss der seltenen Kunstsammlungen von Oelgemälden, geschmelzten Glasmalereien Majolika, Kunstwerken etc. Nürnberg, 1825. 8. Pbd. (R. W. No. 3407.)

151. Dresden am 9. Oct. 1826. Auctionsverzeichniss über eine Sammlung von Kupferstichen etc. br.

152. Dresden, 20. Jan. 1845. Verzeichniss einer werthvollen
Sammlung von Kupferstichen etc. br.
153. Dresden, 20. Nov. 1818. Verzeichniss einer ausgezeichneten
Sammlung von Kupferstichen etc. Mit Preisen. br.
154. Dresden, 2. Dec. 1850. Verzeichniss einer Sammlung von
Original-Handzeichnungen, nebst mehr. Radirungen etc. br.
155. Dresden, 21. Mai 1849. Verzeichniss einer ausgezeichneten
Sammlung von Kupferstichen etc. Mit Preisen. br.
156. Dresden, 19. Mai 1851. Verzeichn. einer gewählten u. gut
erhaltenen klein. Sammlung v. Kupferstichen etc. Mit Pr. br.
157. Dresden, 2. Juni 1851. Verzeichniss einer sehr gewählten
Sammlung von Kupferstichen etc. br.
158. **Frenzel, J. G. A.** Catalogue raisonné d'estampes du
Cabinet de feu Madame la comtesse d'Einsiedel de Reibers-
dorf etc. Dresden, 1833. Dies Exempl. eines sehr interessanten Katalogs ist durchweg mit Prs. 2 Pbde. (R. W.
No. 1725.)
159. **Essen, G. H. von.** Verzeichniss von der 1. Abth. des
Kunst-Nachlasses. Hamburg, 1834. br.
160. **Forsell.** Katalog mehrerer Sammlungen gewählter Kupferstiche etc. Leipzig, 1855. Nebst 4 andern. 1 Convol. br.
162. **Friedmann.** Verzeichn. d. Kupferstiche. Berlin, 1853. br.
163. **Friedländer, Dr. L. H.** Katalog einer Sammlung von
Kupferstichen etc. Leipz., 1853. Nebst 3 andern. 1 Conv. br.
164*·ᵇ.**Fries, M. G. von.** Catalogus der uitmundende en
beroemde Verzameling v. Prenten etc. Amsterdam, 1824. 8.
1 Hft. u. 1 Pbd. Mit Preisen u. Namen der Käufer. (R.
W. No. 1724.)
165. **Friesen, H. A. Frhr. von.** Verzeichniss d. Kunstsammlung. Dresden, 1847. br.
167. **Geissler, J. M.** Katalog der gewählten Sammlung etc.
Leipzig, R. Weigel. br. (mit No. 160.)
168. **Joh. Nic. Gogel**sche Erben. Verzeichniss von Gemälden etc. Frankfurt a/M., 1782. Mit Preisen.
168ᴬ. **Guillaume II.**, roi des Pays-Bas etc. Catalogue des Tableaux
anciens et modernes de diverses écoles, dessins et estampes
encadrés, formant la 2. partie de la Galerie de feu. etc. br.
169. **Hamburger** Auct.-Kataloge (14 St.) v. Gemäldesamml. 4. Phd.
170. Hamburg, 20. Mai 1765. Sammlung wohl conditionirter
Kupferstiche etc. Mit Preisen. br.
171. Hamburg, 14. Nov. 1825. Verzeichniss einer Sammlung
von Kupferstichen. br.

2

172. Hamburg, 19. Novbr. 1844. Verzeichniss einer reichhaltigen Sammlung von Kupferstichen etc. br.
173. Hamburg, 27. Novbr. 1844. Verzeichniss einer kleinen Sammlung moderner engl. und französ. Kupfer- u. Prachtwerke etc. br.
174. Hamburg, 28. Mai 1845. Verzeichniss einer kleinen Sammlung von Kupferstichen etc. br.
175. Hamburg, 30. Septbr. 1845. Verzeichniss einer Sammlung von Kupferstichen etc. br.
176. **Hillig**, Dr. Ch. G. Verzeichniss der Kunstsammlung. Leipzig, 1845. br.
177. **Hohenzollern, Prinz J. von.** Verzeichniss der Gemälde und Kupferstiche. Danzig, 1836. Mit 262 u. 63 in 1 Conv. Mit Preisen. br.
178. **Hösel, H. A.** Verzeichniss einer Sammlung von Kupferstichen etc. Leipzig, 1844. br.
179. **Hulthem, M. Ch. von.** Catalogue raisonné de la précieuse collection etc. Gand, 1846. Pbd. (R. W. No. 15438.)
180. **Hüttner, Ch. G.** Verzeichniss der Sammlung von Kupferstichen etc. Leipzig, 1855. br.
182. **Krasicki, von.** Verzeichniss der Sammlung von Kupferstichen etc. Berlin, 1804. br.
183. **Keyl, C.** Verzeichniss einer Sammlung von Kupferstichen etc. Leipzig, 1827. Mit Preisen. br. ·
184. **Klengel.** Verzeichniss einer Sammlung von Original-Oelgemälden etc. Dresden, 1829. br.
185. **Klewitz, F. F.** Katalog einer reichen Kupferstichsammlung etc. Leipzig, 1850. Mit Preisen. br. (mit No. 199.)
185ᴬ. Köln. 29. März 1858. Heberle. br.
186. **Krahe u. Brauns.** Verzeichniss einer Sammlung von Kupferstichen etc. Leipzig, 1844. br.
187. **Laporterie.** Beschreibung d. Gemäldesammlg. etc. Hamburg, 1793. 4. Mit Preisen. br.
188. **Lattey.** Verzeichniss einer Sammlung von Kupferstichen. Dresden, 1849. br.
189. Leipzig, 1. Juni 1835. Verzeichniss v. Kupferstichen etc. Pbd.
191. Leipzig, 24. Oct. 1843. Verzeichniss mehrerer Privatsammlungen von Kupferstichen etc. br.
192. Leipzig, 5. Jan. 1846. Verzeichniss einer Sammlung von alten und neuen Kupferstichen etc. br.
193. Leipzig, 31. März 1845. Verzeichniss einer Sammlung von Orig.-Oelgemälden. br.

194. Leipziger Kunst.-Auct., 19. Mai 1847. Verz. v. Kupferst. etc. br.
1195. Leipzig, 22. Nov. 1848. Verzeichniss einer sehr gewählten
Sammlung von Kupferstichen etc. br.
196. Leipzig, 5. Febr. 1849. Verzeichniss einer Sammlung von
Kupferstichen, Radirungen, Schwarzkunstbltrn. etc. br.
197. Leipzig, 23. Apr. 1849. Verzeichniss von Kupferstichen etc.
Mit Preisen. br.
198. Leipzig, 26. Nov. 1849. Verzeichniss mehrer. Sammlungen
von Kupferstichen etc. In 1 Conv. br.
199. Leipzig, 23. Sept. 1850. Verzeichniss v. Kupferst. etc. Mit
einem andern in 1 Conv. br.
199ᴬ. Leipzig, 12. Mai 1851. Katalog einer reichhaltigen und
gewählten Sammlung von Kupferstichen etc. br.
200. Leipzig, 21. Nov. 1853. Katalog mehrerer meist hinterlass.
Sammlungen v. Kupferst. etc. Mit Preisliste. br. (mit No. 163.)
201. Leipzig, 20. Oct. 1854. Katalog mehr. gewählten Sammlungen von ältern u. neuern Kupferstichen etc. Mit Pr. br.
202. Leipzig, 14. Mai 1855. Katalog mehr. gewählten Sammlungen von alten u. neuen Kupferstichen etc. br.
203. Leipzig, 14. Jan. 1856. Katalog mehr. gewählten Sammlungen von Kupferstichen etc. br.
204. Leipzig, 1. Apr. 1856. Katalog von A. Ch. Reindel,
Kupferstecher zu Nürnberg etc. br.
205. Leipzig, 18. Aug. 1856. Catalogue de M. M. Artaria et
Fontaine. br.
207. Leipzig, 6. Oct. 1856. Katalog von Fr. Niesar etc. br.
208. Leipzig, 17. Nov. 1856. Verz. d. Doubletten d. Kupferstichsamml. d. Königs Friedr. August II. v. Sachs. etc. br. (in 1 Conv.)
209. Leipzig, 12. Jan. 1857. Katalog von Gerstäcker. br.
210. Leipzig, 2. März 1857. Gerstäcker, 2. Abth.
211. Leipzig, 16. April 1857. Catalogue de Herm. Det-
mold. br.
212. Leipzig, 25. Mai 1857. Katalog der von Ad. v. Heydeck
hinterlass. Sammlung von Kupferstichen etc. br.
213. Leipzig, 22. Juni 1857. Verzeichniss von Oelgemälden etc.
des Frhrn. von Speck-Sternberg etc. br.
214. Leipzig, 2. Sept. 1857. Katalog mehrerer Sammlungen gewählter Kupferstiche etc. br.
215. Leipzig, 26. Oct. 1857. Katalog der gewählten Sammlung
von Moritz Steinla etc. br.
216. Leipzig, 3. Dec. 1857. Katalog d. Sammlgn. von Kupferst.
etc. v. Frhrn. Max v. Speck-Sternberg. br. (in 1 Conv.)

217. Leipzig, erste Hälfte d. Jahres 1858. 4 Kataloge der höchst bedeutenden nachgelass. Kupferstichsamml. eines der grössten Kunstsammler Deutschlands. br.

218. Leipzig, 22. Sept. 1858. Katalog von v. Schönberg-Rothschönberg etc. br.

219. Leipzig, 18. Dec. 1858. Katalog von G. A. Fischer. br.

220. Le Roux. Catalogues des Livres, Estampes, Dessins etc. Mayance, 1826. br.

221. De Lorangère. Catalogue raisonné des diverses curiosités etc. Paris, 1744. Pbd. (R. W. No. 216.)

221ᴬ. Mariette. Catalogue raisonné des différens objets de curiosités. Paris, 1775. Mit Pr. S. Pbd. (R. W. No. 4773.)

222. Mathäi, F. Verzeichniss der zum Nachlass gehörigen Oelgemälde, Handzeichnungen etc. Dresden, 1846. br.

223. Chr. v. Mechel u. Haas'sche Verlassenschaft zu Basel. Katalog der bedeut. Samml. v. Kupferstichen etc. Leipz., 1854. Mit Pr. Mit 225, 250, 240 u. 201 in 1 Convol. br.

224. Mergenbaum, Frhr. Carl von. Verzeichniss von Oelgemälden etc. Aschaffenburg, 1816. br.

225. Meister, C. Katalog von Kupferstichen, Radirungen etc. Leipzig, 1854. br.

226. De la Motte Fouqué, H. F. Catalogue raisonné d'Estampes anciennes etc. Cologne. 1847. br.

227. Müller, Ch. H. Catalogue d'Estampes. Paris, 1847. br.

227ᴬ. Munich, 1845. Catalogue de belles Eaux fortes anciennes, des gravures, dessins et lithographies. Mit Preisen. br.

228. München, 1819. Verzeichniss v. Kupferstichen, Radirungen etc. Mit Preisen. br.

229. Naecke, Heinr. Auctionskatalog. Dresden, 1835. br.

230. Nagell van Ampen. Catalogue de tableaux anciens et modernes de l'école Hollandaise etc. à la Haye, 1851. br.

230ᴬ. Nürnberg, 1845. Verzeichniss einer Sammlung v. Künstlerportraits. Heerdegen No. 220. br.

231. Leipzig, 1. Nov. 1858. Katalog eines vieljährigen Sammlers im Norden. Pbd.

232. Nürnberg. Verz. v. Bilderwerken mit u. ohne Text etc. 1845.

233. Otto'sche Kupferstichsammlung. Leipzig. Mit Pr. Pbd.

234. Popp, Ph. Verzeichniss der Kupferstiche u. Sammlungen etc. München, 1834. br.

235. Rodig, Dr. zu Leipzig. Auction 1. Apr. 1856.

236. Roothaan, A. B. Catalogue d'estampes modernes. Amsterdam, 1847. br.

236ᵇ. **Rumohr. C. F. L. F. von.** Kunstsammlung, dargestellt von J. G. A. Frenzel. Dresden, 1846. Mit Pr. Pbd.

237. **Schletter.** Sammlung von Prachtblätt. d. neuern Kupferstecherkunst etc. Leipzig, 1855. br. (mit No. 160.)

238. **Schneider.** Verzeichniss einer Sammlung v. Kupferstichen etc. Dresden, 1820. Mit Pr. br.

239. **Schwarzenberg.** Kunstsammlung von Kupferstichen etc. Leipzig, 1826. br.

240. **Seidel.** Samml. v. Kupferst., Radirungen etc. Leipz., 1851. br.

210ᵇ. **Skrbensky, Baron von u. Bergen.** Verzeichniss von Kupferstichen etc. Dresden, 1850. br.

241. **Speckter, J. M.** in Hamburg. Verzeichniss der Kupferstiche. 1. u. 3. Abth. Leipzig, 1822. 24. br.

242. **Spengler.** Catalogue du Cabinet etc. Copenhague, 1839. br.

243. **Sprickmann-Kerkerink, B.** zu Münster. Katalog von Kupferstichen etc. Leipzig, 1853. br. (mit No. 163.)

213ᵇ. **Stengel, Steph.** Frhr. **von.** Kritisches Verzeichniss der Kupferstiche etc. München, 1825. br.

244. **Steinmetz.** Katalog der Kupferstiche, Radirungen etc. Leipzig, 1851. Mit Pr. br.

215. **Sternberg-Manderscheid, Franz von.** Sammlung der Kupferstiche etc., verfasst von J. G. A. Frenzel. Dresden, 1842. Mit Pr. Pbd.

216. **Stieglitz, Dr.** Auctionskatalog. Dresden, 1838.- br.

247. **Stöckel.** Verzeichniss einer Sammlung von Kupferstichen Leipzig, 1827. Mit Pr. br.

248. Stuttgart, Auct. 18. Febr. 1833. F. F. Autenrieth.

249. **Suin.** Verzeichniss der Sammlung älterer und neuerer Kupferstiche etc. Berlin, 1831. br.

250. **Tschirsky, von.** Katalog einer Sammlung von Radirungen etc. Leipzig, 1854. Mit Pr. br. (mit No. 223.)

252. **Villenave.** Catalogue d'Estampes etc. Paris, 1848. br.

254. **Werner.** Verzeichniss der Kupferstichsammlung. 1. Abth. Dresden, 1849. br.

255. Wien. Catalogue pour la vente publique d'une collection choisie d'Estampes etc. de Artaria et Comp. 1840. br.

256. Wien. Auct. 11. Dec. 1843 durch Artaria et Comp. br.

257. Wien. Auct. 15. Apr. 1846. Katalog modern. Kupferst. etc. br.

258. Wien. Auct. 1. Dec. 1846 durch Artaria et Comp. br. in 1 Conv.

259. Wien. Kunst-Auct. 29. Nov. 1858 No. 1. durch Alex. Posonyi. br.

260ª⁻ᵍ. **Winkler.** Catalogue raisonné du Cabinet d'estampes etc·
par Michel Huber. Leipzig, 1802—1810. Pbd. Das
Exemplar besteht aus 7 Pbdn. in 8., durchgängig mit bei-
gesetzten Auct.-Pr. (R. W. No. 1723.)

261. **Würtemberg.** Verzeichniss von Gemälden in Oel, Was-
serfarben etc. Danzig, 1841. (mit No. 177.)

262. **Würtemberg.** Zweite Abtheilung der Kunstsammlungen.
Danzig, 1841. (desgl.)

263. ———————— Verzeichniss d. Sammlungen von Kupferstichen
etc. Dresden, 1843. Pbd.

264. **Van den Zande.** Catalogue d'estampes etc. par F.
Guichardot. Paris, 1855. br.

265. **Zecha,** Baron **von.** Katalog einer Sammlung von Kupferstichen etc. Hildburghausen, 1763. Pbd. (mit No. 169.)

266. **Weber, Hrm.** Catalogue de la collection d'estampes etc.
Leipzig, 1856. br.

267. **De Lasalles, M. H.** Catalogue de la collection etc.
Paris, 1856. br.

269. **Baumann, Dr. J. M. W.** Verzeichniss der Sammlung
von elektrischen, optischen, meteorolog. Werkzeugen etc.
Wurzen, 1851.

270. **Schmidt, G. H.** Verzeichn. der ethnographischen Gegenstände etc. etc. Leipzig, 1855. Pbd.

271. **Clam-Martinitz,** Graf **von.** Verzeichniss von älteren,
seltneren Kupferwerken, alten Drucken etc. etc. Leipzig,
1844. Pbd.

C. **Verzeichnisse von Bildniss-Sammlungen für einzelne
Klassen.**

272. **Bodel Nyenhuis, J. T.** Liste alphabétique d'une petite
collection de Portraits d'Imprimeurs, de Libraires, de Fon-
deurs de Caractères et Correcteurs d'épreuves. Leyde, 1836.
4. Nur 8 Seiten. Fortgesetzt No. II. Anno 1839. Possédée
et décrite par J. T. Bodel N., correspondant de l'institut
royal des Pays-Bas etc. à Leyde. 24. S., weiter No. III.
Anno 1841, 16 S. u. No. IV. Anno 1848 d'une Collection
de tous les temps et de tous les peuples, 29 S., enthalt.
1019 Portr. von 428 Person. No. V. (R. W. No. 20709)
Anno 1855 wieder 21 S. mit 135 Portr. von 54 Person.
Im Ganzen also 1154 Portr. von 479 Personen. br.

272ᴬ. **Fuesslin, J. R.** zu Zürich. Verzeichniss aller in Kupfer-
    stiche gebrachten Künstler-Portraiten, welche bis dahin habe
    in Erfahrung bringen können, ohne Ort u. Datum, besond.
    abgedr. in S., zuerst 1767; dann aber weiter fortgesetzt
    1767, 1785 u. s. w. und als Beilage des Künstler-Lexikon,
    sowohl der Ausgabe in 4., als der in fol. am Schlusse
    beigegeben. br. (R. W. No. 3393.)

273ᵃ⁻ᵈ. **Granger, J.** A Biographical History of England, from
    Egbert the Great to the revolution, consisting of characters
    disposed in different Classes and adapted to a methodical
    catalogue of engraved British Heads etc. etc. fourth edition
    Vol. I. bis IV. London, 1804. 4 Hlblwdbde. mit Lwdrücken.
    gr. S. (R. W. No. 4740.) Mit d. Bildniss des Verfassers
    u. einem schriftl. Auszuge aus der Bibliothek der schönen
    Wissenschaften und freien Künste, in Beurtheilung der 1.
    Ausg. dieses bedeutenden Werkes.

274. **Hommel, Car. Ferd.** Effigies Jurisconsultorum in indi-
    cem redactae. Lipsiae, 1760. S. (R. W, No. 1702.) Mit
    Papier durchschossen und so weit fortgesetzt, als ich Bild-
    nisse von Juristen erwarb. br.

275. **Moehsen, J. C. W.** Verzeichniss einer Sammlung von
    Bildnissen, grösstenth. berühmter Aerzte, sowohl in Kupfer-
    stichen, schwarzer Kunst u. Holzschnitten, als auch einiger
    Handzeichnungen u. s. w. Mit Vignetten. Berlin, 1771. 4.
    Ldrbd. (R. W. No. 222.) Beigefügt: Abschrift d. Recen-
    sion aus der neuen Bibliothek der schönen Wissenschaften
    u. freien Künste, XII. Bd. S. 42 ad II., und das Bild des
    Verfassers, gest. v. G. F. Schmidt.

276. **Panzer, G. W.** Beitrag zur Geschichte der Kunst, od.
    Verzeichniss der Bildnisse der Nürnbergischen Künstler.
    Nürnberg, 1784. S. Phd. (R. W. No. 3394.)

277. ————— Verzeichniss von Nürnbergischen Portraiten
    aus allen Ständen. Nürnberg, 1790. 4. Hlblwdbd. Dazu
    1. Fortsetz. 1801 in Abschrift beigebunden. (R. W. No. 220.)

278. **Krüger, J. F.** Leben und Thaten Friedrichs des Einzi-
    gen, Königs v. Preussen, in einer Reihe von Kupferstichen
    u. Holzschn. gesamm. Mit Titelkpfr. Halberstadt, 1817. 8. br.

## 5. Bücher mit artistischer Ausstattung.

279. **Elsner, Dr. Jac.** Neueste Beschreibung der griechischen
    Christen in der Türkei u. s. w. Berlin, 1737. Mit 10 Kpfrn.

von G. F. Schmidt, aus dessen Lehrzeit. 8 Bde. (R. W.
No. 3528.) Jacoby, Katalog S. 54 No. 93. Schwsldrbd.

280. **Erasmus v. Rotterdam.** Lob der Narrheit. Aus dem
Lateinischen übersetzt und mit Anmerkungen begleitet von
Wilh. Gottl. Becker. Mit 83 Holzschn. nach Holbein's
Figuren neuerdings abgezeichnet. Basel. 1780. Pbd. (R.
W. No. 12270.)

281. **Erasme.** L'Eloge de la Folie traduit du Latin par Mrs.
Gueudeville, nouvelle Edition revue et corrigée sur le texte
de l'édition de Bâle et ornée de nouvelles figures avec
des Notes. Mit 13 Kpfrst. und 2 Vignetten von Le Mire
nach Ch. Eisen. 1752. 8. Engl. Ldrbd.

282. **Erasmus.** Lob der Narrheit aus d. Latein. Mit 8 Kpfrn.
von Chodowiecki. Berlin. 1781. 8. Pbd.

283. **Buttler, S.** Hudibras, ein satyrisches Gedicht in 9 Ge-
sängen. Aus d. Engl. übers. Mit histor. Anmrkgn. u. Kpfrn.
Hamburg u. Leipz., 1765, und 9 Radirungen von Sal.
Gossner nach Hogarth. Zürich, 1765 gr. 8. Hlbfrzbd.
(R. W. Np. 319.)

284. **Salvator Rosa.** Has Iudentis otii Carolo Rubeo singu-
laris Amicitiae pignus. DDD Norimbergae apud Ioan. Jaco-
bum de Sandrart. 60 Bl. Hlbfrzbd.
———————— 60 Bl. theils Fig., theils Gruppen aus d. Re-
volut.-Zeit Masaniellos in Neapel. Sihe Huber-Rost IV. p. 26
u. Auct. Einsiedel 1. No. 1052.

285. **De Lairesse, Gerard.** Grondlegginge ter Teeckenkonst
zynde een korte en zekere Weg om door middel van de
Geometrie of Meetkunde de Teekenkonst volkomen te leeren.
Eerste Deel. Amsterdam, 1701. 4. Der 2. Theil fängt bei
p. 35 ohne neues Titelbl. an. (R. W. No. 4560.) In ein.
engl. Ldrbde. zusammengeb. mit:
———————— Het Groot Schilderboek. Erste and tveede Deel
mit vielen Kpfrn. Amsterdam, 1707. 4. (R. W. No. 1648.)

286[a—d]. **Piroli.** Les Monumens antiques du Musée Napoléon.
Avec une explication par J. G. Schweighäuser. Livrai-
son 1—32. Tom. I—IV. An XII. Paris, 1804. 4. 4 Ldrbde.
Mit 318 Contouren (Brunet, Manuel No. 29300.) Jede Lfrg.
6 frc., also 192 frc. od. 48 $\mathcal{Rt}$

287. **Revil.** L'empereur Napoléon. Tableaux et récits des ba-
tailles, combats, actions et faits militaires des Armées sous
leur immortel général. 90 gravures, d'après les peintures

du Musée de Versailles et autres monumens. Paris, 1837.
8. Hlbfrzbd.

288. **Peroux, Jos. Nicol.** Pantomim. Stellungen v. Henriette
Hendel, nach d. Natur gez. 26 Bl. In Kpfr. gest. v. Hnr.
Ritter. Nebst einer histor. Erläut. v. Vogt. Frankfurt a/M.
gr. roy. fol. br.

289. Iconologie, od. Ideen aus d. Gebiete d. Leidenschaften u. Allegorien, bildlich dargest., mit 225 Kpfrst. u. einem deutsch-
französ.-italien. Text. Wien, 1801. 4. Pbd. •

290. Kurtze Beschreibung u. Entwurff alles dessen, was bei der
durchlauchtigst. hochgeb. Prinzessin vnd Frewlein, Frewlein
Ludovicae Mariae Gonzagae, Hertzogin zu Mantua vnd Nivers
etc. etc., k. Maj. zu Polen vnd Schweden, unsers allergnäd.
Königs vnd Herrn Gespons geschenen Einzuge in die königl.
Stadt Dantzig etc. etc., neben beigefügtem kurtzen Begriff
der Bürgerfahnen allhier etc. etc., mit sinnreichen Bedeu-
tungsfiguren gezieret etc. Auff d. Papier gebracht vnd verlegt
durch Adam Jacob Martini von Wittenberg. Gedruckt zu
Dantzigk, 1646. kl. 4. Schwnsldrbd.

290$^a$. Dasselbe Werk nochmals mit colorirten Fahnen.

291. **Mauch, Gärtner, Biermann u. Hintze.** Berlin und
seine Umgebungen im 19. Jahrh. Eine Sammlung in Stahl
gestochener Ansichten, nach an Ort u. Stelle aufgenommen.
Zeichnungen von den ausgezeichnetsten Künstlern Englands.
Nebst topogr.-histor. Erläuterungen von J. H. Spiker.
Berlin, 1832. 4. Pbd. (R. W. No. 2092.)

292. **Marks, Peter.** Eine Ehestandsgeschichte, vom Verfasser
neu bearbeitet. Mit 6 Kpfrn. von Chodowiecki. Leipzig, 1779. 8. Pbd. (R. W. No. 292—97.) Zusammengebunden mit:

293. ————— Die wilde Betty. Eine Ehestandsgeschichte.
Mit Vignetten und 4 Kpfrn. von D. Chodowiecki. (R.
W. No. 280—84.)

294. **Verderio, Anton.** Pantheon Antiquorum exhibens Imagines Deorum. Aeni Vincentio Chartariae etc. Insuper ad-
ditus est Index continen. LXXXVIII. Imagines. Rotenburgi,
1683. 4. Schwsldrbd.

295. Das Leben und die Meinungen des Hrn. Magister Sebaldus
Nothanker. 2. verbess. Ausgabe. 3 Thle. mit 15 Kpfrn.
von D. Chodowiecki. No. 101—104. 122. 129—32
u. 154. 158. Berlin u. Stettin, 1774—76. 8. Ldrbd.
(R. W. No. 92—96.)

2*

296. Wahrhafte und neueste Abbildung des türkischen Hofes, welche nach den Gemälden, so der k. franzüs. Ambassadeur Mr. de Ferriol zur Zeit seiner Gesandtschaft in Constantinopel im J. 1707 u. 1708 durch einen geschickten Maler nach dem Leben hat verfertigen lassen, in 65 Kpfrpl. gebracht worden. Nebst einer aus dem Französischen ins Deutsche übersetzten Beschreibg. Nürnberg, 1719. 4. Pbd.

297. **Hoffmann, C. T. A.** Prinzessin Brambilla. Ein Cappriccio nach Jac. Callot. Mit 8 Kpfrn. nach Callot'schen Originalbl., in Aquatinta von C. F. Thiele in Berlin. Breslau, 1821. 8. Lwdbd.

298. **Rehberg, F.** Drawings faithfully copied from Nature at Neaples and with permission dedicated to the Right Honourable Sr. Wm. Hamilton etc. Engraved by Thom. Piroli. Rome, 1794. gr. fol. br. 12 Bl. Attitüden d. Lady Hamilton. (R. W. No. 10049.)

299. **Daudin, F. M.** Histoire naturelle des Rainettes, des Grenouilles et des Chapauds. Dédiée à B. G. C. L. Lacepede, ouvrage orné de 38 planches représentant 54 espèces peintes d'après nature. Paris, an XI. 4. Pbd. 10 à 15 frc. Die Frösche sind nach der Natur von Barraband gezeichn. und von Tardieu l'ainée elegant gestochen. (Brunnet Manuel No. 5833.)

300. London, oder Beschreibung der merkwürdigsten Gebäude, Denkmäler und Anstalten der Hauptstadt Grossbritanniens. Mit 20 Abbild. Leipzig, 1812. roy. 4. Pbd.

302. **Sidney Parkinson.** A Journal of a voyage to the South Seas. Mit Parkinson's Bildniss u. 27 andern Kpfrn., von denen hier jedoch 16 fehlen. London, 1773. gr. roy. 8. Engl. Ldrbd.

303. **Böttiger, C. A.** Sabina, od. Morgenscenen im Putzzimmer einer reichen Römerin. Ein Beitrag zur richtigen Beurtheilung des Privatlebens der römischen Schriftsteller. Mit 13 Kpfrn. Leipzig, 1803. 8. Hlbfrzbd.

304. Paris und seine Umgebungen. Text deutsch ohne Paginirg. Plan von Paris. — Oestl. u. westl. Theil. — Plan der Umgegend v. Paris, dann 101 Stahlst. Berlin. 4. Ein 2. Titelbl.: Paris et ses environs. Paris und seine Umgebungen nach Originalzeichnungen von A. Pugin, in Stahl gestochen v. berühmten Künstlern Englands. Mit erklärendem Text in deutscher Sprache. Berlin u. St. Petersburg. Pbd.

305. **Rocheggiani, L.** Racolta di Cento Tavole rappresentanti

i Costumi Religiosi, Civili e Militari degli antichi Egiziani,
Etruschi, Greci e Romani, Tratti dagli antichi Monumenti.
Per uso de' Professori delle Belle Arti. s. l. in fol. Nach
Ebr. No. 19205. Roma Raffaelli 1804. Apr. Litr. 6117.
2 Bde. 50 ℳ. Sehr defect. Pbd.

306. **Rauch, Chr.** Abbildungen der vorzüglichsten Werke.
Mit erläuterndem Text von G. F. Waagen. 1. und 2.
Abth.: Graf Bülow v. Dennewitz u. Scharnhorst. Mit d. Portr.
des Meisters. Zusam. 12 Bl., à Lfrg. 2²⁄₃ ℳ, zus. 5¹⁄₃ ℳ. br.

307. **Perrault.** Le Cabinet des Beaux Arts, ou recueil de plus
belles estampes, gravées d'après les tableaux originaux, où
les Arts sont représentés avec l'explication de ces mêmes
Tableaux, Mit 14 Kpfrn. qu.-fol. Sehr gut erhalten. br.

309. **Menestrier, Claude Franç.** Histoire du roi Louis le
grand par les Medailles, Emblêmes, Deuises, Jettons, Inscriptions, Armoiries et autres Monumens publics. Augmentée
de 5 planches. Paris, 1691. fol. Mit 64 Bl. Text u. Kpfrn.
fol. Schwnsldrbd.

310. **Sieler d'Embry, A. Th.** Les Images ou les tableaux
de la platte Peinture. Gest. von J. Isaac, Gaultier und
Thom. de Leu, 3 d. ältesten französ. Kpfrst. Paris. 1637.
Nur 63 Bl. Das Buch stammt aus der Creutzschen Biblioth.,
ist aber schon so ramponirt in meine Hände gekommen.
Es fehlt der Text und nach dem Verzeichniss der Kpfrpltn.
auch noch 6 Bl. fol. br.

311. Todten-Tanz, wie derselbe in der löbl. und berühmt. Stadt
Basel als ein Spiegel menschlicher Beschaffenheit ganz künst-
lich gemahlet und zu sehen ist. Mit beigefügten, aus heil.
Schrift und denen alten Kirchenlehrern gezogenen Erinne-
rungen vom Todt, Auferstehung, jüngstem Gericht, Ver-
dammniss der Gottlosen u. dem ewigen Leben. Nach dem
Original in Kupfer gebracht von Matth. Merian. Mit d.
Titel 44 Kpfr. Frankfurt a/M., 1725. 4. Pbd.

312. **Bechstein, L.** Der Todtentanz. Ein Gedicht mit 48 Kpfrn.,
in treuen Contouren nach H. Holbein, gest. von J. A.
G. Frenzel. Leipzig, 1831. 8. Hlbfrzbd. (R. W. No. 384.)

313. Verzeichniss der von Speck'schen Gemäldesammlung mit
darauf Bezug habenden Steindrücken. Herausgeg. und mit
histor.-biogr. Bemerkungen begleitet vom Besitzer derselben.
Mit dem Portr., lithogr. von Grevedon, und 24 andern Tafeln, theils Kupferstiche, Radirungen oder Lithographien.
1827. gr. fol. Hlbfrzbd. (R. W. No. 1779.)

314. Zweites Verzeichniss der Gemäldesammlung, sowie der vorzüglichsten Handzeichnungen, Kupferstiche und plastischen Gegenstände des Frhrn. Speck-Sternberg. Herausgeg. und mit histor.-biograph. Bemerkungen und Erklärungen begleitet vom Besitzer derselben. Mit d. Portrait des Frhrn. v. Speck, gest. von M. Steinla, nebst 19 Kupferstichen, Radirungen, Hautreliefstichen u. Lithographien, von denen aber mehrere Platten auch schon im 1. Theile vorkommen. Leipzig, 1837. gr. roy. 4. Hlbfrzbd. (R. W. No. 6741.)

316. Clarissens Schicksale, dargestellt in 24 Kupferblättern von D. Chodowiecki. Mit Erläuterungen d. deutschen Uebersetzers Dr. L. J. Kosegarten. Leipzig, 1796. st. br.

317. **Berger, L.** Spicilegium antiquitatis sive Variorum ex Antiquitate Elegantiarum vel novis luminibus Illustratorum vel Recensentium editarum Fasciculi. Coloniae Brandenburgicae, 1692. gr. fol. Ldrbd. Ldnpr. 1 ³/₄ ℛℳ.

318. **Fréderic le Grand.** Poésies diverses. Berlin, 1760. Mit reichen Vignetten, gest. von G. F. Schmidt. Ldnpr. 6 ℛℳ. (Jacoby, Katalog No. 161.) Schönes Exempl. Engl. Ldrbd. mit Goldschnitt. (R. W. No. 1910.)

319. **Junker, C. L.** Christusköpfe. 1776. Mit Vignetten. Pbd.

320ᵃ⁻ᵐ. **The Art-Journal.** New Series, Volume IV. Published for the proprietors by George Virtue. London, 1852. 4. Ausgabe ohne Stahlstiche. 12 Hefte br.

321. **Blanc, Ch.** Les Peintres des Fêtes galantes. Watteau, Lancret, Pater Boucher. Avec Vignettes grav. sur bois. Paris, 1854. kl. 8. br.

322. **Passavant, J. D.** Kunstreise durch England und Belgien, nebst einem Bericht über den Bau des Domthurms zu Frankfurt a/M. Mit 10 Abbild. in Kpfrst. u. Steindruck. Frankfurt a/M., 1833. Pbd.

323. Kupfersammlung zu J. B. Basedow's Elementarwerke für die Jugend und ihre Freunde. 1. Lfrg. in 53 Taf. 2. Lfrg. von L bis XCVI. Berlin u. Leipzig, 1774. Dau. Chodowiecki hat nicht allein die meisten Vorzeichnungen geliefert, sondern 6 Platten XVIII, XXII, XXXIV, XLVIII, XLIX und XCIV eigenhändig radirt.

324. **Retzsch, M.** Umrisse zu Bürger's Balladen: Leonore, das Lied vom braven Mann, und die Tochter des Pfarrers zu Taubenhayn. 15 Blatt. Mit Bürger's Text u. Erklärungen von C. B. von Miltitz, nebst engl. Uebersetzung von

F. Schobel. Leipzig, 1840. Subscrpt.-Pr. 3 $\frac{1}{2}$ ℛℰ. Pbd.
(R. W. No. 8618.)

325. **Giustinian, Bernardo.** Historie degli Ordini Militari
e Cavallereschi. Venezia, 1692. fol.Illbfrzbd. Vortreffl. erhalt.

326. Accurate Nachricht von der russisch-sächs. Belager- und
und Bombardirung der Stadt Dantzig, nebst einem dazu
gehörigen Anhange, derer Manifeste, Edicte, Briefe und anderer Schriften. Von unparteiischer Feder entworfen. Mit
Kpfrn. Cöln, 1735. kl. 4. Illbfrzbd.

327. **Garzoni, Thomae,** oder allgemeiner Schauplatz aller
Kunst, Professionen vnd Handwerken. Die zahlreichen Holzschnitte sind von Jost Amman, auch Jobst Ammon
genannt. 1641. kl. 4. Schwnsldrbd.

## 6. Iconographica.

### A. Bücher mit Bildnissen

aa. bis incl. des Jahres 1728.

328. Insignium aliquot Virorum icones. Lugduni, 1559. Mit 145
Port. 8. Schwnsldrbd. (Ap.*) No. 118.)

329. **Gholtz, Hubert,** von Würzburg, Maler zu Altdorf. Le-
bendige Bilder gar nach allen Kaisern von Julius Caesari
bis auf Carolum V. u. Ferdinandum, seinen Bruder. 1557.
M. 141 Portr. Ldrbd. fol. (Ap. 117.)

330. **Jovii, Pauli,** Novocomensis Episcopi Nacerini. Elogia
virorum litteris illustrium. P. Pernäe. 1577. M. 63 Portr.
(Ap. 122.)

———— Vitae illustrium virorum. Tomis duobis. 1578.
m. 29 Portr.

———— Elogia virorum bellica virtute illustrium VII
libris iam olim ab Autore comprehensa, nach Apin v. J.
1575, nach Möhsen p. 201, wie hier, vom Jahre 1596.
M. 129 Portr. fol. Schwnsldrbd. (Ap. No. 122.) Dazu ein
von Szwykowski gefertigtes alphabetisches Verzeichniss
aller drei Werke. (Bei den Manuscripten No. 766.)

331. **Pantaleoni, Hnr.** Deutscher Nation wahrhafte Helden.
(Die 1.Ausgabe v. J. 1565 führt den latein. Titel: Heinr.

---

*) Ap. bedeutet bei Apin (Anleitung, Bildnisse zu sammeln.) No. 51
dieses Katalogs.

Pantaleoni ·Prosopographiae illustrium virorum Germaniae,
Basel.) Das deutsche Exemplar hat 3 Thle. und soll 1566
in 1. Uebersetzung erschienen sein. 1578. M. 153 Portr.
fol. Ldrbd. (Ap. No. 118.)

332. **Feyerabend, Sigismund.** Geschlechter-Buch d. Reichs-
stadt Augsburg. (Heller's Geschichte der Holzschneidekunst
p. 127.) Frankfurt, 1580. M. 153 Portr. Gnzldrbd.

333. **De Cavallerus, Joh. B.** Pontificum romanorum Effigies opera ac studio etc. Romae, 1580. 2. Aufl. 1595.
M. 256 Portr. 8. Schwnsldrbd. (Ap. 124—128.)

334. **Reusner, Nicolaus.** Icones sive Imagines Imperatorum,
Principum, Electorum et Ducum Saxoniae. Jenae, 1597. M.
37 Portr. Schwnsldrbd.

335.——————— Icones sive Imagines virorum Litteris illustrium.
Argentorati, 1587. M. 100 Portr. roh. (Ap. 126.)

336. Austrasiae Reges et Duces Epigrammatis per Nicolaum Cle-
mentem Tretaeum Mozellaenum descripti. Coloniae, 1591.
M. 63 Portr. 4. Schwnsldrbd. (Ap. No. 127.)

338. **Cretzer, Paul.** Christliche Abschiede der Patriarchen,
durchlauchtiger ehrbarer Frauen, der Theologen, der Märtyrer, rittermässiger Personen, auch Philosophorum. Hamburg,
1593. M. 36 Portr. 12. Schwnsldrbd. (Ap. No. 127.)

339. **Boissard, J. Jac.** Vitae et Icones Sultanorum Turcico-
rum, Principum Persarum. Francforti, 1596. M. 49 Portr.
Schwnsldrbd. (Ap. No. 129.)

340.ª⁻ᶜ. **Boissard, Jan Jac.** Icones virorum illustrium und
deren Verfolgung. Bibliotheca Chalcographica. Pars I. IV.
mit Pars V—IX. ohne Text, zusamm. in 2 Schwnsldr.- u. 1
Ppbd. Francforti ad Moenum; Heidelberg, gest. v. Theod.
de Bry, F. Hulsius, Paul de Zetter, Sebast. Turk,
Clemens Ammon. 1597, 1598, 1599, 1628, 1630,
1635, 1650, 1652, 1654. Mit 442 Port. (Ap. 129.)

341. Iconographia Regum Francorum, das ist Abkonterfeiung
aller Könige in Frankreich von Pharamondo bis Henrico
4 Borbonium. Die Bildnisse sind von Virgilius Solis
und J. Amman. Dies Werk erschien schon 1566 zu Nürnberg, hatte latein. Inschriften und ging nur bis Heinrich III.
Später wurde es aufgelegt in den Jahren 1622 u. 1624,
wo Apin desselb. zuerst p. 140 u. 145 erwähnt. Das vorliegende Exemplar im Schwnsldrbd. ist vom Jahre 1598.
M. 64 Portr. Huber u. Rost p. 195.

342. **Custodis, Dom.** Tirolensium principum Comitum genuinae

Eicones. Stehende Figuren der Grafen von Tyrol. Apin erwähnt erst im J. 1609 zweier Ausgaben dieses Buches unter dem deutschen Titel: der gefürsteten Grafen zu Tyrol Contrefacturen p. 135. Mein älteres Buch wird bei Huber und Rost 1. Thl. p. 235 unter den Arbeiten des Custodis sub 3 citirt, aber 64 Bl. angegeben, was um so weniger zu erklären, als das vorliegende Exemplar ganz complett zu sein scheint, wenigstens die Reihenfolge und Bogenzahl ganz richtig ist. 1599. M. 28 Portr. fol. Schwnsldrbd.

343. **Passaei, Cr.** Duodecim Sibyllarum Imagines. Trajecti Batavorum, 1615. M. 12 Portr. gr. 4. Schwnsldrbd. (Ap. No. 137.)

344. **Bella, Nic.** Handbuch oder Beschreibung der vornehmsten Potentaten. Frankfurt a/M., 1629. M. 38 Portr. 4. Pbd. (Ap. 143.)

345. Mausoleum Regni Apostolici Regum et Ducum. Die Regenten Ungarns in ganzen Figuren. Norimberg, 1666. M. 59 Portr. fol. Schwnsldrbd. Ein sehr schönes Exempl., erst in zweiter Hand. (Ap. 148.)

346[a. b.] **Verdier, du.** Histoire abrégée de France. Paris, 1666. M. 62 Portr. 3 Tom. 8. Nur 2 Thle. vorhanden. Gnzldrbd. beschädigt. (Fehlt bei Apin.)

347. Ortelius redivivus et continuatus, oder der ungarischen Kriegsempörungen historische Beschreibung, gedruckt zu Frankfurt a. M., 1665. Mit 145 Portr. fol. Schwnsldrbd.

348. Vetus Academia Jesu Christi leonibus. Autore Theop. Spizelio. Mit Kpfrn. von Raphael Custodis. Augustae Vindel. 1671. M. 22 Portr. 4. Hlbfrzbd. (Ap. No. 150.)

349[a. b.] **Bosch, L. von,** zu Amsterdam. Schauplatz des Kriegs in den Niederlanden. Mit vielen Kupfern, die später fast alle zu Valkenius' verwirrtem Europa benutzt wurden. 1675. 4. M. 19 Portr. 4 Thle. in 2 Schwnsldrbdn.

350. Historia Veneta di Alessandro Maria Vianoli, Nob., Veneto. Venetia, 1680. M. 72 Portr., welche vermuthlich von Jac. Piccini u. seiner Familie sind. 4. 2 Thle. in einem Hlbfrzbd. (Ap. No. 153.)

351. **Francisci Erasmi** Seehelden. Nürnberg, 1681. Mit Kpfrn. u. 9 Portr. Schwnsldrbd. Das Originalwerk ist in holländ. Sprache in der Danziger Stadtbibliothek. (Ap.153.)

353. **Bullart.** Académie des Sciences et des Arts. Paris, 1682. M. 280 Portr. von Bulonai, Clouet, L'Armessin, eines sogar von Hollar. fol. 2 Thle. in einem Gnzldrbde. Dazu ein

alphabetisches Verzeichniss von Szwykowski, s. unter d.
Manuscripten. (Ap. No. 154.)

353. **Hartknoch, M. Christoph.** Altes und neues Preussen. Mit vielen Kpfrn., wohl von J. Ul. Kraus. 1684.
M. 40 Portr. u. des Verfassers Bildniss. fol. Schwnsldrbd.

354. Schauplatz polnischer Tapferkeit, von dem ersten Herzog Lecho an bis auf Johann III. Sulzbach, 1685. Mit Bildnissen ohne Werth und 49 Portr. 16. Schwnsldrbd. (Ap. No. 155.)

355. Des uralten Herzogthums und Königreichs Böhmen kurze Regentenbeschreibung, von dem ersten Herzog Czecho bis auf Kaiser Leopoldum. Nürnberg, 1685. M. 61 Portr. in ganzen Figuren, für die Grösse recht gut ausgeführt. Die Kpfr. wahrscheinlich v. G. de Groos. 16. Schwnsldrbd. Apin erwähnt einer ähnlichen Ausg. zu Nürnberg bei Joh. Hoffmann, 1681. (Ap. No. 155.)

356. **Jacobi Verheideni** Imagines et Elogia praestantium aliquot Theologorum. Norimb. et Altdorf., 1725. M. 50 Portr. fol. Schwnsldrbd. (Ap. No. 170.)

357. Der venetianischen Herzoge Leben, Regierung und Absterben, von dem ersten Paulutio Anafecto bis auf Marcus Antonius Justinianus, wahrscheinlich in Sulzbach erschienen. 1686. m. 107 Portr. von unbedeutendem Werthe; sie sind wohl meistens Nachstiche im verkleinerten Maassstabe von der Gegenseite der Bildnisse in Historia Veneta di Al. Vianoli. Schwnsldrbd.

358. Les vies des Electeurs de Brandenburg de la maison de Bourggrafe de Nürnberg avec leurs portraits et leur Généalogie, ouvrage composé en latin par Jean Cernitius et mis en françois par A. Teissier. Berlin. 1707. M. 13 Portr. fol. Hlfrzbd.

359. **Picardt, Johann.** Korte Beschryvinge von eenige vergetene en verborgene Antiquiteten der Provintien en Landen, gelegen tuschen de Nord-Zee, de Yssel, Emsel en Lippe; met koopere Platen verziert. t'Amsterdam, 1660. M. 9 Portr. 4. Gnzldrbd. (Fehlt bei Ap.)

360. **Sprembev, Joh. Agric.** Die Zwelff Artikel vnsers Christlichen Glaubens, sampt der heiligen Aposteln ankunft, Beruff, glauben, Lere, Leben und seliges Absterben. 1562. M. 14 Portr. 4. br. (Fehlt bei Ap.)

361. Chronica v. d. Königen in Persia, aus d. Stamme Artaxerxis Magusaei. Aus dem Latein. ins Deutsche versetzt von

Heinr. Meibaum. Helmstädt, 1590. Mit 28 Portr.
4. broch.

362. XII Primorum Caesarum et LXIV Ipsorum Uxorum et Parentum ex antiquis numismatibus in aere incise effigies, eorundemque Vitae et Res gestae, ex variis Autoribus collectae per Levinum Hulcium Gandauensen. Franceforti ad Moenum, 1597. Mit 87 Portr. Schwnsldrbd. (R. W. No. 7816.)

363. Päpstlicher Chroniken Auszug, das ist Wahrhaftige Contrafeyten vnd Bildnussen aller vnd jeder Römischen Päpst, nach Hieron. Megeseri, durch M. Georg Beatum. Frankfurt, 1604. Mit 235 Portr. Schwnsldrbd.

364. Imperatorum Romanorum Libellus. Una cum imaginibus ad unam effigiem expressis. Cum Privilegio Caesareo. Wolfgang. Chephalius Argentinae suo aere et impensis excussit. Anno Salutis 1525. Mit 180 Portr. S. Guzldrbd.

365¹⁻⁸. Histoire du règne de Louis XIV., roi de France et de Navarre, où l'on trouve une recherche exacte des intrigues de cette cour dans les principaux Etats de l'Europe, par H. P. D (e) L (imières), D (octeur) E (n) D (roit). Tome I —VII. Amsterdam. Aux Dépens de la Compagnie. 1717. Mit 53 Portr. S. Guzldrbd.

366. **Beern, Joh. Chrph.** Der von Christi Geburt an biss auf diese unsre Zeit Regierender Könige in Schweden Regierung und Absterben u. s. w. Auch mit ihren wahrhaftigen Bildnissen. Nürnberg, 1673. Mit 53 Portr. 12. Schwnsldrbd. (fehlt bei Ap.)

367. Der Neapolitanischen Könige Leben. Augustae Vindel. 1624. Mit 26 Portr. kl. fol. Pbd. (Ap. No. 142.)

368. Der Könige in Hispanien Leben, Regierung und Absterben, von dem ersten König Athanarico an, biss auf den jetzt regierenden Carl II. Aus den bewährtesten Hispanischen Geschichtsschreibern hervorgesuchet u. zusammengetragen, auch mit ihren wahrhaftigen Bildnissen ans Licht gebracht. Nürnberg, 1678. Mit 93 Portr. 12. Schwnsldrbd.

369. Histoire abrégée des Provinces unies des Pais-Bas, où l'on voit leurs progrés, leurs conquêtes, leur Gouvernement, et celui de leurs Compagnies en Orient et en Occident. Comme aussi les hommes illustres dans les Armées et les savans dans les Lettres. Enrichie d'une grande nombre de figures. Amsterdam, 1701. Mit 233 Portr. fol. Guzldrbd.

370. Médailles sur les principaux événements du Règne de Louis

3

le Grand avec des explications historiques, par l'Acad. Roy.
des Médailles et des Inscriptions. Paris, 1702. Mit Kpfrn.
von Fr. Ertinger u. 16 Portr. 4. Gnzldrbd.

371. Das vorhergehende Werk, Französisch und Deutsch:
Der berühmten königl. Akademisten zu Paris Curiose Schau-
münzen, vorstellend die vornehmsten Thaten Ludwig des
Grossen, mit historischer Erläuterung, und was sich von
seiner Geburt und angetretener Regierung bis auf das spa-
nische Successionswerk in selbigem Königreich und vielen
andern auswärtigen Provinzen in Krieges- und Friedens-
zeiten Denkwürdiges zugetragen. Allen Liebhabern der Me-
daillen und Historien nebst dem französisch. Original auch
in unserer hochdeutschen Muttersprache mitgetheilt. Baden,
1705. Mit 286 Abbild. v. Med. u. 15 Portr. fol. Gnzldrbd.

372. **Joh. Meursi** Athenae Batavae sive de Urbe Leidensi et
Academia Virisque claris, qui utrumque ingenio suo atque
scriptis illustrarunt Libri duo. Lugduni Batavorum, 1625.
Mit 54 Portr. 4. Illbfrzbd. (Ap. No. 143.)

373. **Tomasini, Jacobi Philippi,** Patavini Episcopi Aemo-
nensis, Elogia Virorum Literis et Sapientia Illustrium ad
vivum expressis imaginibus exornata. Ad sacram Majestatem
Christianissime Reginae Annae Galliae et Navarrae Regentis.
Patavi, 1644. Mit 38 Portr. 4. br. (Ap. No. 145.)

374. **Schlegel, Christian M.** Kurtze und richtige Lebens-
Beschreibungen der ehemals von Zeiten der Reformation
an in Dressden gewesenen Superintendenten, Worinnen ihr
Christlich-geführtes Leben u. s. w. Dressden, 1697. Mit 9
Portr. 8. Schwnsldrbd.

375. Theatrum eruditorum Minus Centum Imagunculas doctissi-
morum Virorum exhibens. Opera Joannis Gotofredi
Zeidleri. Wittembergae, 1686. Wittenberg, 1690. Mit
102 Portr. 8. Pbd.

376. **T. Bosch.** Der Eremyten ende Eremytinnen van Egypten
ende Palestinevi met figuren von Abraham Blomaert in
coper ghesneden door Boetius a Bolswert. Met cort
verhael van eens yders leven, ghetrocken uyt het Vaders-
Boeck. t'Hantwerpen, 1619. Mit 50 Portr. 4. Hlbfrzbd.

377. Der Teutsche Florus. Aus dem Lateinischen Eberhard
Waffenbergs übertragen und biss auf 1645 Jahr fohrt-
gesetzt. Dantzigk, 1654. Mit 65 Portr. 12. Gnzldrbd.

378. Vitae Professorum Philosophiae qui a condita Academia
Altorfina ad hunc usque claruerunt qua fieri potuit accura-

tiore ex monumentis fide dignissimis descriptae a M. S. J.
Apino. Norimbergae et Altorfi, 1728. Mit 44 Portr. 4.
Pbd. (Ap. No. 173.)

379. Lyceum Patavinum sive Icones (9 tamen desunt) et vitae
Professorum Patavii 1682 publice docentium. Pars Prior.
Theologos, Philosophos et Medicos complectens. Per Caro-
lum Patinum Eq. D. M. Doctorem Medicum Parisiensem.
Primar. Chirurg. Professor. Patavii, 1682. Mit 9 Portr.
Zur Stelle fehlen 21. 4. Frzbd. (Ap. No. 154.)

380. Templum honoris reseratum in quo L illustrium aevi hujus
Orthodoxorum ac beate defunctorum Theologor. Philologo-
rumque Imagines. Authore Theophilo Spizelio. Augustae
Vindelicorum, 1673. Mit 50 Portr. 4. Hlbfrnzbd. (Ap.
. No. 151.)
Zu Gottfried's Chronik gehörig (1642):

381. Contrafacturen und Beschreibungen deren Monarchen und
Potentaten, item Streitbarer, gelehrter und anderer berühmter Männer und Weiber, deren in dieser historischen Chroniken hin und wieder gedacht wird. Tabula I. bis incl.
XXXI. 1642. Mit 357 Portr. fol. Pbd.

382. **J. de Boscher.** Doctorum aliquot virorum Vivae Effigies.
1578. Mit 37 Portr. 4. Hlbfrnzbd.

383. Brandenburgischer Ceder-Hein, worinnen des Durchlauchtig-
sten Hauses Brandenburg Aufwachs- und Abstammung, auch,
Heldengeschichte etc. u. neben zierlichen Kupfer-Bildnissen
vorgestellt worden durch Joh. Wolfg. Reethschen, Hoch-
fürstlich-Brandenburg. Hof-Prediger und Theol. Professorem.
Bareut, 1682. Mit 35 Portr. S. Schwnsldrbd.

384. Serenissimorum Saxoniae Electorum et quorundam Ducum
Agnatorum genuinae effigies, comment. histor. auctae aerique
incisae a Wolfgango Kiliano, Augustano Eiconographo.
1621. Mit 20 Portr. fol. Pbd. (Ap. No. 139.)

385. Genealogia Serenissimor. Bojaviae Ducum et Quorundam
Genuinae Effigies a Wolfg. Kiliano. Aug. 1620. Mit
10 Portr. fol. Schlechter Ldrbd.

386. Illustrium Imagines Ex antiquis marmoribus, numismatibus
et gemmis expressae. Quae exstant Romae. Editio Altera,
aliquot Imaginibus et J. FABRI ad singulas Commentario
auctior atque illustrior. Theodorus Gallaeus delineabat
Romae ex Archetypis incidebat Antverpiae. 1606. Mit 151
Portr. 4. Schwnsldrbd. (Ap. No. 134.)

387. Sanctissimi D. N. URBANI. P. P. VIII. Ac Illustrissimorum

et Reuerendissimorum DD. S. R. E. CARDINALIUM nunc viventium Effigies, Insignia, Nomina et Cognomina. Romae.
1628. M. 66 Portr, 4. Schwnsldrbd.

388. Abrégé méthodique de l'Histoire de France, par la Chrono-
logie, la Généalogie, les Traits memorables et le Charactère
moral et politique de tous nos Rois, ensemble leurs portraits
enrichis de Symboles etc. Paris, 1664. M. 66 Portr.
8. Pbd.

389. **Joh. Ptr. Ludewig**, Ict., Geschichtsschreiber von d.
Bischoffthum Würzburg, namentlich: 1. Joh. Müller etc. etc.
IX Annonymus. Wobey eine Vorbereitung zu der Fränki-
schen Historie und d. Bildnissen aller Bischöfe zusammen
getragen und mit einer Vorrede versehen von —. Frankfurt, 1713. M. 71 Portr. fol. Schwnsldrbd.

390. Notitia Universitatis Francofurtanae una cum Iconibus Per-
sonarum aliquot Illustrium, Aliorumq. Virorum Egregiorum
qui eam Praesentia sua Illustrarunt Professorum denique
Ordinariorum qui Anno Seculari Universitatis Secundo vixe-
runt. Francofurti, 1707. M. 38 Portr. fol. Schwnsldrbd.
(Ap. No. 162.)

391. Illustrium Hollandiae et Westfrisiae ordinum alma Academia
Leidensis Contenta proxima pagina docebit. Lugduni Batavorum, 1614. M. 54 Portr. 4. Pbd. (Ap. No. 137.)

392. Les vrays Pourtraits ou Images des Comtes et Comtesses
de Hollande, Trouvés anciennement dans le Cloitre des
Carmes a Haarlem, avec le vray Pourtrait du Noble et fa-
meux Seigneur Gerarde Velsen, avec le tombeau du Comte
Floris 5. s. a. M. 33 Portr. fol. Schwnsldrbd.

393. **Goldtwurm, Caspar.** Kirchen-Kalender. Frankfurt a/M.,
1564. M. 90 Portr. 8. Schwnsldrbd.

394. Effigies, Nomina et Cognomina S. D. N. Innocenti. P. P. XI
et RR. DD. S. R. E. Cardin. nunc viventium Aedit. a Jo.
Jacobo de Rubeis. Romae. — Dies figurenreiche Titelblatt mit dem Brustbilde Papst Innocenz XI., in einem
kleinen Medaillon in der obern Ecke links, gehört jeden-
falls zu einer früheren Sammlung von Cardinal-Bildnissen;
denn dieser Papst starb schon im Jahre 1689. Es kom-
men hier aber Creaturen v. J. 1717 vor, mithin kann das
Werk nur dem Cardinals-Collegium Papst Clemens XI. gel-
ten, der am 23. Novbr. 1700 zur Regierung kam und bis
zum Jahre 1721 den päpstlichen Stuhl einnahm. Auch
ist hier sein Bildniss, gemalt von Ptr. Nelli, gest. v. Hier.

Rossi, den von ihm veranlassten Erneunungen vorgestellt.
— Die Sammlung kann also frühestens 1717 erschienen
sein und der Einband möchte sogar erst 1724 erfolgt sein,
da — als letztes Bild — das Porträt Benedicts XIII. geliefert wird, der am 29. Mai 1721 die päpstliche Würde
erhielt. — Mit 68 Portr. Pbd.

395. **Vaillant.** Selectiora Numismata in aere maximi moduli
ex Museo Illustrissimi D. D. Francisci de Camps, Abbatis St.
Marcelli et B. Mariae de Siniaco. Concisis interpretationibus.
Pariis, 1695. Mit Titelkpfr., 59 Bl. mit Münzen u. 114
Portr. 4. Pbd.

bb. Vom Jahre 1729 bis auf die neuesten Zeiten.

396[a-d]. **Weyerman, J. C.** De Levens Beschryvingen der Ne-
derlandsche Konst-Schilder en Konst-Schilderessen. Graven-
hage by Bonquet 1729. Mit Portraits und Vignetten, im
Ganzen 4 Thle., von denen jedoch der 4. zu Dordrecht bei
Blüsse en Zoon 1769 und zwar nur mit Vignetten u. ohne
Bildnisse erschienen ist. Im 1. Thle. sind auf 12 Platt. 31
Portr., im 3. Thle. auf 8 nur 15, im 2. dagegen auf 21
Platten 58 Bildnisse. 1729. Mit 104 Portr. 4. 4 Frnzbde.
(R. W. No. 101.)

397. Geschiedenissen der vereinigde Niederlanden in drie deelen
in fol. Frit Fransch beschreven von Jean le Clerc en
nu int Nederdeutsch vertaalt. Amsterdam, 1730. Hier ist
nur der 1. Theil mit schönen Kupferstichen und 35 Portr.
versehen, denn 3 Portr. (Baldez, Philipp III. und Adolph
Grf. Mörs) und ein Kupfer fehlen. Der 2. Bd. soll 19, d.
3. 11 Bildnisse haben. Canini, 1731. fol. Schwnsledrbd.

398. **Demetri Kantomir.** Geschichte d. Osmanischen Reichs.
Aus dem Englischen übersetzt. Hamburg bei Chr. Herold,
1745. Mit 22 Portr. 4. Schwnsldrbd.

399. **Seidel, M. F.** Bildersammlung wohl verdienter Männer
der Mark Brandenburg, herausgegeben v. Georg Gottfrd.
Kuster. Berlin, 1751. Mit 100 Portr. fol. Pbd. Die Portr.,
an sich nur sehr schlecht, erscheinen, nach Apin, p. 150,
zuerst unter dem Titel: Seideli, Martini Friederici, Icones et
Elogia Virorum aliquot praestantium qui multum studiis suis
consiliisque Marchiam olim nostram juverunt ac illustrarunt.
1671. Dieser Titel befindet sich auch in dem vorliegenden
Exemplare vor den Bildnissen.

**400. Joannes Kupetzki**, Incomparabilis Artificis Imagines et
Picturae quotquot earum haberi potuerunt, antea ad quinque
Dodecades Arte, quam vocant Nigr. aeri incisae a Bernardo Vogelio et Val. Dan. Preissler, Chalcographis
Norbgr. 1745. Dabei eine nähere Beurtheilung des Werkes und ein specielles Verzeichniss der 82 Blätter, die es
mit dem Titel zählen soll. Im vorliegenden Exemplar fehlen
13 Blatt: 1. Salvator mundi, 2. Mater Salvatoris, 19. W.
Jac. Huth, 45. Kupetzki als Jüngling, 46. Dasselbe Blatt,
aber verschieden, 64. Maria Magdalena vor der Bekehrung,
65. Maria Magalena nach der Bekehrung, 66. Bernh. Vogel,
Chalcograf., 68. Maler Kirchmann, 76. Donna de Laub,
78. G. Hier. Weber, 80. St. Johannes und 81. Ein Kellner
vor einem Weinglase. Dagegen sind beigefügt: Johann Kupetzki, C. J. Haid sc. und S. Simon nach Kupetzki, gleichfalls von J. J. Haid, so dass wirklich zur Stelle sind 76
Portr. gr. fol. Hlbschwnsldrbd.

**402ᵃ⁻ᶠ.** L'Europe illustre, contenant l'histoire abrégée des Souverains, des princes, des prélats, des ministres, des capitaines,
des magistrats, des savans, des artistes et des dames célèbres de l'Europe depuis le 15. siècle compris jusqu' à
présent, ouvrage enrichi de 600 portraits, gravés par les
soins du Sieur Odieuvre. 6 Volumes in 4. Paris, 1755
—65. En maroquin rouge, doré sur tranche, filet d'or sur
le plat et dos. Bel explr. et belles figures de Wille,
Schmidt, Fiquet, Edelinck etc. 4. Ladenpr. 96 ℛℭ
(Dazu ein besonders gefertigtes, alphabet. Verzeichnis von
Szwykowski, bei den Manuscr. No. 764.)

**403ᵃ·ᵇ. Roccoles, J. B.** Geschichte merkwürdiger Betrüger.
Mit Kpfrn. 2 Thle. Halle, 1761. Im 1. Thle. 21, im 2.
Thle. 26 Lebensbeschreibungen, im Ganzen 47; doch sind
in dem vorliegenden Exempl. nur im 1. Thle. 17 und im
2. Thle. 9 Portr. unbedeutenden Werthes, in Summa 26
Portr. 8. 2 Gnzldrbde.

**404ᵃ⁻ᶜ. Schrökh, J. M.** Abbildungen u. Lebensbeschreibungen
berühmter Gelehrten. Leipzig, 1764—67. 1. u. 2. Bd.,
sodann 3. Bds. 1. u. 2. Sammlung, hier complett. Mehr
ist nicht erschienen. Die Portraits sind von Brühl gestochen, meist unbedeutenden Werthes. Mit 49 Portr.
8. 3 Pbde.

**405. Columnae** Militantis Ecclesiae sive Sancti et illustres viri,
Eremitae, primi Anachoretae, ordinum regularium Insti-

tutores, Propagatores, Reformatores, Aeneis figuris excusi,
Elogiis delandatae. Editio II. Cum Perm. Superiorum. Nürnberg, 1768. Mit 88 Portr. fol. Pbd. (Heilige und Märtyrer mit Elogien in latein. Sprache.)

406[a. b]. **Dreyhaupt, J. Chr. v.** Pagus Nelectici et Nudici, Beschreibung des Saalkreises. 2 Thle. Halle, 1755. Mit vielen Kpfrn., darunter eine sehr gute Copie des kleinen Kardinals, nach Albr. Dürer, 1. Thl. p. 853. Ueberhaupt im 1. Thle. 20 Portr., im 2. Thle. 54, demnach 74 Portr. fol. 2 Hlbfrnzbde. (Siehe weiter unten Förster's Erinnerungen 1793 und Kilian's Künstler-Lexikon vom Jahre 1797.)

407. Zweiundsiebenzig Bildnisse preussischer Generale, aus sechs Jahrgängen genealogischer Kalender für 1784, 85, 86, 88, 91 und 96, in einem Hlbfrznzbde. 1797—1831. M. 72 Portr. 16. Mit den Lebensbeschreibungen zusammengebund.

408. **Baumeister, Joh. Sebald.** Familienbilder des Hauses Hohenzollern, von Thassilo bis auf Fürst Philipp Christoph Friedrich. Ganze Figuren in illuminirten Blättern. 1817. Mit 25 Portr. 4. Hlblnwndbd.

409[a—e]. .Gallerie Française ou Collection des Portraits des hommes, des femmes, qui ont illustré en France dans le XVI., XVII. et XVIII Siècles, avec Notices et des Fascimilé, précédée d'une Introduction, qui comprendra les principaux événemens qui se sont passés depuis Merovée jusqu'à Louis XII. Trois Tomes. Paris, 1821. 1. Thl. mit 60, 2. Thl. 55, 3. Thl. 55 Bildnissen. Hier aber fehlen: 8. P. Bayle, 14. Montesquieu, 24. Fontanelle, 26. Buffon, 30. Jussieu, 35. Gilbert, 51. Duchamel, also 7 Blätter. Es sind gute französische Lithographien nach den besten Original-Portr. Das Werk kam in einzelnen Heften heraus u. kostete 480 Frcs. Mit 163 Portr. 4. Gnzlnwdbd. Dazu ein alphabetisches Verzeichniss der Bildnisse zu allen 3 Theilen von Szwykowski.

410. The Gallery of Portraits with Memoirs, volume VI. London, 1836. Mit 24 Bildnissen in Stahlstich, von den vorzüglichsten Meistern neuerer Zeit. 4. Gnzlnwndbd. Price one Guinea bound in cloth.

411. Fünfundachtzig Bildnisse der vorzüglichsten griechischen u. römischen Schriftsteller, in 14 Lieferungen, ohne Text. Prenzlau, 1828—30. Mit 24 Portr. 12. Pbd. Hier sind nur 4 Lfrgn., kl. Lithographien v. gar kein. Kunstwerthe.

412[a. b]. **Straszewicz, Joseph.** Die Polen und die Polinnen.

Stuttgart, 1832—37. 1. Buch, enthaltend die Lebensge-
schichten, das 2. die Portraits in guten Lithographien der
neuest. französ. Meister. Mit 100 Portr. 4. 2 Pbde.

413ᵃ⁻ᵈ. Regentenalmanach pro 1825 (1. Jahrg.), 1827 (2. Jahrg.),
1828 (3. Jahrg.), 1829 (4. Jahrg.). Ilmenau, 1825—29.
Mit 31 Portr. 12. 4 Pbde. complet.

415. **Foerster, Georg.** Erinnerungen aus dem Jahre 1790.
In histor. Gemälden von D. Chodowiecki, D. Berger,
C. Kohl, J. F. Bolt und J. S. Ringk. Berlin, 1793.
Mit 12 histor. Kpfrn. u. 12 Portr. 8. Frnzbd.

416ᵃ⁻ᵈ. Militairische Biographien berühmter Helden neuerer Zeit.
4 Bde. mit Bildnissen u. Planen. Berlin u. Hamburg, 1803.
Mit 10 Portr. 8. Pbd.

417ᵃ⁻ᵉ. **Pauli, Dr. Carl Friedr.** Leben grosser Helden des
gegenwärt. Krieges. 9 Thle. in 5 Bdn. Halle, 1758—64.
Mit 8 Portr. 8. Schwnsldrbd. (Fehlt d. 8. Bd.) Den letztern
ist noch beigebunden:
Die Geschichte Sr. Eminenz des Kardinals A. M. Quirini,
v. Breithaupt. Erfurt, 1752 Mit Portr.

418ᵃ⁻ʸ. **Niceron, Joh. Gebh.** Nachrichten von den Begeben-
heiten und Schriften berühmter Gelehrten, mit Zusätzen v.
Sigm. Jacob Baumgarten. 24 Thle. Halle, 1749—77.
Mit 24 Portr. 8. Schwnsldrbd.

419. **Canini, Mich. Angelo.** Images des héros et des grands
hommes de l'antiquité, dessinées sur des Médailles, des pier-
res antiques et autres anciens monumens, gravées p. Vincent le Romain etc., le texte orig. à coté de la tra-
duction (de Chevrières). Amsterdam, 1731. Mit 117 Portr.
4. Engl. Ldrbd.

420. **Buonarotti, Michel A.** Die Propheten und Sybillen.
12 Blt. in einem Umschlage. Mit 12. Portr. fol. roh.
Ladenpr. 3 ℛℳ. (R. W. No. 9586.)

421. Oestreichs Ehrenspiegel. National-Prachtwerk, herausgegeben
v. Blasius Höfel, Ritter von Bohr u. Aloys Reize.
Die Modelle zu den Portraits v. Bohm, k. k. Hofkammer-
Medailleur. Die Biographien v. Archivar Franz Tsischka.
Ohne Jahr u. Datum. Erschienen in Lieferungen à 4 Blt.
Der 1. Bd. mit 12 Liefergn. in Hautreliefmanier oder mit
der Reliefmaschine gestoch. 1836. Mit 48 Portr. 4. Pbd,
(R. W. No. 5700.)

423. Rittratti degli Archivescovi e Vescovi di Toscana convocati
in Firenze l'anno MDCCLXXVII, inventati, disegnati ed incisi

da Carlo Lasinio. Firenze, 1787. Mit 18 Portr. fol.
Schwnsldrhd.

424. École de Cavalérie, contenant la connoissance, l'instruction
et la conservation de Cheval. Avec figures en Taille-douce
par M. de la Guerinière, Ecuyer du roi. Ouvrage pro-
posé par souscription. Paris, 1751. M. 6 Portr. fol. Hlbfrnzbd.

425. Königl. auch Chur- und Fürstlich Sächsischer Helden-Saal,
od. Beschreibung d. vornehmsten Geschichte dieses durchl.
Hauses sammt dessen Genealogien, Wappen und Bildnissen,
vormahls zusammen getragen und vorgestellt von Sieg. v.
Birken, Com. Pal. Caes. Nunmehr aber mit Fleiss wieder
übersehen u. s. w., biss auf jetzige Zeiten vermehrt von
Joachim F. Felern u. Joh. Gottl. Horn. Nürnberg,
1734. Mit 59 Portr. 8. Hlbfrzbd.

425[a-c]. Der Nürnbergischen Münzbelustigungen Erster Theil, in
welchem so seltene, als merkwürdige Schau- und Gold-
Münzen sauber in Kupfer gestochen, beschrieben und aus
der Geschichte erläutert werden u. s. w., herausgegeben
von Georg Andr. Will, Kaiserl. Hof- und Pfalzgrafen
u. s. w. Gedruckt zu Altorf, in Commission zu haben in
Nürnberg bei Georg Peter Monath, 1764. 2. Thl. 1765.
3. Thl. in Commission Christoph Riegels sel. Wittwe, 1766.
Nürnbergische Münzbelustigungen aufs Jahr 1767, in welchen u. s. w. Gedruckt zu Altorf, im Verlag Christian
Riegels seel. Wittwe zu Nürnberg. 1764—66. 4. Pbd.

426. Portraits of celebrated Painters with Medaillons from their
best performances engraved by John Corner, with au-
thentic Memoirs from established authorities. London, 1825.
Mit 25 Portr. 4. Pbd.

427.[a. b]. Effigies Virorum eruditorum atque artificum Bohemiae
et Moraviae una cum brevi vitae operumque ipsorum enar-
ratione. Pars I. et II. Pragae, 1773—75. Mit 58 Portr.
gr 8. Pbd.

428. Schattenrisse sechs Berlinischer Gelehrten. In Holzschnitten
von J. F. G. Unger. 2. u. 3. Sammlung. Berlin, 1779.
Mit 18 Portr. 4. br.

428[A]. Helvetiens berühmte Männer. In Bildnissen von Heinrich
Pfenniger, Mahler. Nebst kurzen biograph. Nachrichten v.
Leonard Meister. 2. Aufl., besorgt von J. C. Fäsi.
1. und 2. Bd. Zürich, im Verlag v. H. Pfenniger. 1799.
Mit 72 Portr. 8. st. br.

429. **Pfenniger,** Helvetiens berühmte Männer. Fortgesetzt von

3 *

Joh. Jac. Bernet. 3. Bd. (nur das 1. Hft., es fehlen
2—6.) St. Gallen, 1833. M. 6 Portr. 8. br.
430. Die Generale der französischen Republik und des Kaiserreichs. Von dem Verfasser d. Republik u. des Kaiserreichs.
Leipzig, 1846—47. Mit 50 Portr. nach den besten Origi-
nalen. gr. 8. Gnzlnwndbd. Ladenpr. 5²/₃ ℛℳ.
431. **Lowe, S. M.** Bildnisse jetzt lebender Berliner Gelehrten,
mit ihren Selbstbiographien. 1. Hft: Johannes Müller. Berlin, 1806. Mit 4 Portr. br.
432. **Moehsen, J. C. W.** Beschreibung einer Berlinischen
Medaillensammlung, die vorzüglich aus Gedächtniss-Münzen
berühmter Aerzte bestehet. 1. Thl. Mit vielen Kpfrn. Berlin u. Leipzig, 1773. Mit 70 Portr. 4. Hlbfrzbd. (Der 2.
bei den Manuscripten.)
433. Auszug aus: The National Gallery of Pictures by the Great
Masters, presented by individuals or purchased by Grant
of Parliament. London, ohne Jahr. Im Ganzen nur 20 Bl.
Mit 19 Portr. gr. 4. Hlbfrzbd.
434. Getreue Abbildung und Beschreibung der 28 erzenen Sta-
tuen, welche das Grabmal Kaiser Maximilian I. umgeben u.
in der Hofkirche zu Insbruck aufgestellt sind. Insbruck.
Mit 30 Abbildgn. u. 29 Portr. gr. 8. Pbd.
435ᵃ·ᵇ. **Jacob Brucker** u. **Joh. Jac. Haid.** Bildersal heu-
tiges Tages lebender und durch Gelehrsamkeit berühmter
Schriftsteller, in welchem derselbigen nach wahren Original-
malereyen entworfene Bildnisse in schwarzer Kunst, in
natürlicher Aehnlichkeit vorgestellt und ihre Lebensum-
stände, Verdienste um die Wissenschaften und Schriften
aus glaubwürdigen Nachrichten erzählet worden. Augspurg,
1741. Mit 70 Portr. Noch fehlen 8, 9 u. 10. 4. gr. fol.
1 Schwnsldrbd. u. 1 Bd. br.
436. Bildnisse der berühmtesten u. verdienstvollsten Pädagogen
und Schulmänner älterer und neuerer Zeit. 1. bis incl. 8.
Liefrg. à 4 Portr., macht 32 Port. Quedlinburg u. Leipzig,
1833. 8. Pbd.
437. Vies des principaux Savans de l'Allemagne, qui ont été les
Restaurateurs du bon goût et des belles lettres chez cette
Nation. Avec XVI Portraits de ces Hommes célèbres par
M. le Prof. Meister. Berne, 1796. 8. Gnzlnwdbd.
438ᵃ·ᵇ. Portraits der berühmtesten Geographen, Seefahrer, Reise-
beschreiber und anderer um die Erd- und Länderkunde
wohlverdienter Männer. Mit kurzen biographischen Notizen

von ihnen. 1. u. 2. Decade. Weimar, 1808. Mit 20 Portr.
(Aus d. Allgem. Geograph. Ephemeriden.) 8. br.

439. A Dictionary of Biography. Comprising the most eminent
Characters of all Ages, Nations and Professions by R. A.
Davenport. First American Edition with noumerous additions, corrections and improvements. Boston, 1832. Mit
200 Portr. roy. 8. Hlblnwndbd.

440$^{a-c}$. Biographie moderne, ou Galérie historique, civile, militaire, politique, littéraire et judiciaire, contenaut les portraits politiques des Français de l'un et de l'autre sexe,
morts ou vivans, qui se sont rendus plus ou moins célèbres depuis le commencement de la révolution jusqu'à nos
jours par leurs talens, leurs emplois, leurs malheurs, leur
courage, leurs vertus ou leurs crimes. Deuxième Edition,
revue, corrigée, considérablement augmentée et ornée. Tome
premier (A—Duc), 2. Tome (Duf—Mon), 3. Tome (Mon—
Zan). Paris, 1816. Mit 150 Portr. 8. Hlblnwndbd.

441. Vollständiges Diarium von den Merkwürdigsten Begebenheiten, die sich vor und in der höchst beglückten Wahl und
Krönung des Allerdurchlauchtigsten Grossmächtigsten und
unüberwindlichsten Fürsten und Herrn, Herrn CARLS VII.
Erwehlten Römischen Kaysers u. s. w. zugetragen. Nebst
umständlicher Beschreibung, Portraits und anderen Kupferstichen. Frankfurt a. Mayn, 1742. Mit 16 Portr. fol. Hlbfrzbd.
In demselben Bande:
Vollständiges Diarium von allem, was sich vor und nach
der höchst erwünschten Krönung der durchlauchtigst. Grossmächtigsten Fürstin und Frau MARIA AMALIA, Gekrönten
Römischen Kayserin u. s. w. zugetragen. Nebst umständlicher Beschreibung der Aufzüge u. s. w. Mit Portraits u.
Kupferstichen. Frankfurt a. Mayn, 1743. Mit 3 Portr.

442. **Oelrich, J. C. C.** Erläuterndes Chur-Brandenburgisches
Medaillencabinet aus richtigen Kupfern von lauter Originalien
abgebildeten, beschriebenen u. in chronologischer Ordnung,
grösstentheils aus archivischen Nachrichten historisch erklär-
ten Gedächtniss-Münzen. Zur Geschichte Friedrich Wilhelm
des Grossen. Berlin, 1778. Die Kpfr. sämmtl. von Dan.
Berger. (Schön erhalten.) gr. 4. Pbd.

443. Souvenir de Baden. Galérie des portraits. Saison 1841.
Karlsruhe, 1841. Ohne Text mit geschrb. Verzeichn. Mit
25 Portr. 4. In Umschlag.

**445. Gillet, Fr. Wm.** Neuer britischer Plutarch, oder Leben
u. Charaktere berühmter Briten, welche sich während des
franzős. Revolutionskrieges ausgezeichnet haben. Nebst ein.
Anhang von Anekdoten. Mit einem Titelkpfr. und 24 Bildnissen (d. h. auf 4 Bl.) Berlin, 1804. 8. Pbd.

**446. Lavater, J. C.** Physiognomische Fragmente zur Befőr-
derung der Menschenkenntniss u. Menschenliebe. Verkürzt
herausgegeben von Jo. Mich. Armbruster. 1. bis 4. Bd.
Mit vielen Kpfrn. Winterthur, 1783, 1784, 1787 u. 1830.
Complet, wie hier, nur selten anzutreffen u. sehr schwierig,
namentlich den 2. Thl. zu ergänzen, der zu verschiedenen
Zeiten in 2 abgesonderten Hftn. geliefert wurde u. von S.
205 bis incl. 329, nebst angefügtem Inhaltsverzeichniss,
nicht immer zur Stelle angetroffen wird. 8. Pbd.

**447. Brucker, Jac.** Ehrentempel der deutschen Gelehrsamkeit,
in welchem die Bildnisse gelehrter und um die schönen u.
philologischen Wissenschaften verdienter Männer unter den
Deutschen aus dem XV., XVI. und XVII. Jahrh. aufgestellt
und ihre Geschichte, Verdienste und Merkwürdigkeiten entworfen sind. In Kpfr. gebracht von Joh. Jacob Haid,
Maler u. Kupferstecher. Augsburg, 1747. Mit 50 Portr.
gr. 4. Gnzldrbd.

**448.** Les illustres Français ou Tableaux historiques des grands
hommes de la France, dédiés à Monseigneur Comte d'Artois,
par M. Ponce, Graveur ordin. du Cabinet de ce Prince.
Paris (sine Anno). Mit gestochenem Titel zusammen 44 Bl.
Mit 53 Portr. fol. Hlbfrzbd.

**449.** Geschichte Griechenlands von der Ankunft König Ottos in
Nauplia bis zu seiner Thronbesteigung. Mit einer Ansicht
u. ein. Stadtplan v. Athen. Stuttg., 1839. Mit 4 Portr. 8. Pbd.

**450.** Oeuvre du Chevalier Hedlinger ou Recueil des Médailles de
ce célèbre Artiste, gravées en taille douce, accompagnées d'une
explication historique et critique et précédées de la vie de
l'Auteur. Dédié à S. M. Gustave III., roi de Suède, par
Chrétien de Mechel, Graveur et Membre des diverses
Académies. Basle, 1776. Mit 40 Kpfrtfln. fol. Pbd.

**452.** Vademecum artistique ou Nomenclature des Artistes Musi-
ciens, Peintres, Dessinateurs, Sculpteurs, Statuaires pour
l'année 1848. Edit. par V. de Prins. 1. année. Bruxelles,
1848. Avec 4 Portr. lith. kl. 8. (R. W. No. 16984.) br.

**453ᵃ⁻ᶜ.** Anecdotes of Painting in England. With some Account
of the principal Artists, and incidental Notes on other Arts,

Also, a Catalogue of Engravers who have been born or
resided in England, Collected by the late George Vertue,
digested and published from his original MSS. by Horace
Walpole. With additions by the Rever. James Dalla-
way. A new edition with additional Notes by Ralph N.
Wornum. In three Volumes. London, 1849. 3 Bde. gr. 8.
Gnzlnwndbd. Preis 16 ℛ. (R. W. No. 17421.)

454. **Huber, Joh. Jac.** Handbuch für Künstler und Freunde
der Kunst, enthaltend das Leben von 50 der berühmtesten
Maler aus den Schulen. Augsburg u. Leipzig. ohne Jahreszahl. (Siehe auch Künstlerbiographien.) 1819 od. 1821.
Mit 50 Portr. 8. Hlblwndbd. (R. W. No. 3293.)

455. **Leti, G.** Olivier Cromwel, von M. Vischer. Hamburg,
1710. Mit 22 Portr. 8. Schwnsldrbd.

455ᴬ. **Schmidt, E. A.** Biographien berühmter und gelehrter
Männer. Deutsch u. französ. 1 Hft. Leipzig, 1797. Mit 6
Portr. 4. br.

## B. Biographische Werke.

(Zur Bildniss-Sammlung gehörig, die entweder gar keine oder
nur einzelne Bildnisse als Titelkupfer haben, mit Ausnahme der
Nachrichten über Künstler, welche im Kataloge bei A. I. an-
geführt sind.)

aa. Biographische Dictionäre, Lexica und solche Bücher, welche Nachrichten über mehr als einzelne Personen mit sich führen.

456ᵃ⁻ᵈ. Allgemeines historisches Lexikon, in welchem das Leben
und die Thaten derer Patriarchen, Propheten, Apostel, Väter
der ersten Kirchen, Päpste, Cardinäle, Bischöfe, Prälaten,
vornehmer Gottesgelehrten, nebst derer Ketzer, wie nicht
weniger derer Kayser, Könige, Chur-Fürsten und grosser
Herren und Minister u. s. w. in alphabetischer Ordnung mit
bewährten Zeugnissen vorgestellt worden. Andere u. vermehrte Auflage. Leipzig, 1722. 4 Schwnsldrbde. gr. fol.

457. **Eberti, J. C.** Eröffnetes Cabinet des gelehrten Frauen-
zimmers. Frankfurt u. Leipzig, 1706. 8. Schwnsldrbd.

458. Necrologium Domus Saxoniae Coaevum, oder vollständige
Lebens-Geschichte aller in diesem laufenden XVIII. Seculo
verstorbenen Herzoge von Sachsen, nebst d. Anhangsweise

beigefügten Leben und Tode etc. Christianen Eberhardinen. Königin in Pohlen und Churfürstin zu Sachsen, von M. M. R. mit deren Bildnissen. Leipzig, 1728. 8. Engl. Ldrbd. mit Gldschn.

459ᵃ⁻ᶜ. Dictionnaire des Portraits historiques, Anecdotes et traits remarquables des Hommes illustres. Tome I. II. et III. Paris, 1768. 8. 3 Pbde.

459ᴬ. Galerie de portraits des hommes illustres. Paris, 1769. 8. Pbd.

460ᵃ⁻ᵇ. **Lavocat,** Abbé M. L. Dictionnaire historique portatif des Rois et des grands Capitaines etc. etc. Nouvelle édition. Tome I. et II. Paris, 1755. 8. Engl. Ldrbd.

461ᵃ⁻ᵈ. Merkwürdige Lebensgeschichte aller Cardinäle der Römisch-Catholischen Kirche, die in diesem jetzt laufenden Seculo das Zeitliche verlassen haben, von M. M. R. Regensburg. 1. Thl. 1768, 2. Thl. 1769, 3. Thl. 1772, 4. Thl. 1773. Pbd. Ladenpr. 4 ℛℓ

462. **Meusel,** J. G. Französische Biographie. 16 Lebensbeschreibungen. Halle, 1771. 1. Thl. 8. Engl. Ldrbd.

463ᵃ⁻ᶜ. **Weidlich, Chr.** Biographische Nachrichten von den jetzt lebenden Rechts-Gelehrten in Deutschland. Halle, 1781—83. 8. 3 Pbde.

464. Gallerien von deutschen Schauspielern u. Schauspielerinnen der älteren und neueren Zeiten. Wien, 1783. 8. br.

465. Kleine Chroniken der Könige von Dänemark. Eine Handschrift des 16. Jahrh. Altona, 1790. 8. Hlblnwndbd.

466. **La Vicomterie.** Sünden-Register der Könige v. Frankreich, von Klodwig bis Ludwig XVI. Nach d. Französ. Paris, 1791. 8. Hlblnwndbd.

467. Charactères de tous les Rois et Reines d'Angleterre. Paris, 1791. 8. Engl. Ldrbd.

468ᵃ⁻ᵇ. Büsten Berlinischer Gelehrten und Künstler mit Devisen. Leipzig, 1787. Ladenpr. 1 ℛℓ und Nachtrag zu d. Büsten Berlinischer Gelehrten, Schriftsteller und Künstler. Halle, 1792. 8. 2 Pbde. Ladenpr. ²/₃ ℛℓ

469. **Baur, S.** Galérie de portraits historiques. 2 Tomes en 1 Vol. Paris, 1808. 8.

470ᵃ⁻ᵍ. —————— Neues histor.-biograph.-literar. Handwörterbuch von der Schöpfung der Welt bis zum Schlusse des 18. Jahrh. Ulm, 1807—10. 5 Pbde. Mit dem Bildnisse des Verfassers. Dazu als 6. u. 7. Bd.: Fortsetzung bis zu Ende des Jahres 1810 mit dem besonderen Titel: „Neues histor. Hand-Lexikon".

471. Kurze Karakter- und Thatenschilderungen von 157 sich im
letzten amerikanischen Kriege vorzüglich ausgezeichneter
britischer Officiere, wie auch einiger Officiere von den deutschen Hilfstruppen. Ein Anhang zu Geiler's des Jüngeren
Geschichte und Zustand der Grossbritannischen Kriegesmacht
zu Wasser u. zu Lande. Dresden u. Leipzig, 1784. 8. br.

472¹⁻ᵉ. **Grohmann, Joh. Gttfr.** Neues histor.-biogr. Handwörterbuch, oder kurzgefasste Geschichte aller Personen,
welche sich durch Talente, Tugenden, Erfindungen, Irrthü-
mer, Verbrechen oder irgend eine merkwürdige Handlung
von Erschaffung d. Welt bis auf gegenwärtige Zeiten einen
ausgezeichneten Namen machten. Nebst unparteiischer An-
führung dessen, was die scharfsinnigsten Schriftsteller über
ihren Charakter, ihre Sitten und Werke geurtheilt haben.
1. bis 7. Thl. Leipzig, 1796—1799. 8. Guzldrbd.

473¹⁻ᵉ. Biographie des hommes vivants ou histoire par ordre
alphabétique de la vie publique de tous les hommes, qui
se sont fait remarquer par leurs actions ou leurs écrits.
Paris. Tome prem.: Sptbr. 1816 AB—BY, Tome second.:
Octbr. 1816 bis Fevr. 1817 CA—EZ, Tome trois.: Octbr.
1817 FA—KU, Tome quatr.: Juill. 1818 LA—OZ, Tome
cinq.: Janv. 1819 PA—Z. Gnzldrbd.

474. **Perrault, Mr.** Les hommes illustres, qui ont paru en
France, pendant le XVII. siècle. Tome prem. Trois. édition
revue, corrigée et augmentée d'un second Tome. Paris, 1704.
8. Frnzbd.

475. **De Rocoles, J. R.** Das feindseelige Schicksahl vieler
Printzen und grosser Herren von allen Nationen, die seit
ohngefähr Zwey Jahrhunderten auf dem Schau-Platz der
Welt ihre Rolle gespielet. Aus dem Französ. Mit Kpfrn.
Sorau, 1762. 8. br.

476. Schwedische Anekdoten, nebst einer Reihe der Schwedischen Könige im Grundrisse. Stockholm und Hamburg,
1773. 8. br.

477. Biographien, Skizzen und Charaktere berühmter Königinnen,
oder Gemälde weibl. Grösse und Schwäche. Herausgeg. v.
G. F. P. Hamburg, 1797. 8. br.

478. Russische Günstlinge. Tübingen, 1809. 8. 1 Engl. Ldrbd.

479. **Schlözer, A. D.** Schwedische Biographie, enthalt. eine
Sammlung von Lebensbeschreibungen berühmter Schwedischer Kriegs- u. Staatsmänner. (Grf. Ad. Lud. Löwenhaupt,

Joel Gripenstierna, Grf. Bened. Oxenstierna, Erich Dahlberg.)
1. Thl. Altona u. Lübeck, 1760. 8. Gnzldrbd.

480. Biographien berüchtigter Schwärmer, Gauner, Mörder, Mordbrenner u. Strassenräuber aus d. 18. Jahrh. 1. Bd.: Leben Sotschiwizka's u. Nickel List's. Leipzig, 1802. 8. br.

481ᵃ⁻ᵉ. **Leidenfrost**, Dr. **K. Fl.** Historisch-biograph. Handwörterbuch der denkwürdigsten, berühmtesten und berüchtigsten Menschen aller Stände, Zeiten u. Nationen. 1. Bd.: A—Cam. 2. Bd.: Can—Gz, 3. Bd.: Ha—Marlb, 4. Bd.: Marli—Rico, 5. Bd.: Rich—Zz. Ilmenau, 1824—26 u. 27, 5 Bde. 8. Hlbfrnzbd.

481ᴬ. **Gerber, C. L.** Histor.-biograph. Lexikon der Tonkünstler, welches Nachrichten von dem Leben und den Werken musikalischer Schriftsteller, berühmter Componisten, Sänger, Meister auf Instrumenten, Dilettanten, Orgel- u. Instrumentenmacher enthält. 1. Thl.: A—M. Leipzig, 1790. 2. Thl.: N—Z, mit einem 6fachen Anhange. 1792. gr. Lexik.-Oct. Pbd. Ladenpr. 3 ½ ℛℳ.

482ᵃ⁻ᵇ. ————— Neues histor.-biograph. Lexikon der Tonkünstler, welches Nachrichten von dem Leben und den Werken musikalischer Schriftsteller u. s. w., älterer und neuerer Zeit aus allen Nationen enthält. 1. Thl.: A—D. Leipzig, 1812. 2 Thl.: E—J, auch 1812. 3. Thl.: K—R. 1813. 4. Thl.: S—Z. Nebst einem 5fachen Anhange von Nachrichten über musikalische Bildnisse, Büsten, Abbildungen berühmter Orgeln u. musikalischer Erfindungen. 1814. gr. Lexik.-Oct. 2. Thl. fehlt. Pbd. Ladenpr. 4 ℛℳ.

483ᵃ⁻ᵇ. **Busby, Thom.** Allgemeine Geschichte d. Musik, von den frühesten bis auf die gegenwärtigen Zeiten. Nebst Biographien der berühmtesten musikalischen Schriftsteller. Aus dem Engl. übersetzt u. mit einigen Anmerkungen und Zusätzen begleitet von Chr. Fr. Michaelis. 2 Bde. 1. Bd. Leipzig, 1821. 2 Bd., enth. den Zeitraum vom 16. Jahrh. bis auf die neueste Zeit, Leipzig, 1822. gr. 8. Pbd.

484ᵃ⁻ᵇ. Geschichte berühmter Frauenzimmer. Nach alphabetischer Ordnung aus alten und neuen, in- und ausländischen Geschichts-Sammlungen u. Wörterbüchern zusammen getragen. 1. und 2. Thl., nebst Zusätzen zum 1. Thl. von A—F. Leipzig, 1772. 3. Bd. fehlt. Hlbfrnzbd.

485. **Justin, C. J.** Almanach der berühmtesten deutschen Helden des jetzigen und der letztverflossenen 3 Jahrhunderte. Nebst einer kurzen Beschreibung und Vergleichung des vor

hundert Jahren von Deutschland wider Frankreich geführten Krieges mit dem jetzigen. Regensburg, 1793. 8. br.

486. **Prätori, Ephr.** Danziger Lehrer-Gedächtniss, bestehend in einem richtigen Verzeichniss der Evangel. Prediger in d. Stadt und auf dem Lande v. Anfang der Evangel. Reformation bis itzo. Nebst einem Anhang derer Professoren am Gymnasio und vermehrt. Verzeichniss der seit Anno 1709 hieselbst v. E. E. Ministerio U. A. C. tentirten Studiosorum Theologiae. Danzig u. Leipzig, 1760. 4. Schwnsldrbd. Ist wohl die 3. Aufl., denn sie enthält die Vorrede zur 1. v. Jahre 1704 u. zur 2. v. Jahre 1712; auch war der Verfasser im J. 1723 gestorben. Mit Papier durchschossen u. handschriftlich ergänzt mit vielen Bemerkungen bis 1788, einzeln bis 1804. Ladenpr. ½ ℛℳ

487. Ein zweites Exemplar in Illbfrnzbd., ebenso mit Papier durchschossen, vervollständigt durch Angabe d. Accidentien und fortgeführt bis 1815.

488. Compendiöses Gelehrten-Lexikon, darin die Gelehrten als Fürsten und Staats-Leute, die in der Litteratur erfahrenen Theologi, Prediger, Juristen, Politici, Medici, Philologi, Philosophi, Historici, Critici, Linguisten, Physici, Mechanici, Mathematici, Scholastici, Oratores u. Poeten, sowohl männals weiblichen Geschlechts, welche v. Anfang der Welt etc. Zahl über 20000, nach ihrer Geburt, Absterben, nach alphabetischer Ordnung beschrieben worden. Nebst einer Vorrede v. D. Joh. Burchard Menckens. Leipzig, 1715. gr. Lexik.-Oct.

489. Die hervorragendsten Persönlichkeiten auf dem russischtürkischen Kriegs-Schauplatz, vom Frhrn. v. S****. 34 biograph. Nachrichten. Leipzig, 1854. gr. 8. Illblnwndbd. 12½ Sgr.

490ᵃ⁻ᶠ. Der britische Plutarch, oder Lebensbeschreibungen der grössten Männer in England und Irland, seit den Zeiten Heinrichs VIII. bis unter Georg II. 1. bis 6. Bd. Aus d. Engl. übersetzt. 62 Biograph. Leipzig u. Züllichau, 1764—68. 6 Oct.-Pbde. Ladenpr. 5 ℛℳ

491. Magazin der Biographien denkwürdiger Personen der neuern und neuesten Zeit. Ein historisches Journal in zwanglosen Heften. Herausgeg. v. einer Gesellschaft Gelehrter. 1. Bds. 3. Hft.: Bülow v. Dennewitz, Nelson, Wieland. Quedlinburg, 1816. 8. Pbd.

492ᵃ⁻ᶠ. Nouveau Dictionnaire historique, ou Histoire abrégée de

4

tous les hommes, qui se sont fait un nom par le Génie,
les talens, les vertus, les erreurs etc. depuis le commencement du Monde jusqu'à nos jours etc. etc. Par une société
de gens de lettres. Quatrième Edition enrichie d'augmenta-
tions. Tome I—VI. Caen, 1779. 8. Ldrbd.

493ᵗ⁻ᶜ. Das gelehrte Deutschland, oder Lexikon der jetzt lebenden deutschen Schriftsteller. Angefangen v. G. C. Hamber-
ger, fortgesetzt von J. G. Meusel. 3. durchaus vermehrte
u. verbesserte Ausg. A—Z. Lemgo, 1776. 2 Bde 8. und
Nachtrag zu der 3. Ausgabe des gelehrten Deutschland,
von Joh. Georg Meusel. A—Z. Lemgo, 1778. 8. Zusammen 3 Bde. br.

494ᵃ⁻ᵏ. The Universal Magazine of Knowledge and Pleasure con-
taining News, Letters, Debates, Poetry, Music, Biography,
History, Geography etc. etc. to Gentry, Merchants, Farmers
and Tradesmen. Published monthly, according to Act of
Parliament. London, 1769—78. gr. 8. Pbd.

bb.  Lebensbeschreibungen einzelner Personen, mit Ausnahme der
Künstler-Biographien.

495. **De Lorrain, M.** La vie et les actions memorables de
Christofle Bernard van Galen, Evêque de Münster. Nouvelle
et dernière Edition. Paris, 1681. 16. Mit Portr. in Holzschn. Engl. Ldrbd.

496. Histoire de Louis de Bourbon II. du nom Prince de Condé,
par P****. 2. Edit., revue, corrigée et augmentée par l'Auteur. Cologne. 1694. Mit Portr. in Kpfr. 8. Frnzbd.

497. Histoire de Henry II., dernier Duc de Montmorency, Pair
et Maréchal de France. Paris, 1699. 8. Frnzbd.

498. Merkwürdiges Leben des unter dem Namen eines Grafen
von Biron weltbekannten Ernst Johann, gewesenen Regenten des russischen Reichs, auch Herzogs in Liefland u. s. w.
Braunschweig u. Leipzig, 1742. Mit Portr. 8. br.

499. Geschichte und Thaten des durchlaucht. Printzen Leopold
von Anhalt-Dessau, commandirenden General-Feldmarschalls
der Königl. Preuss. Armee. Frankfurt u. Leipzig, 1746.
8. Pbd.

500. Leben und Charakter des Königl. Pohlnischen und Churf.-
Sächs. Premier-Ministers Grafen v. Brühl, in vertraulichen
Briefen entworfen. 1760 und 1761. 8. Zusammengebun-
den mit:
Leben und Charakter der jüngst verstorbenen Frau Gräfin

v. Brühl, geb. Gräfin v. Kolowrat, in vertraulichen Briefen entworfen. 1763. Pbd.

502. La vie du Comte de Tottleben, cidevant Colonel au service des Etats Généraux des Provinces Unies et dernièrement Lieutenant Général des Armées de S. Maj. l'Imperatrice de tous les Russies, contenant ses Avantures et ses campagnes. Traduite du Hollandois et corrigée en diverses endroits. Cologne, ohne Jahr. Beigebunden: Le comte Tottleben ressuscité et disculpé des calomnieuses Imputations de l'histoire de sa vie. Traduit du Hollandois. La Haye, 1762. 12. br.

503. Das Leben Emanuels, Königs von Portugal, nebst denen nach seinem Tode erfolgten Veränderungen des Staates. Aus glaubwürdigen Nachrichten kürzlich beschrieben. Nürnberg, 1777. 8. Mit Portr. Hlbfrnzbd.

504. Das militärische, politische und Privatleben des Fräuleins d'Eon de Beaumont, ehemal. Ritters d'Eon. Aus dem Französ. d. Hrn. de la Fortelle ins Deutsche übersetzt und mit einigen Zusätzen vermehrt. Frankfurt u. Leipzig, 1779. 8. Mit Portr. Hlbfrnzbd.

505[a-d]. Geschichte d. Privatlebens Ludwig XV., Königs v. Frankreich, oder genaue aus geheimen Nachrichten geschöpfte Erzählung aller merkwürdigen während seiner Regierung u. an seinem Hofe vorgefallenen Begebenheiten. Aus d. Französ. übersetzt. 4 Thle. Berlin. u. Stettin, 1781—95. 8. br. 5. Thl. fehlt.

506. **Müller, Gerh. Friedr.** Lebensbeschreibung des General-Feldmarschalls Grafen Doris Petrowitschi-Scheremetew, mit eingestreuten Erläuterungen über die Geschichte Peter des Grossen. Aus dem Russischen ins Deutsche übersetzt von H. L. Ch. Bacmeister. Petersburg, Riga und Leipzig, 1789. Mit Portr., Kpfrn. und genealog. Tabellen. gr. 8. Hlbfrnzbd. Ladenpr. ⅞ ℳ. Zusammengeb. mit: Denkwürdigkeiten oder Lebensgeschichte eines schwedischen Edelmannes (v. Hardt), von ihm selbst in seiner Einsamkeit im J. 1784 geschrieben. Aus d. Französ. übersetzt von G. W. Bartoldy. Berlin, 1788. 8.

507. Johann Görcke's Leben und Wirken, geschildert bei Gelegenheit seiner 50jährigen Dienst-Jubelfeier, auf Veranlassung der königl. preuss. Militair-Aerzte. Berlin. Mit Portr. gr. 8. Pbd.

508[a.b]. Militairische Memoiren d. britisch. Capitains Moyle Sherer,

enthalt. die kriegerische Laufbahn des Herzogs von Welling-
ton. Uebertragen von G. Nagel. 2 Thle. Hannover, 1835
—36. 2 Pbde.

509. **Schöning, Kurd Wolfg. von.** Des General-Feldmarschalls Dubislaw Gneomar v. Natzmer auf Gannewitz Leben
und Kriegsthaten, mit den Haupt-Begebenheiten des von
ihm errichteten und 48 Jahre als Commandeur en chef
geführten bekannten Garde-Reuter-Regiments-Gendarms. Ein
Beitrag zur Brandenburg. Preuss. Armee-Geschichte. Mit
dem Bildnisse u. 57 Fascimiles. Berlin, 1838. gr. 8. Pbd.

510. **Ludwig, C.** Christiane Glahn, Mörderin ihrer Stieftoch-
ter, u. der Wildschütz Christoph Ziegler, Mörder d. Jägers
Stöcker u. s. w. 2. sehr vermehrte Aufl. Braunschweig,
1827. 8. br.

511. Friedrich Staps, erschossen zu Schönbrunn bei Wien auf
Napoleon's Befehl, im Octbr. 1809. Eine Biographie aus
den hinterlass. Papieren seines Vaters M. Fr. Gttlb. Staps,
Pastor. Mit Portr.-Silhouette u. Handschrift und:
Carl Joh. Friedr. Schulz, Kämmerer zu Kyritz, erschossen
daselbst am 8. Septbr. 1807 auf Befehl des französ. Gou-
verneurs. Berlin, 1843. 8. Pbd. Ladenpr. 1 ℛ𝓉.

512. **Fels, J. M.** Biographie des Profess. d. Geschichte Jacob
Wegelin von St. Gallen. Mit Portr. Titelbl. fehlt. St. Gallen, 1790. 8. Pbd. Ladenpr. ½ ℛ𝓉.

513. **Burneys, Dr. Carl.** Nachrichten von Georg Friedrich Händel's Lebensumständen und der ihm zu London
im Mai u. Juni 1784 angestellten Gedächtnissfeier. Aus d.
Engl. übers. von Joh. Joach. Eschenburg. Mit Kpfrn.
(namentl. Händel's Denkmal in d. Westminster-Abtei. Berlin u. Stettin, 1785. gr. 4. Pbd. Ladenpr. 1½ ℛ𝓉.

514. Histoire de Stanislaw I., roi de Pologne, grand Duc de
Lithuanie, Duc de Lorraine et de Bar etc., par Monsieur
D. C***. Tome I, II. Francfort, 1790. 8. Frnzbd.

515. **Wegener, W. Gabr.** Lebensgeschichte des Markgrafen
Johannes von Brandenburg, Landesfürsten in der Neumark
zu Küstrin. Gelegenheitsschrift bei der 3. Säcularfeier der
Kirchenreformation der Stadt Züllichau. Mit dem Bilde des
Markgrafen. Berlin, 1827. gr. 4. br.

516. Geschichte und Thaten des Hertzogs von Belleisle, unpar-
theiisch entworfen und mit Anmerkungen erläutert. Frankfurt und Leipzig, 1746. 8. Mit Portr. Pbd.

517. Denkwürdige Lebensbeschreibung Sr. jetzt regierenden k.

Maj. von Grossbritannien Georg II., in welcher die merkwürdigsten Staats- und Friedensaffairen, auch Kriegsbege-
benheiten zu Wasser und zu Land, unter der glorwür-
digen Regierung beschrieben, auch viele wichtige Urkunden
mit eingerückt worden. Frankfurt und Leipzig, 1750. 8.
Mit Portr. Pbd.

518. **Roth, E. G.** Paul Gerhardt. Nach seinem Leben und
Wirken aus zum Theil ungedruckten Nachrichten dargestellt.
Leipzig, 1829. 8. br.

519. Kurzgefasste Beschreibung des Lebens und der Thaten des
Joseph Balsamo oder sogen. Grafen Kagliostro, gezogen
aus dem wider ihn zu Rom 1790 angestellten Prozesse
zur Beleuchtung der wahren Beschaffenheit der Freimaurer-
Secte. Aus d. Italien. ins Deutsche übersetzt. Augsburg,
1791. 8. Pbd.

520. **Geisler, A. F.** der Jüngere. Leben u. Charakter Leo-
polds, Herzogs zu Braunschweig-Lüneburg. Mit Portr. und
4 andern Kpfrn. Leipzig, 1786. 8. Pbd. (Nur 2 Kpfr.
sind zur Stelle.)

521. **Breitenbauch, G. A. von.** Lebensgeschichte des jüngst
verstorbenen Sinesischen Kaisers Kienlong, nebst einer Beschreibung der Sinesischen Monarchie. Mit einer Karte.
Leipzig, 1788. 8. und:
Des englischen Schiffscapitain Brockwell's Reisen nach der
neu entdeckten Insel St. Andrews. Eine Seefahrergeschichte
neuerer Zeiten. Zittau u. Leipzig, 1788. 8. Pbd.

522. Leben und Thaten des Allerdurchl. Königs von Preussen
Friedrich Wilhelms. Biss auf gegenwärtige Zeiten aufrichtig
beschrieben. Hamburg u. Bresslau, 1735. 8. Mit 2 Portr. Pbd.

523. **Blumenthal, Mdme. de.** La vie de Jean Joachim de
Zieten, Général de la Cavalerie au service de Prusse,
Colonel du Regiment de houssards du corps, chevalier de
l'ordre de l'aigle noir, Seigneur de Wustrau etc. Tome I.
et II. Berlin, 1803 u. 1805. Mit 2 Kpfrtfln. u. 2 Schlacht-
plänen. gr. 8. Pbd.

524. Leben Dr. Wilhelm Dodd's, ehem. königl. Hofpredigers in
London. Berlin, 1779. Pbd.

525<sup>a. b.</sup> Vie de Cathérine II., Imperatrice de Russie. Tome I. et
II. Paris, an V. de la Republique, 1797. 2 Pbde. 8.

526. Geschichte des Kaisers Nicolaus I. Nach dem Französ. des
Grafen Beaumont-Vassy, fortges. bis zum Tode des Kaisers.
Leipzig, 1855. 8. br. Pr. ⅓ ℛℓ

527. **Willkomm, E.** Denkwürdigkeiten eines österr. Kerkermeisters. Nach wahren Begebenheiten bearbeitet. Leipzig, 1843. 8. br.

528. **Holzendorff, A.** Graf von. Beiträge zu der Biographie des Generals Frhrn. von Thielemann, und zur Geschichte der jüngst vergangenen Zeit. Zusammengestellt und mit Actenstücken belegt von —. Leipzig, 1830. 8. br. Hlblwdbd.

529. **Holtei, Carl von.** Eine Biographie. II. Prämie zu Kober's Album 1856. Prag u. Leipzig. 16. br.

530. **Klöden, K. F.** Lebens- und Regierungsgeschichte Friedrich Wilhelm III., Königs von Preussen. Berlin, 1840. 8. Mit 1 Portr. Pbd. Ladenpr. 1¼ ℳ

531. Leben des Erzherzogs Johann von Oestreich, erster deutscher Reichsverweser. 2. vermehrte Aufl. Stuttgart, 1848. Gehört als 2. Thl. zu: Deutsche Vaterlands-Bibliothek. 16. br. Ladenpr. ⁴/₁₅ ℳ

532. Marie Lafarge, verurtheilt als Giftmischerin und angeklagt als Diamantendiebin. Criminalgeschichte der neuesten Zeit. Leipzig, 1841. Gehört zur Bibliothek von Ritter-, Räuber- und Criminalgeschichten. 2. Suite. 5. Bd. br. Ldnpr. 1 ℳ

533. **Corvin.** Biographien historisch berühmter Maitressen. I. Maria Aurora, Gräfin v. Königsmark. Leipzig, 1848. 8. br.

534ᵃ⁻ᶜ. Das Leben des Generals Dumouriez, von ihm selbst. Hamburg, 1795. 3 Thle. Pbd.

535ᵃ˙ᵇ. **Schmidt, Ch. H.** Biographie der Dichter. Leipzig, 1769 u. 70. 2 Pbde. gr. 8.

536ᵃ˙ᵇ. **Campbell, Joh.** Leben und Thaten der Admirale u. anderer britischer (britannischer) Seeleute. Aus dem Engl. übersetzt. Leipzig, 1755. 4. 2 Thle. Pbd.

537. **Mentzel, Ch.** Kurtze Chines. Chronologia, od. Zeitregister Aller Chines. Kayser von ihrem also vermeintl. Anfange der Welt bis hierher zu unseren Zeiten des nach Christi unseres Seligmachers Geburt 1696. Jahres etc., auch mit 2 chinesischen Tafeln der vornehmsten Geschichte etc. etc. gezogen von d. Chines. Kinderlehrer Siao lu Hio oder Lun genannt. Nebst einem kurzen Anhang von Moscowitischen Reisebeschreibungen zu Lande nach China in dem 1693., 94. u. 95. Jahre, von d. Moscowit. Abgesandten Hrn. Isbrand gehalten. Berlin, 1696. Hlfrnzbd.

## II. Genealogie.

539. **Hübner, Joh.** Genealogische Tabellen. 1. u. 2. Thl. Leipzig. 1725—27. Querfol. 1 Schwnsldrbd.

540, **Schumann, M. Gttlb.** Genealogisches Handbuch. Leipzig, 1742. 8. Hlbfrnzbd.

541[a. b]. Geschichts-, Geschlechts- und Wappenkalender für das Jahr 1724 u. 1744. Mit Wappen-Abbildungen. Nürnberg. gr. 8. Hlbfrzbd.

542. **Krebel, G. Fr.** Europäisches genealogisches Handbuch. Leipzig, 1763. 8. Hlbfrnzbd.

543. **Reinhard, J. P.** Entwurf einer Historie des Chur- und Fürstlichen Hauses Sachsen. Erlangen, 1764. 8. Hlbfrnzbd.

544. **Will, P. A.** Lehrbuch einer statistischen Genealogie der sämmtlichen Europäischen Potentaten. Altorf, 1777. 8. Hlbfrnzbd.

545[a—v]. Gothaischer Hof-Kalender (Taschen-Kalender, Taschenbuch). Jahrgänge: 1774, 1782 u. 83, 1787, 1801, 1802, 1803, 1804, 1815, 1821, 1830 u. 31, 1832, 1834, 1839, 1841, 1842, 1846, 1847, 1850. Pbde.

546. Gothaischer genealog. Kalender d. gräflichen Häuser. 1835

547[a—i]. Berliner histor.-genealogischer Kalender 1745 Frnzbd., 1765, 1772, 1775, 1776, 1777, 1779, 1780, 1785.

548. Geschichte der Stadt Breslau. (Berl. histor.-genealogischer Kalender 1824.) Pbd.

549[a—c]. Göttingsches Taschenbuch zum Nutzen und Vergnügen. 1805, 6, 7, 8, 9, 10, 11, 12.

550. Kronos, genealogisches Taschenbuch mit Kpfrn. 1817. Pbd.

551[a—c]. Les Souverains du Monde, ouvrage qui fait connoistre la Généalogie de leurs Maisons, l'Etendue et le Gouvernement de leurs Etats, leur Religion, leurs Revenues, leurs Forces, leurs Titres, les lieux de leurs Résidences, leurs Prétentions, leurs Armoiries et l'Origine historique des Pièces ou des Quartiers, qui les composent. Avec un Catalogue des Auteurs, qui en ont le mieux écrit. Nouvelle édition, corrigée, augmentée j'usqu'à la fin de l'année 1733. Tome I—V. Paris, 1734. 5 Frzbde.

552. Genealogisch-historisches Lesebuch für die Jugend, zur Kenntniss der europäischen Regenten, ihrer Häuser u. Länder. 2 Thle. Göttingen, 1789. Hlbfrnzbd.

553. Genealogisches Reichs- und Staats-Handbuch auf das Jahr 1801. 2. Thl. Frankfurt a/M. Pbd.
554. Churfürstl. Sächsischer Hof- und Staats-Kalender 1784.
555. Nowy Kalendarzyk Policyczny 1828. Pbd.
556. Almanaque politique de Pologne. 1771. Pbd.
557[a. b]. Tiroler Almanach 1805 und Helvetischer Almanach 1805. Zürich. Pbd.
558. Almanach de Versailles 1788, contenant la description du chateau, du parc etc. Gnzldrbd.
559[a. b]. Almanach Imperial pour l'année 1811 par Testu. Ein zweiter desgl. pour l'année 1812. Pbd.
560[a—c]. Almanach royal pour l'année 1717, 1769 et 1786. gr. 8. Gnzldrbd. mit Goldschn.

## III. Geschichte.

561[a—d]. **Buchholz, Friedr. von.** Geschichte von Berlin u. Potsdam. Mit vielen Kpfrn., namentl. 52 Portr., geschichtl. Scenen, Ansichten u. s. w. Aus den histor.-genealog. Kalendern 1820—25, dann 1825—28. 8 Thle. in 4 Bdchn. 12. Hlbfrnzbd.
562. **Schubert, J. W.** Historisch-statistische Gemälde von Ost- u. Westpreussen. Mit vielen Kpfrn., darunter 10 Portraits. Aus den histor.-genealog. Kalendern 1835, 36 u. 37. 8 Thle. 12. 1 Hlbfrnzbd.
563. Abriss einer Geschichte des ersten Kreuzzuges der Christen nach Palästina mit Landkarte und 12 Kpfrn. von D. Chodowiecki. Aus d. histor.-geneal. Kalender 1801. 16. Pbd.
564. Geschichtliches aus mehrer. histor. Kalendern. In kl. 16. geb.
   a) Eroberung Contantinopels durch die abendländischen Christen. 1204. Mit Ansichten u. 6 histor. Vorstellgn.
   b) Schlacht von Ravenna 1512. Mit 4 Portr.
   c) Gibraltar bis zum Frieden 1783. Mit Portr. u. Plan.
   d) Merkwürdige Belagerung v. Metz 1522. Mit 1 Kpfr.
   e) Magdeburgs Zerstörung 1631. Hlfrnzbd.
565. Abriss einer Geschichte der preuss. Rheinprovinzen. Mit 1 Charte: Rheinansichten und histor. Darstellungen aus d. histor.-genealog. Kalender 1819. 12. Pbdchn.
566[a. b]. **Schlenkert, Fr.** Geschichte der Deutschen in einem fortlaufendem Gemälde. 1. u. 2. Thl., jeder mit 12 histor. Vorstellgn. u. 4 Portr., von Geyser, Petzel, Stölzel

u. s. w. Aus d. histor.-genealogischen Taschenbuch. Braunschweig, 1794 u. 95. 16. 2 Pbdehn.

568. **Treskow, A. von.** Beitrag zur Geschichte des polnischen Revolutionskrieges im Jahre 1836. 8. Hlbfrnzbd.

569[a-d]. Lettres confidentielles sur les Rélations intérieures de
la Cour de Prusse depuis la mort de Frédéric II. 4 Vol
Paris, 1808. br.

570. **Kirgner, L.** Général. Précis du Siège de Dantzigk
fait par l'armée française en Avril et May 1807. Paris,
1807. Mit einem ausführlichen Plane. Pbd.

571. **De Pradt.** Mémoires historiques sur la revolution d'Espagne.
Paris, 1816. 8. Hlbfrnzbd.

572[a-c]. **Rigel, F. X.** Der siebenjährige Kampf auf der pyre-
näischen Halbinsel. Rastadt, 1819. Mit Kpfrn. und Plänen.
3 Thle. Pbde.

573. **Jones, Joh.** Tagebuch der in den Jahren 1811 u. 1812
von den Verbündeten in Spanien unternommenen Belage-
rungen. Aus d. Engl. übersetzt von F. v. G. (v. Grabowski).
Berlin, 1818. 8. Mit 9 Plänen. br.

574. **Valentini.** Traité sur la guerre contre les Turcs. Berlin,
1830. Mit Charten u. Plänen. gr. 8. Pbd. Ladenpr. 4 ℛℓ.

575. **Ségur.** Histoire de Napoléon et de la grande Armée
pendant l'année 1812. 2 Tomes. Paris et Bruxelles 1828.
8. Hlbfrnzbd. 3²/₃ ℛℓ.

576. Erinnerungsbuch für Alle, welche in den Jahren 1813, 14,
15 Theil genommen haben an dem heiligen Kampf um
Selbstständigkeit und Freiheit. Mit 2 Kpfrn., 11 Schlacht-
plänen und einer Auswahl vaterländischer Gedichte. Halle
und Berlin, 1817. gr. 4. Beigefügt 21 Portr. Hlbfrnzbd.

577. Mémoires pour servir à l'histoire de France en 1815. Paris
et Berlin, 1820. br.

578. Darstellung der Schlacht bei Jena und des Treffens bei
Auerstädt. Gleichzeitig Französisch: La Bataille de Jena et
le Combat d'Auerstädt. Weimar, 1807. gr. 4. Mit Karten
u. Plänen. br.

579[a-k]. Geschichte des heutigen Europa v. fünften bis zum acht-
zehnten Jahrhundert. In einer Reihe von Briefen eines Hrn.
von Stande an seinen Sohn. Aus dem Engl. übersetzt mit
Anmerkungen von Joh. Friedr. Zöllner. 1. bis 12. Thl.
Berlin, 1785—94. 12 Bde. Mit histor. Titelkpfrn. Hlbfrnzbd.
Es fehlen davon der 2. u. 5. Thl. Ladenpr. 12 ℛℓ.

4*

580. **Curicke, Reinh.** Historische Beschreibung der Stadt Danzig. Anno MDCXLV. Schön geschriebenes sehr gut erhaltenes Manuscript. 1680. gr. fol. Schwnsldrbd. mit Goldschn.

581. ———— Der Stadt Dantzig Historische Beschreibung, worinnen von d. Uhrsprung, Situation u. s. w. gehandelt wird. 1645. Anjetzo aber mit sonderbahrem Fleiss nebst vielen dazu gehörigen Kupferstücken in öffentl. Druck ausgegeben v. G. R. Curicke, A. D. 1686. Mit vielen neuen Additionibus vermehrt und continuirt biss auf die gegenwärtige Zeit. Amsterdam u. Dantzigk, 1687. fol. Schwnsldrbd. Ein dem Aeusseren nach gut erhaltenes, dennoch aber sehr defectes Exemplar, indem im Text 9 Foliobl.: 43—44, 45—46, 49—50, 51—52, 53—54, 59—60, 61—62, 339—40, 341—42 u. 343—44 ebenso ausgerissen sind, wie 9 Bl. Kupferstiche, die bei Seite: 46, 52, 54, 58, 59, 311, 339, 340, 341 zu finden sein sollten. Auch geht ein Brandfleck durch mehrere Seiten des Textes von 157 ab.

582. ———— Freuden-Bezeugung der Stadt Dantzig über d höchst erwünschte Königl. Wahl und darauf erfolgte Krönung Augusti des Anderen, Königes in Pohlen, wobei Höchstgedachter Majestät Königl. Einzug in besagte Stadt u. Alles in schönen Kupfern repräsentirt wird. Danzig, 1698. fol. Hlbfrnzbd.

583. Blick auf die Entwickelung der Ereignisse und die Folge der politischen Beziehungen, durch welche das Grossherzogthum Posen eine Provinz des preuss. Staats geworden ist. Aus dem Berliner Kalender auf das Gemeinjahr 1839. Mit Kpfrn. gr. 12. Pbd.

584[a. b.]. **Blech, U. F.** Geschichte der siebenjährigen Leiden Danzigs v. 1807—1814. 1. u. 2. Thl. mit Belegen. Danzig, 1815. 8. 2 Pbde.

585. Skizzirte Geschichte der russisch-preuss. Blokade und Belagerung von Danzig im Jahre 1813. Nebst der Vertheidigung dieses Platzes u. s. w., von einem Augenzeugen. Berlin, 1817. 8. Pbd.

586. **Willisen, von.** Acten u. Bemerkungen über eine Sendung nach dem Grossherzogthum Posen im Frühjahr 1848. Kiel, 1850. 8. br.

587. Vier Monate der Belagerung von Sebastopol. Mit Ansicht von Sebastopol, dem Portr. von Mentschikoff, Raglan und

Canrobert, den Karten der Krim u. des Schwarzen Meeres. Leipzig, 1855. Cart. br.

588. **Guizot.** Ueber die Demokraten in Frankreich. Aus dem Französ. übersetzt. Berlin u. Frankfurt a/O., 1810. br.

589. Gedenkbuch, enthalt. die Geschichte und Beschreibung des Friedrich-Denkmals in Berlin, so wie die Darstellung der Grundsteinlegung am 1. Juni 1840 u. die Enthüllung desselben. Mit Allerhöchster Genehmigung herausgegeben von dem Comité der Veteranen in Berlin, verfasst von Dr. Andreas Sommer. II. Aufl. Berlin, 1852. br.

590. **Unruh, von,** Mitglied der preuss. Nationalversammlung. Skizzen aus Preussens neuester Geschichte. Magdeburg, 1849. S. br.

591. Ungarn. Seine Geschichte, seine Nationalitäten, seine parlamentarische Entwickelung, sein Kampf und nationale Selbstständigkeit, strategisch und politisch. Nebst biographischen Skizzen ausgezeichneter Männer, von einem unparteiischen Officier. Mit erläuternden Karten, Plänen, Scenenbildern u. Portraits. Leipzig u. Meissen, 1850. 235 S. Text, 2 Landkarten und 12 Lithographien. br. Ladenpr. 2 ℛℳ.

592. Züge zu einem Gemälde des russischen Reichs unter der Regierung von Catharina II., gesammelt bei einem vieljährigen Aufenthalt in demselben. In vertrauten Briefen. 1798. 1. u. 2. Thl. zusammen. S. Pbd.

593. Zbior Praw Litewskich od roku 1529 do roku 1539. Tadzież Rozprawy Sejmowe o Tychże Prawach od roku 1544 do roku 1563. Poznań, 1841. No. 45. 4. Pbd.

594. **Vogt, Peter.** Wahrhaftiger und gründlicher Bericht von Belager- und Eroberung der Haupt-Schantze in der Dantziger Nährung Anno 1656. Dantzig, 1661. Schwnsldrbd.

595. Das Königl. Pohlnische u. Churfürstl. Sächsische Feld-Lager, oder Diarium und eigentl. Beschreibung alles desjenigen, was in dem grossen Campement bei Radewitz an der Elbe, unfern Mühlberg in Sachsen, vom 31. Mai biss 27. Juni 1730 von Tage zu Tage vorgegangen. Nebst Kupfern und poetischen Vorstellungen. 4. br.

595ᴬ. Preussisch-brandenburgische Staatengeschichte. Berliner genealog.-historischer Kalender 1790—1797. 4 Bndchn. In einem Futteral.

# IV. Geographie, Topographie und Reisebeschreibungen.

**596. De la Boullaye le Gouz.** Les Voyages et Observations du Gentil-Homme Angevin, où sont descrites les Religions, Gouvernements et Situations des Estats et Royaumes d'Italie, Grèce, Natolie, Syrie, Palestine, Karamenie, Kaldée, Assyrie, grand Mogol, Byapour, Indes orientales des Portugais, Arabie, Égypte, Hollande, grande Bretagne, Irlande, Dannemark, Pologne, Isles et autres lieux de l'Europe, Asie et Afrique, où il a séjourné. Le tout enrichy de Figures et dedié à l'Eminentissime Cardinal Capponi. Paris, 1653. gr. 4. Schwnsldrbd.

**597.** Rittratto di Roma antica: formato nuovamente con le Autorita di Bartolomeo Marliani del P. Alessandro Donati e Jamiano Nardini et d'altri celebri Antiquary accennati nell' epistola al Lettore etc. etc. Adornato di moltissime Figure in Rame, di varie Medaglie e di curiose notitie istoriche. Roma, 1689. gr. 8. Schwnsldrbd.

**598.** Nouveau Voyage d'Italie. Avec un Mémoire contenant des avis utiles à ceux qui voudront faire le mesme voyage. Troisième Edition, beaucoup augmentée et enrichie de nouvelles Figures. Tome I, II et III. La Haye, 1698. 8. Schwnsldrbd.

**599.** Description la plus nouvelle de toutes les particularités de la ville de Vienne. Livre portatif pour les étrangers et les nationales, enrichi avec beaucoup d'estampes. Vienne, 1779. kl. 8. Pbd.

**601. Sarnelli, Monsignor l'Abbate Pompeo.** Nuova Guida di Forestieri, curiosi di vedere et di riconoscere le cose più memorabili della Pacal Città di Napoli, e del suo amenissimo Distretto etc. Raccolte di migliori Scrittori. Napoli, 1782. Mit Kpfrn. kl. 8. Schwnsldrbd.

**602.** Almanach Parisien en faveur des Etrangers et des Voyageurs. Indiquant par ordre alphabétique:

   1. Tous les Monuments des beaux arts.
   2. Les Spectacles, les Promenades etc.
   3. Les châteaux, parcs.
   4. Tout ce qui peut être utile etc.
   5. Recueil d'Anecdotes.

Nouvelle édition, ornée de jolies gravures, pour l'année 1788. hoch 10. Ldrbd.

603. **Demian, J. A.** Statistische Darstellung der Preussischen Monarchie. Berlin, 1817. 8. Hlbfrnzbd. Ladenpreis 2³/₄ ℛℓ.

604. Vergleichende Uebersicht der statistischen Verhältnisse des Birnbaumer Kreises a. d. Jahre 1828 mit denen am Schlusse 1838. 4. br.

606. Le Cicerone de Versailles ou l'Indicateur des Curiosités et Etablissements de cette Ville. Mit einem Plane. Versailles, 1805. Almanach pour l'an 1805. kl. 8. br.

607ᵃˑᵇ. **Storch, Heinr. v.** Gemälde von St. Petersburg. 2 Thle. Riga, 1794. 8. Engl. Ldrbd.

608. **Zöllner, J. Friedr.** Briefe über Schlesien. Krakau, Wieliczka und die Grafschaft Glatz auf einer Reise im J. 1791. Mit Kpfrn. 2 Thle. Berlin, 1792. 8. Pbd.

609ᵃ⁻ᵉ. **Zimmermann, J. A. W. v.** Taschenbuch der Reisen oder unterhaltende Darstellung der Entdeckungen des 18. Jahrhunderts in Rücksicht der Länder, Menschen und Produkten-Kunde für jede Klasse von Lesern:

   1. Jahrg. für 1802 mit 15 Kpfrn. u. 1 Karte. Hlbfrzbd.
   4. „ „ 1805 „ 9 „
   7. „ „ 1808 „ 12 „ u. 1 Karte.
  13. „ „ 1817 „ 14 „ Wie der 4. Jahrg. in rothen Juchten.
  14. „ „ 1819 „ 11 „ Pbd.

610. Krótka Nauka Jeografii przez J. F. A. Szamborskiegow Krolewku. 1821. br.

611. 50 Prospecte von Danzig, zu haben bei Mathäus Deisch. hoch 4. Pbd. mit Quer-Folio-Blättern und besonders interessantem Titelblatt: Burgfeld-Nassenhuben. J. B. Hoffmann del. 1721. J. Wandelaar sec. Pbd.

611ᴬ. **Gaebel.** Ueber die Gründung und Umfassung der Stadt Meseritz. Ohne J. u. Ort. 4. br.

## V. Deutsche Literatur.

612. **Göckingk, L. F. G. v.** Gedichte. Auf Kosten des Verfassers herausgeg. Leipzig, 1780. Nur 1. u. 2. Thl., der 3. fehlt. 8. Frzbd. Ladenpreis 3 ℛℓ.

613. **Gottsched, J. Chr.** Versuch einer kritischen Dichtkunst. Leipzig, 1737. 8. Schwnsldrbd.

614. **Kleist, Chr. Ewald v.** Sämmtliche Werke. 2 Thle. Mit Vignetten von J. W. Meil. Berlin, 1760. 8. Frzbd.

615. **Picander's** Ernst -, Scherzhafte und Satyrische Gedichte. Nur der 3. Thl. Leipzig, 1732. 8.

616. **Cats, Jacob.** Sinnreiche Werke und Gedichte. 1. u. 2. Thl. Mit vielen Kpfrn. Hamburg, 1710. gr. 8. Schwnsldrbd. Das ganze Werk hat 8 Thle. und kostet im Laden 8 ℛℓ.

617. **Canitz.** Gedichte. Herausgegeben von J. Ulr. Koenig. Mit Titelkpfr. u. 2 Portraits. Berlin, 1765. gr. 8. Schwns.-Ldrbd.

618[a. b]. **Rabener's, Gottl. Wilh.,** Satyren. 4 Thle. in 2 Bdn. 3. Aufl. Leipzig, 1771. gr. 8. Pbd.

619. **Waage, J. E. T.** Feier-Abende. 2 Thle. in 1 Bd. Danzig, 1828. 8. Hlbfrzbd.

620[a. b]. **Blumauer's** Gedichte. 2 Bändchen. Mit Titelkpfr. und Vignetten. Wien, 1787. 8. Hlbfrzbd.

621. **Weisse, C. F.** Kleine lyrische Gedichte. 3 Thle. in 1 Bd. Leipzig, 1772. 8. Frzbd.

622. **Langbein, A. Frd. Ernst.** Gedichte. 2 Thle. in 1 Bd. Mit Portr. und Vignetten. Leipzig, 1829. 8. Pbd.

623. Kritische Bemerkungen über das Theater zu Danzig 1781. 8. Pbd. Das Titelkpfr., Dem. Schuch, fehlt.

624. **Weber, C. Gottl. Ernst.** Die Völkerschlacht in 26 Gesängen. Berlin, 1827. 8.

625[a. b]. Juristisches Vade-Mecum für lustige Leute, enthaltend eine Sammlung juristischer Scherze, witziger Einfälle und sonderbarer Gesetze, Gewohnheiten und Rechtshändel, a. d. besten Schriftstellern zusammengetragen. 1. — 4. Thl. in 2 Bdn. Frankfurt u. Leipzig. 1789—96. 8. Pbd.

626[a. b]. Vade-Mecum für lustige Leute, enthaltend eine Sammlung angenehmer Scherze, witziger Einfälle und spasshafter, kurzer Historien, aus den besten Schriftstellern zusammengetragen. Nur 5.—7. Thl., in 2 Bdn. Berlin, 1770—77. 8. Hlbfrz. und br.

627. Vade-Mecum für den Kriegs- u. Staatsmann. London, 1779. 8. Hlbfrzbd.

628. Historisches Taschenbuch, mit Beiträgen von Gans, Raumer, Voigt, Waagen, Varnhagen von Ense, herausgegeben von Frdr. v. Raumer. 4. Jahrgang. Leipzig, 1833. 8. — Die Abtheilung III. über d. Maler Rubens, von S. 185 — 282, ist herausgenommen und besonders gebunden.

628[λ]. Frauenzimmer-Almanach zum Nutzen u. Vergnügen. Leipzig, 1801. 16. Pbd. Mit Kpfrn.

629. Der deutsche Palmbaum. Lobschrift von der fruchtbringenden Gesellschaft. Mit vielen kunstzierlichen Kpfrn. Nürnberg, 1647. S.

630. **Ziegler, Heinr. Anselm v.**, und **Kniphausen.** Helden-Liebe der Schrifft Alten Testaments in 16 anmuthigen Liebes-Begebenheiten, mit beigefügten curieusen Anmerkgn., Poetischen Wechsel-Schrifften und so viel saubern Kupffern vorgestellt. Leipzig, 1715. Wohl eine spätere Auflage, da die Vorrede vom 3. April 1691 geschrieben ist und in demselben S. Bde.: Helden-Liebe der Schrifft Alten und Neuen Testaments. Zweiter Thl., ebenfalls in 16 anmuthigen Liebes-Begebenheiten u. s. w. ausgearbeitet nach der Art Hrn. Heinr. Anselm v. Ziegler. Leipzig, 1711. (Der Lauteur, wie er sich einmal unterzeichnet, heisst unter der Vorrede vom 5. März 1710 George Christ. Lehms.)

631. **Liskow's** Sammlung satyrischer und ernsthafter Schriften. Frankfurt u. Leipzig, 1739. gr. S. Frzbd.

632. Die Aventures von Deutsch Francos mit allen sein Scriptures und mit viel schönen Kuffer-Blatt viel lustigt szu les uff kross kross Allerkand Comentement es iss kedruck, — es iss szu bekomm szu Dresz, szu Leipszigk, Wien, ssu Prag und kanss Deusslanden, ok ssu Nürnberg. 1745. kl. 4. Engl. Ldrbd.

633. **Zeise, Heinr.** Reise-Blätter aus dem Norden. Altona. 8. br. 1 ℛℳ.

634ᵃ⁻ᶜ. **Archenholz, J. W. v.** England und Italien. Carlsruhe, 1791. 1.—5. Thl. 2. Aufl. 5 Pbde. Ladenpreis 3²/₃ ℛℳ.

635. Reim-Chronik des Pfaffen Maurizius. Caput III. Traumbuch für Michel. Frankfurt a/M., 1849. 8. br.

636. Lichtbilder aus dem Schattenreiche. Berlin, 1842. 96 S. 8. br. Ladenpreis ²/₃ ℛℳ.

637. Liederbuch des deutschen Michel. Motto: ,,Sie sollen ihn nicht haben." Gedruckt in diesem Jahre. Mit mehreren in den Text gedruckten Holzschnitten. Leipzig, 1843. 107 S. 8. br.

63S. **Walesrode, Ludwig.** Glossen und Randzeichnungen zu Texten aus unserer Zeit. 4 öffentliche Vorlesungen, gehalten zu Königsberg. 4. Aufl. Königsberg. S5 S. S. br. Ladenpreis ³/₄ ℛℳ.

639. **Gaede, J. W.** Napoleons Geschäftsträgerin oder die Geheimnisse von Danzig, ein geschichtlicher Roman in Form eines Quodlibets von Skizzen aus den Jahren 1795—1813.

2. Aufl. Berlin, 1846. 8. Mit Portraits und Genre-Bildern. Pbd.

640. **Panzer, Georg Wolfgang.** Annalen der älteren deutschen Literatur oder Anzeige und Beschreibung derjenigen Bücher, welche von Erfindung der Buchdruckerkunst an bis 1520 in deutscher Sprache gedruckt worden sind. Nürnberg, 1788. 4. Pbd.

641. Des wohlthätigen Weltweisen moralische, philosophische und politische Werke. 1. u. 2. Thl. in 1 Bde. Hamburg und Leipzig, 1764.

# VI. Lexica, Wörterbücher und Encyclopädien.

642. Le Manuel des Artistes et des Amateurs ou Dictionnaire historique et mythologique des Emblêmes, Allegories, Enigmes, Devises, Attributs et Symboles etc. Tome I—IV. Paris, 1770. 8.

643. **Dillenius, Fr. Wilh. Jon.** Antiquitäten-Wörterbuch für Schulen, worinnen die vornehmsten griechischen und römischen Alterthümer kurz und deutlich vorgetragen und erklärt sind. Leipzig, 1783. 8. Pbd.

644[a. b]. **Michata Troca.** Nowy Dykcyonarz polsko niemiecki i Francuski. 2 Bde. Lipsk, 1779. hoch 4. Engl. Ldrbd.

645. **Romani, Clementi,** und **Jäger, Wolfg.** Dizzionario Italiano-tedesco u. Deutsch-italienisches Wörterbuch. Nürnberg, 1786. 1 Lex.-8.-Bd.

645[A. a. b]. **Bailey-Fahrenkrüger.** Wörterbuch der englischen Sprache. 2 Thle. Jena, 1822. gr. 8. Pbd.

646. **Nitsch, J. J. A.** Neues Mythologisches Handwörterbuch. Leipzig, 1793. Lex.-8. Pbd.

647[a. b]. **Veneroni, Fr.** Le nouveau Dictionnaire Italien et Français, Tom. I., und Français et Italien, Tom. II., corrigé par Charles Placardi à Basle. 4. 2 engl. Ldrbde.

648. Nouveau Dictionnaire portatif Français-Polonais et Allemand. Breslau, 1820. gr. 8. Hlbfrzbd. Gehört zusammen mit:

649. Nowy Stownik kuszonkowy Polsko, Niemiecka, Francouski. Wraclawie, 1827. 2 Hlbfrzbde. 1 $^2/_3$ ℛℊ und 2 $^1/_3$ ℛℊ.

650[a—e]. Neues Preussisches Adels-Lexicon, oder diplomatische Nachrichten von den in der Preuss. Monarchie ansässigen oder zu derselben in Beziehung stehenden fürstlichen, gräflichen, freiherrlichen und adligen Häusern mit der Angabe ihrer Abstammung, ihres Besitzthums und der aus ihnen hervorgegangenen Civil- und Militair-Personen, Helden, Gelehrten und Künstler, bearbeitet von einem Vereine von Gelehrten u. Freunden der vaterländischen Geschichte unter dem Vorstande des Frhrn. L. v. Zedlitz-Neukirch. 1. Bd. A—D. Leipzig, 1836. — 2. Bd. E—H. — 3. Bd. I—O. 1837. — 4. Bd. P—Z, und Supplement oder des ganzen Werkes 5. Bd. 1839.

651ᵃ⁻ᵉ. **Busch, G. C. B.** Versuch eines Handbuchs der Erfindungen. 1.—8. Thl. complett A—Z. Eisenach, 1790—1798. 8. 5 Pbde. Ladenpreis 7½ ℛℓ

652ᵃ⁻ˡ. —— —— Almanach der Fortschritte, neuesten Erfindungen in Wissenschaften, Künsten, Manufacturen und Handwerken; von Ostern 1795 bis Ostern 1796. Mit 10 Kupfer-Tafeln und noch verschiedenen Figuren. Neue verbesserte Aufl. Erfurt, 1799. 8. Ladenpreis 1½ ℛℓ Angenommen als 1. Jahrg. 2. Jahrg., 1798, mit 4 Kpfrtaf., Ladenpreis 1¾ ℛℓ; 3. Jahrg., 1799, mit 3 Kpfrtaf.; 4. Jahrg., 1800, mit 3 Kpfrtaf.; 5. Jahrg., 1801, mit 2 Kpfrtaf.; 6. Jahrg., 1802, mit 2 Kpfrtaf.; 7. Jahrg., 1803, mit 1 Kpfrtaf.; 8. Jahrg., 1804, mit 2 Kpfrtaf., und Register der ersten sechs Jahrgänge als 9. Bd. Zusammen 8 Jahrgänge in 9 Illbfrzbdn. Ladenpreis 13⁵⁄₆ ℛℓ.

653. **Wagener, Juan Daniel.** Diccionario de faltriquera o sea portatil Español-Aleman y Aleman-Español. Tomo primero que contiene el Diccionario Español-Aleman etc. — Spanisch-deutsches und deutsch-spanisches Hand-Wörterbuch. 2. Bd., welcher das deutsch-span. Wörterbuch enthält. Berlin, 1809. 2 Illbfrzbde.

654. **Cramer, J.** Neues holländisch-deutsches und deutsch-holländisches Taschen-Wörterbuch. Hülfsbuch für Reisende und Geschäftsleute. 1. Thl. holl.-deutsch., 2. Thl. deutsch-holländisch. 2. vermehrte Aufl. Crefeld, 1836.

# VII.  Literatur des Auslandes.

655ᵃ·ᵇ. **Voltaire.** Oeuvres. Nouvelle édition. Tome I—IV in 2 Schwnsldrbdn. Mit Portrait von Balechou und 11 Kpfrn. von Bernigeroth. (Das ganze Werk hat 10 Thle.) Leipzig, 1748 gr. 8.

5

656. **Boileau, Nicolaus.** Satyrische Gedichte, von Caspar Abeln. Goslar, 1729. 8.

657. **Swift's,** Dr., Mährchen von der Tonne, mit schlechten Kupfern. 2 Thle. in 1 Schwnsldrbd. Altona, 1748. 8.

658. **Picart, B.** La vie et les Aventures surprenantes de Robinson-Crusoe, mit Karte u. Kpfr. Nur 1 Thl. Amsterdam, 1727. 8.

659. **La Fontaine.** Fables choisies, mises en vers. Avec un nouveau commentaire en deux Tomes. Mit vielen in den Text gedruckten Vignetten, meistentheils von **Fessard.** Paris, 1746. 8. Ldrbd.

660. ———— Contes. Nur Tom. 1 mit Vignetten. Amsterdam, 1745. 8.

661. ———— Contes et nouvelles en vers. 2 Thle. in 1 engl. Ldrbd. Mit d. Portr. La Haye, 1788. 16.

662ᵃˑᵇ. **Marmontel.** Contes moraux. Deux Tomes avec figures gravées par St. Aubin, Le Veau, J. J. Rousseau, Baquoy, Longueil. Paris 1775. 8. Ganzldrbd.

663. Les Confessions du Comte de ***, écrites par lui-même à un ami. 6ᵐᵉ édition, avec figures. Amsterdam, 1783. gr. 8. Engl. Ldrbd.

664. **Voltaire.** La Pucelle d'Orléans. Poème en vingt-un chants. Mit guten Kpfrn., von denen jedoch mehrere fehlen. Buckingham. gr. 8. Engl. Ldrbd. mit Goldschnitt.

665. La Gazette de Cythère ou les Aventures galantes et récentes arrivées dans les principales villes de l'Europe. Londres, 1775. 8. Zusammengebunden mit:
Le Gazetier Cuirassé ou Anecdotes scandaleuses de la Cour de France. 1771. 8. br.

666. **Lehndorff, Cte. de.** Les Sympathies. Essai dramatique. Paris, 1793. 8. br.

667. Le petit chansonnier françois. Genève, 1778. 8. Engl. Ldrbd.

668. Suite du théâtre Italien ou Scènes françoises de la foire de St. Germain. (Arlequin, comédien aux champs élisées. — les Souffleurs ou pierre philosophale d'Arlequin. Molière, comédien aux champs élisées. — Suivant la Copie de Paris. Amsterdam, 1697. 12. Ganzldrbd.

669ᵃ⁻ᵉ. **Jouy.** L'Heremite de la chaussée d'Antin. Vol. I—V. Mit Vignetten. Paris, 1815. 8. 5 Lwdbde.

670. Le Génie de M. Hume ou Analyse de ses Ouvrages. Londres, et se trouve à Paris, 1770. 8. Engl. Ldrbd.

671ᵃ. Satyry XII.
671ᵇ. Wiersze X. B. W. Warszawie, 1784. } Zusammen in 1 Phd.
671ᶜ. Anakreon, 1774. polnisch.
672. **Krasickiego, Ignacego.** Dzieła. Tom. 1 u. 4. Warszawie, 1803. S. Phd.
673. Bayki y Przypowiescy na cztery Czesci podzulone. Warszawie, 1779. S. Phd.
674. **Niemcewicza, Jul. Ur.** Bayki i Powiesci. Warszawie, 1817. 8. Phd.
675. Słowo Xenofonta c wyprawie woienney Cyrusa po Grecku Anabasis przetozyt z Greckiego na Polski iczyk. C. C. Mrongowius we Gdansku, 1831. 8. br.
676ᵃ⁻ᶜ. **Jouy.** L'Heremite en Province ou Observations sur les moeurs et les usages français au commencement du XIX. siècle. Tom. I—IV, VII, XI—XIV et XVII de la Collection. Paris, 1819—24. Mit Titelkpfr., Vignetten u. kleinen Landkarten, zus. 5 Bde. 8. br. N. 16 u. 27.
677ᵃˑᵇ. **Jouy, C., et Jay, A.** Les Heremites en prison ou consolations de Sainte-Pélagie. Ornés du portrait des Auteurs, de. deux gravures et six vignettes. Prem. et seconde Partie. Paris, 1823. br.
678. **Rochejaquelin,** Marquise de la. Mémoires, écrits par elle-même, redigées par le Baron de Barante, avec deux Cartes, dont l'une enluminée. Bordeaux, 1815. gr. 8. Mit dem Bilde der Marquise de la Rochejaquelin. (Beide Karten fehlen.) br.
679. **Le Sage.** Le Diable boiteux augmenté des Bequilles du Diable boiteux. Tom. I. 2ᵈᵉ Stéreotype d'hernan. Paris. 2 Bdchn. 16. Phd.
680ᵃˑᵇ. — — Histoire de Guzman d'Alfarache. Tom. I. Stéreotype d'hernan. Paris. 16. br. Tom. II. Paris, 1815, nur bis Cap. V.
681. Poczet Herbow Szlachty korony Polskiey y Wielkiego Xiestawa Litewskiego. Gniazdo y Perspectywa Staroswieckiey Cnoly, ptodney Matki i. f. d. przez Waclawa z Potoka Potockiego, Podczaszego, Krakowskiego w Krakowie, 1696. fol. Ldrbd.
682. **Niemczewicz, Julian.** Lewi und Sara. Briefe polnischer Juden. Ein Sittengemälde. Aus dem Polnischen übersetzt. Berlin, 1825. 8. br.
683ᵃˑᵇ. **Garde, A. de la.** Fêtes et Souvenirs du Congrès de Vienne. Tableaux des Salons, Scènes anecdotiques et portraits 1814—1815. Tome I et II. Paris, 1843. 8. 2 Pbde.

684ᵃ·ᵇ. Histoire complète du procès du Maréchal Ney; contenant le recueil de tous les actes de la procédure soit devant le conseil de Guerre de la première Division militaire soit devant la cour de Paris etc., précédée d'une Notice historique sur la vie du Maréchal par Evariste D........ Tome I et II. Paris, 1815. 8. 2 Pbdc.

685ˢ⁻ᵈ. **Przyiaciel Ludu.** Czyli Tygodnik potrzebnych i pozytecznych wiadomosci. Rok esmy. Tom. I. No. 1 — 26. Lesznie, 1839—1841. hoch 4. 3 Pbde., der 4. Bd. br.

685ᴬ. **Sheridan, Richard Brinsley.** Works, collected by Thomas Moore. Complete in one volume. Leipsic, 1825. 8. Pbd.

686. Geschichte der Marquise Pompadour. Aus dem Englischen. London, 1759.

688. **Malczewski, Ant.** Maria Powesc Ukrainska. Londyne, 1836.

689. **Maffei, Andrea.** Uebersetzung von Schiller's Maria Stuart aus dem Deutschen in's Italienische, für die Bühne zur Aufführung eingerichtet durch Signora Adelaide Ristori del Grillo. Mit dem Text in beiden Sprachen. Lex.-8. Geheftet.

690ᵃ·ᵇ. **Mieckiewicza, Adama.** Poezie. Tom. I — IV. Mit Portrait. Paryz, 1828. 32. 8. 2 Lwdbde.

691. **Voltaire.** La Ligue ou Henry le Grand. Poème épique. Genève, 1723. hoch 8. Schlechter Ldrbd.

692. Le procès des trois rois Louis XVI. de France-Bourbon, Charles III. d'Espagne-Bourbon et George III. d'Hanovre, fabricant de boutons. Plaidé au tribunal des puissances Européennes. Appendix: L'Appel au Pape, traduit de l'anglois. Londres, 1780. 8. Mit einem Kpfr.: Le procès des trois rois. John Philips pinx., W. Jones sc. br.

693. George Dandin ou L'Echelle Matrimoniale de la reine d'Angleterre. Petit conte national. Seconde édition. Paris, 1802. 8. Mit groben Bildern. br.

## VIII. Werke militairischen Inhalts, Pferde- und Jagd-Wissenschaft.

694. **Pluvinel.** Instruction du Roi en Exercise de monter à cheval. Mit Kpfrn. v. Crispin de Pas. Paris, 1627. fol. Schwnsldrbd. (Wird zu den Büchern gezählt, welche R.

Weigel in Leipzig mit Kupferstichen berühmter Meister auf-
führt; siehe dessen Katalog No. 6814. Siehe auch Ebert
No. 1711.) Es dürften höchstens 2 Kpfrtln. fehlen.
695. **Francis Floridum Sabinum.** Krieges-Uebung des
fürtreflichen ersten Römischen Kaisers Julii. Strassburg,
1551. (Ebrt. No. 7656.) Zusammen in 1 Fol.-Bd. mit:
**Fronsperger, Lienhardt.** Fünf Bücher vom Krieges-
Regiment und - Ordnung. Mit schönen Figuren. Frankfurt
a/M., 1555. Prgmntbd. (Ebrt. No. 7954.)
696. **Schwendi, Lazarus.** Krieges-Discurs. Mit Portr. und
einem noch besonders beigefügten Kpfr.: Justitia Militaris.
Frankfurt a/M., 1593. 4. Schwnsldrbd.
697[a. b]. Instruction concernant les Manoeuvres des troupes à cheval.
2 Bde. Mit 112 Kpfrtfln. Paris, 1801. 8. Guzldrbd. Ladenpr. 15 frc.
698. Adlige Wayd-Werk. Mit guten Holzschnitten v. Jost Amman. Frankfurt a/M., 1661. 4. Schwnsldrbd.
700. Le Guide des juges Militaires. Paris, 1808. Hlbfrnzbd.
700[A]. **Rocznik.** Woyskowy krolestwa polskiego. na Rok 1828
i 1830. Mit der Uniformirung des polnischen Heeres in
Farbendruck. 2 Bde. Warszawie. 8. Pbd. u. br.
700[B]. Le guide des sergens-majors et fourriers d'infanterie, par
Mons. P. C. D***., capitaine au 1[er] rég. d'infanterie légère
française. Verone, 1808. 4. br.

# IX.  Bücher-Kataloge.

## A.  Verlags-Kataloge.

701. **Heinsius, W.** Allgemeines Bücher-Lexikon. Leipzig, 1793.
gr. 4. Hlbfrnzbd. Ladenpr. 9²/₃ ℛℓ und:
702. Erstes Supplement. Leipzig, 1798. gr. 4. Hlbfrnzbd. Ladenpr. 2 ℛℓ
703[a—e]. Leipziger Vierteljahrs-Kataloge. 2. 3. 4. Hft. pro 1855,
ganz 1856, 3 Hefte 1857. br.
704. **Nicolai, Fr.** Verzeichniss einer Handbibliothek der nütz-
lichsten deutschen Schriften zum Vergnügen u. Unterrichte.
Berlin, 1795. 8. Schlechter Pbd. mit Papier durchschoss.
705. **Mittler, Ernst Gottfr.** Verzeichniss einer vorzüglichen
Auswahl v. älteren u. neueren Schriften aus der gesammt-
ten Militär-Literatur. Berlin, 1823. 8. br.

706. **Voigt, Bernh. Friedr.**, in Weimar. Ausgewählte, gemeinnützige Bibliothek für alle Stände. Ein Hand- u. Nachschlagebuch. Weimar, 1854. gr. 8. br.
708. **Zawadzki i Wecki.** Katalog Polskich. 8. br. Ohne Jahreszahl und ohne Ort, doch wohl Warschau.

### B. Antiquarische Kataloge.

711. **Asher et Comp.** Catalogue 1847, 1852, 1854, 1858. br.
712. **Bohn, Henry G.** London, New Valuables Works. br.
713. **Butsch, Fidelis.** Augsburg. No. 26, 27, 28. br.
714. **Danz, Carl.** Berlin. No. 1, 2, 3.
715. **Finke, G.** Neues Verzeichniss von älteren und neueren Büchern, Pracht- u. Kupferwerken. Abthlg. I. fol., Abthlg. II. 4., Abthlg. III. Fortsetzung von I. und II., dann 8. A—Z. br.
716. **Gräger, Chr.** in Halle. No. XLVI, XLIX, L, LI, LIII, LVIII, LXXVIII. br.
717. **Klang, Ignaz** in Wien. br.
718ᵃ⁻ᵈ. **Helm, Friedr. Aug.** in Halberstadt. No. 11, 15, (18), 23, 24, 25, 28, 30, 31, 33. 34. br.
719. **Kaulfuss, Wwe.** Wien. No. 1, dann noch Antiquar. Anzeige No. 49—100. br.
720. **Lippert et Schmidt** in Halle. No. IV u. No. VI. 4. br.
721. **Lissner** in Posen, vom Jahre 1842, (11), 1844, 1846. VIII. br.
723. **Mai, Eman.** Katalog des Bücherlagers von —. Berlin, 1854. roy. 8. br. Catalogus librorum et manuscriptorum et impressorum quos venales proponit Em. Mai.
724. **Röse, F. A.**, vormals Fincke. Berlin, 1843, 1844, 1845, 1846. br.
725. **Oberdorfer, Jac.** München, 1850. Katalog No. IV. br.
726. **Scheible, J.** in Stuttgart, pro 1853 (No. 1, 2, 5, 6, 14, 19) und pro 1855 (No. 11, 12, 14) und 1858. br.
727ᵃ⁻ᶠ. **Schmidt** in Halle. No. XXIV, XLVI, XLIX, LI, LII, LIII, LIV, LV, LVI, LVII, LVIII, LIX, LX, LXI, LXII, LXIII. br.
728. **Stargardt** in Berlin. No. III, V, VI, VII, X. br.
729. **Maske, L. F.** in Breslau. 39. Bücherverzeichniss. Curiosa literarischer Seltenheiten aus allen Fächern der Literatur. br.

### C. Auctionen.

730. **Chénédolle,** Mr. **de,** à Liege. 2. Nvmbr. 1846. 3. Parthie. br.
731. **Blenz,** Wwe. Alexander. Verzeichniss der von dem Schul-
vorsteher — hinterlassenen ausgezeichneten Bibliothek. 2.
Abthlg. Berlin, 1835. br.
732. **De Roosenmeersch, de Koovere.** Catalogue des Livres de la Bibliothèque de feu Messire —, la vente à
Bruxelles, Dembr. 1845. br.
733. Bibliotheca Tieckiana. Catalogue de la bibliothèque célèbre
de Mr. Ludwig Tieck, qui sera vendue à Berlin le 10. Dec.
1849, par Asher. br.
734. Leipzig, Octbr. 1848. Numismatik v. No. 11512 bis 12617.
Mit beigeschriebenen Auctionspreisen. br.

## X.  Costume-Bilder.

### A.  Militair-Uniformen.

735. Accurate Darstellung der Hanöverischen Armee. Nürnberg,
1770. 30 Bl. 8. Nebst Kurzgsfasster Geschichte der Chur-
Braunschweig-Lüneburgischen Regimenter zu Pferde und zu
Fuss bis ans Ende des Jahres 1769. Pbd.
736. Uniformes des Armées Françoises suivant le Règlement du
Roi. Nürnberg. 158 Bl. 8. Schlechter Pbd.
736ᴬ. Dasselbe. Auf besserem Papier. st. br.
737. Vorstellung der sämmtlichen kaiserl.-königl. Armee nach
dem Range u. Uniformen der Regimenter u. Corps. Nürnberg, 1787. 8. 1 Pbd. Mit 130 Abbildungen. Am Schluss:
Nachricht von der Einrichtung und den Chefs eines jeden
Regimentes. (Darin polnische Nobelgarde.)
738. Geschichte und bildliche Vorstellung der Regimenter des
Erzhauses Oesterreich. (Mit Kaiser Franz II. in Generals-
uniform an d. Spitze.) Im Ganzen 164 Kpfr. Wien, 1796.
8. Pbd.
739. Abbildung der königl. preussischen Armee v. Jahre 1782.
Gezeichnet und gemalt. 118 Bl. Mit gleichzeitigen historischen handschriftlichen Notizen. 1 Oct.-Bd. (Beigefügt 44
Portr. von Generalen und Regiments-Chefs, in Kpfr. gest.
8., 12. u. 16. Form.) roh.

740. Uniformen des königl. preuss. Heeres unter König Friedrich Wilhelm II., von 1786 bis 1798. Mit 117 sehr schön colorirten Kpfrn. v. L. Schmidt. Demnächst mit d. Bildnisse des Königs u. 81 Portr. der Generale u. Regiments-Chefs. Mit historischen u. biographischen Notizen. fol. Pbd.

741. Uniformen der königl. preuss. Armee v. Jahre 1799, gest. von L. Schmidt und demnächst colorirt. Unvollständig, nur 95 Bl. 8. Beigelegt 6 Portr. von Generalen.

742. Uniformen der königl. preuss. Armee unter Friedrich II., etwa 1773. 21 Bl., gezeichnet und colorirt. (Ohne jeden Kunstwerth, nur für den Sammler interessant.)

743. Das preuss. Heer. Gezeichnet u. lithographirt v. Elzholz, C. Rechlin und J. Schulz. Herausgeg. von L. Sachse et Comp. Berlin, 1830. 72 Bl. in 12 Hftn., colorirt in kl. fol. Dazu gelegt 14 Bildnisse von Regiments-Chefs und commandirenden Generalen. roh.

744. Die Uniformen der preuss. Garden von ihrem Entstehen bis auf die neuesten Zeiten. Berlin, Gropius 1837. qu. fol. Nur die ersten 10 Hefte mit 30 colorirten, schönen Bildern. roh.

745. Uniformen während der Belagerung von Danzig 1813—14. 4.: Franzosen, Bundestruppen, Russen, Preussen, Engländer u. s. w. In Summa 39 Bl. Handzeichnungen, zum Theil von Andr. Sohn. Darunter einige sehr schön colorirt, wie Miniaturbilder. Nebst 2 satyrischen Kpfrn. von 1813 auf den Rückzug der französ. Armee.

746. **Tangena, J.** Nummerirte Folge v. 12 Bl. Landsknechten. Ganze Figuren in maler. Stellungen. kl. qu. 4. Feine Stiche.

747. Abbildung d. Bekleidung des türkischen Heeres unter Mahmud II. Nur 11 Bl. (Es müssen den Nrn. nach wenigstens 40 Bl. sein.) Color. 4. Dazu noch 7 andere theils schwarze, theils illuminirte Blätter aus früherer Zeit. roh.

## B. Volks-Trachten.

748. Zu Spallart's Versuch über das Costüm. Nur die 1. Abthlg. des 2. Thls.: Tab. 28 bis incl. 67, oder Fig. 47 bis incl. 115, macht auf 39 Bl. 59 color. Figuren, mit den dazu gehörigen Erklärungen. 1 Oct.-Bd. roh.

749. Colleccion de las principales suertes de una corrida de toros. Venecia, 1803. 12 Bl. Schwarz. Kupferstich. Quer-Folio. geh.

750. Costumes anciens, religieux, militaires et civils. (Lithogr.
p. Engelmann.) 66 color. Bl. roy. 4.
1. Série: Egypte. No. 4, 8, 9, 11, 12, 20, 21, 23,
26, 27, 28, 30, 32.
2. Série: Grèce. No. 2, 3, 6, 7, 9, 10, 11, 12, 16,
19, 20, 23, 25, 30, 32—35, 38, 40.
3. Série: Rome. No. 1—6, 8—34. roh.

751. **Hempel, Friedr.** Die Strafen der Chinesen. Nur 1. Hft.
Mit 4 color. Bl. (sollen 22 sein). Nebst Text. gr. 4.

752. **Huquier le père, J. G.** Suite des figures chinoises
pour le vernis. 12 Bl. 4. Ohne Nummerbezeichng. Schwarz
in Kupfer. Nach W. R. VIII. p. 82 ad 7 sollen es 14
Bl. sein. roh.

753. Ausrufer von Waaren auf den Strassen von St. Petersburg.
Dess. et gravée par Schönberg et Geisler. 18 color.
Bl. kl. 4. Mit russischer, deutscher u. französ. Ueberschrift,
gehören vermuthlich zu einem Werke, dessen Titel noch
unbekannt ist; denn Bl. 1—6 haben die Bezeichng: No. 1.
7—12. Livrais. II. u. 13—18 Livrais. III. roh.

754. Le Keepsake français pour 1841. Berlin et Londres. 12
Bl. Types et Caractères anciens. 12 lithogr. u. gut color.
Bl. Nebst Text von 54 Seiten u. Vignetten. fol. Elegant.
Lwndbd. mit Goldschn.

755. 8 lose color. Kupferstiche und 8 andere color. Lithographien. Fol.-Bl. mit Volkstrachten verschiedener Zeiten.

756. L'Eléphant du Roi de Siam, en sixe Scènes par Fauco-
nier à Paris. 6 Bl. Color. Quer-Fol. Mit erklärendem Text
dieser theatralischen Vorstellung im Cirque Olympique. roh.

758. Die Danziger Ausrufer. 40 Radirungen v. d. Maler Deisch.
fol. Phd. (Selten.)

---

## Manuscripte von Ignaz von Szwykowski.

759. **Danziger Bildnisse.** Mit biographischen und artistischen Notizen gesammelt, geordnet und aus eigner Kenntniss und Erfahrung ergänzt. 72 Bogen alphabetisch geordneter und mit vielen eingeklebten Nachträgen ergänzter
Biographien. fol. br. — Dieses Manuscript soll mit der
reichen Portraitsammlung „Danzig" (s. unten) zusammen
versteigert werden.

5 *

760. **Ueber den Kupferstecher Jeremias Falck.**
   a. Beschreibung des Cabinet de Reynst. Mit sehr aus-
     führlichen Notizen. 10 Bog. fol.
   b. Bildnisse, alphabetisch geordnet. Beschreibung von
     66 Blättern. Mit vielen Nachträgen. 10 Bog. fol.
   c. Auszug aus dem Manuel de l'amateur des Estampes
     par le Blanc. Paris, 1855. (Alles auf Falck Bezüg-
     liche des Werkes.) 2 Bog. fol.
   d. Auszug aus dem Kunstblatt No. 16. 1848: Nagler's
     Künstler-Lexikon, Jöcher's Gelehrten-Lexikon, Cata-
     logue de Detmold. 3 Bog. fol.

761. **Iconographische Registratur** für Bildniss-Sammler
Antiquare, Bibliomanen, Bibliothekare, Buch- und Kunsthändler, Portrait- und Historienmaler, Bildhauer, Numisma-
ten, wie überhaupt für jeden gebildeten Kunstfreund; oder
chronologische Zusammenstellung von 2000 Bildniss- und
numismatischen Werken der europäischen Literatur und
Kunstgeschichte seit dem ersten Gebrauch, Bücher mit Portraits zu zieren, oder solche in besondern Folgen, Gallerien und Sammlungen aller Art aneinander zu reihen, bis
auf das Jahr 1846. Mit vielen Bemerkungen u. Notizen.
(Nur der Anfang dieses sehr umfänglich angelegten Werkes,
nämlich Erster Theil, Archiv, erstes Fach: Vermächtniss
eines Bildnisssammlers enthält in 16 §§.: Vorwort, Anlass,
Aufgabe, Plan, Mittel, Zweck, Ausdehnung, Bearbeitung,
Quellen, Einwürfe, Portrait, Vervielfältigung, Form, Sammlungen.) 62 Bog. fol. Mit vielen eingeklebten Nachträgen.

762. Auszug aus „Le peintre graveur par Adam Bartsch." Vollständige Copie aller in dem Werke enthaltenen Beschreibungen von Portraitstichen. 86 Bog. 4.

763. Alphabetischer nach den Stechern geordneter Katalog der
Portraitsammlung Szwykowski's, auf dem Durchschuss des
Auctionskatalogs der Frank'schen Sammlung. Wien, 1836.
68 Bog. gr. 4.

764. Alphabetischer Katalog der 600 Portr. in „l'Europe illustre"
(No. 402 dieses Verzeichn.). Mit histor. u. artist. Bezeichnung. 6 Bog. hoch 4. Dazu ein alphabet. Verzeichniss
der Kupferstecher auf 4 Bog. fol.

765. —————— der 280 Portr. in „Bullart, Académie des
Sciences et des Arts." (No. 352 dieses Verzeich.) 3 Bog.
hoch 4.

766. Alphabet. Katalog der 221 Portr. in „Paulus Jovius" (No. 330 dieses Verzeichn.) 2½ Bog. hoch 4.

767. Auszug der sämmtlichen Portr. aus Dumesnil, peintre graveur français. Vol. I—VI. 10 Bog. 4.

Ueberdem eine grosse Anzahl sehr sorgfältig gearbeiteter Portraitverzeichnisse mit historischen und artistischen Notizen, welche den einzelnen Abtheilungen der Portraitsammlung zugehören, zum grössten Theil aber die vollständige Ikonographie der betreffenden Klasse enthalten.

768. **Musikalisches Manuscript.** Graun. Opera di Lucio Papirio. Partitur. Sehr gut geschrieben. 128 Bl. Mit neuem Inhaltsverzeichniss. qu. fol. Beschäd. Ldrbd. u. Gldschn.

## Oelgemälde etc.

769^A. Ein Pavian an einer Kette mit Kugel. Oelgemälde auf Holz. Höhe 5′ 1″, Breite 4′ 1″.

769^B. Brunnennymphe mit Blumen, im Hintergrunde reiche Architectur, gemalt von Anna Waser in Zürich. 1697. Miniatur in Gouache auf Blech.

769^C. Weibliches Brustbild. Miniatur auf Elfenbein, in val. Höhe 3′ 5″, Breite 2′ 9″.

# Zweite Abtheilung.

Kupferstiche, Radirungen, Holzschnitte, Lithographien und Stahlstiche.

---

## I. Blätter, nach den Künstlern geordnet. (Meist Portraits.)

### A. Nach einzelnen Meistern.

#### 1. A. VAN DYCK.

##### a. Iconographie.*)

###### 1. Platten der I. und II. Ausgabe, von van den Enden.

770. Albert, Prinz von Arenberg. S. a Bolswert sc. v. Szwy-kowski, Platten-Numm. 1. II. Abdruck mit d. Adresse v. van den Enden.

771. H. von Balen. P. Pontius sc. P.-N. 2. Guter später Ab-druck, mit gelöschter Adresse.

772. J. B. Barbé. S. a Bolswert sc. P.-N. 3. Ebenso.

773. Alvarez Bazan. P. Pontius sc. P.-N. 4. Ebenso.

774. Brancaccio, Laelio. N. Lauwers sc. P.-N. 5. Ebenso.

775. de Breuck. P. Pontius sc. P.-N. 6. Ebenso.

776. Brouwer. S. a Bolswert sc. P.-N. 8. Ebenso.

---

*) Vergl. Naumanns Archiv 4. und 5. Jahrg., auch apart unter dem Titel: Szwykowski, Anton van Dyck's Bildnisse bekannter Personen. Icono-graphie ou le cabinet des portraits d'Antoine van Dyck. Ausführliche Nachricht über diejenigen 185 Platten, welche von und nach den Wer-ken des Meisters im Kunstverkehr unter dieser generellen Bezeichnung verstanden werden, so wie sie vom Jahre 1632—1759 durch fünfzehn verschiedene Ausgaben und Auflagen bekannt geworden sind. Leipzig, Rud. Weigel. 1859. 8.

777. J. d. Cachopm. L. Vorsterman sc. P.-N. 9. I. sehr
seltener Abdruck, nur mit 1 Zeile Unterschrift,
vor d. Namen d. Stechers u. mit d. Adresse von
van den Enden. Bis nahe dem Stichrande beschnitten.

778. J. Callot. L. Vorsterman sc. P.-N. 10. III. seltener
Abdruck mit d. Adresse v. Hendricx.

779. W. Coeberger. L. Vorsterman sc. P.-N. 11. I. sehr
seltener Abdruck, bloss mit 1 Zeile Unterschr.,
vor d. Namen d. Stechers. Mit d. Adresse v. van
den Enden. An einigen Stellen bis nahe dem Stichrande
beschnitten.

780. Colonna. P. Pontius sc. P.-N. 12. I. sehr seltener
Abdruck mit d. uncorrigirten Unterschr. u. mit
d. Adresse v. van den Enden. Bis an den Plattenrand
beschnitten.

781. Colonna. P. Pontius sc. P.-N. 12. Späterer Abdruck
mit zugelegter Adresse.

782. A. Cornelissen. A. van Dyck und L. Vorsterman sc.
Einer der sogen. Probedrücke, welche G. Hendricx machen
liess nach Entfernung der van Enden'schen Adresse u. vor
dem Einstechen der eigenen. Das Exempl. führt d. Zeichen
der Schellenkappe.

783. A. d. Coster. P. de Jode sc. P.-N. 14. Späterer Abdruck
mit zugelegter Adresse. Aufgezogen.

784. C. d. Crayer. P. Pontius sc. P.-N. 15. Guter Abdruck
ohne Adresse. Das Papierzeichen ein crenelirter Thurm.

785. Genofeva de Croi. P. de Jode sc. P.-N. 16. Später Abdruck. Die Adresse zugelegt.

786. D. del Mont. A. v. Dyck u. L. Vorsterman sc. P.-N.
17. I. sehr seltener Abdruck mit 1 Zeile Unterschrift, vor dem Namen d. Stechers und mit der
Adresse v. van den Enden. Bis nahe dem Stichrande
beschnitten.

787. D. Kenelm. Digby. R. v. Voerst sc. P.-N. 18. Später Abdruck mit zugelegter Adresse.

788. A. van Dyck. L. Vorsterman sc. P.-N. 19. Später Abdruck, die Adresse zugelegt und aufgezogen.

789. H. van den Eynden. A. v. Dyck u. L. Vorsterman sc.
P.-N. 20. I. sehr seltener Abdruck mit 1 Zeile
Unterschr., vor dem Namen des Stechers u. mit
der Adresse v. van den Enden.

790. F. Franck jun. G. Hondius sc. P.-N. 21. Guter später
Abdruck mit zugelegter Adresse. Papierzeichen der Thurm.
791. Frockas Perera. P. Pontius sc. P.-N. 22. Guter später
Abdruck, die Adresse zugelegt. Wasserzeichen eine Traube.
792. Theodor Galle. L. Vorsterman sc. P.-N. 23. Später
Abdruck, die Adresse zugelegt.
793. Gaston de Francia. L. Vorsterman sc. P.-N. 24. Ebenso.
794. C. van der Geest. P. Pontius sc. P.-N. 26. Sehr seltner I. Abdruck vor dem Namen des Stechers, mit
1 Zeile Unterschrift und der Adresse von van den
Enden. Ueber den Stichrand beschnitten und fleckig.
795. Horatius Gentileschi. L. Vorsterman sc. P.-N. 27. Sehr
seltner I. Abdruck vor dem Namen des Stechers,
mit I Zeile Unterschrift u. der Adresse von van
den Enden.
796. Caspar Gevartius. P. Pontius sc. P.-N. 28. Später Abdruck, die Adresse zugelegt.
797. Philipp de Gusman. P. Pontius sc. P.-N. 29. Später
Abdruck, die Adresse zugelegt. Etwas fleckig. Das Zeichen
die Schellenkappe.
798. P. Halmalius. P. de Jode sc. P.-N. 31. Sehr seltner
I. Abdruck vor dem Namen des Stechers, mit der
Adresse von van den Enden. Verschnitten und etwas
fleckig.
799. G. Hondius. Se ipse sc. P.-N. 32. Später Abdruck, die
Adresse zugelegt.
800. Ger. Honthorst. P. Pontius sc. P.-N. 33. Guter später
Abdruck, die Adresse zugelegt.
801. D. Const. Huygens. P. Pontius sc. P.-N. 34. Sehr
seltner I. Abdruck, mit der Adresse von van den
Enden. Etwas fleckig u. bis zum Plattenrand beschnitten.
802. P. de Jode. L. Vorsterman sc. P.-N. 35. Guter Abdruck, die Adresse zugelegt. Das Papierzeichen ist die
Schellenkappe.
803. Inigo Jones. R. v. Voerst. sc. P.-N. 36. Später Abdruck, mit zugelegter Adresse.
804. J. Jordaens. P. de Jode sc. P.-N. 37. Ebenso.
805. J. Lipsius. S. a Bolswert sc. P.-N. 39. Muthmaasslich
sogen. Probedruck von Hendricx. Wasserzeichen die Schellenkappe, mit einem Fleck.
806. J. Livens. L. Vorsterman sc. P.-N. 40. Mit zugelegter
Adresse. Papierzeichen die Schellenkappe.

807. Th. van Loon. P. Pontius sc. P.-N. 41. Ebenso.
808. C. v. Mallery. A. van Dyck und L. Vorsterman sc. P.-N. 42. Später Abdruck, die Adresse zugelegt.
809. J. v. Mildert. L. Vorsterman sc. P.-N. 44. Ebenso.
810. A. Miräus. P. Pontius sc. P.-N. 45. Ebenso.
811. M. Mirevelt. W. J. Delff sc. P.-N. 46. Ebenso.
812. J. de Momper. A. van Dyck und L. Vorsterman sc. P.-N. 47. Ebenso.
813. D. Mytens. P. Pontius sc. P.-N. 48. Sehr seltner I. Abdruck, mit 1 Zeile Schrift vor dem Namen des Stechers und mit der Adresse von van den Enden. Ausgebessert und bis zum Stichrand beschnitten.
813ᴬ. Derselbe. Später Abdruck, mit gelöschter Adresse.
814. Graf Johann von Nassau-Siegen. P. Pontius sc. P.-N. 49. Sehr seltner II. Abdruck, mit der Adresse von van den Enden und corrigirtem Stechernamen Etwas fleckig.
815. A. Colyns de Nole. P. de Jode sc. P.-N. 50. Später Abdruck mit zugelegter Adresse.
816. Palamedes Palamedessen. P. Pontius sc. P.-N. 51. Ebenso.
817. Fabricius de Peirese. L. Vorsterman sc. P.-N. 52. Ebenso.
818. M. Pepyn. S. a Bolswert sc. P.-N. 53. Schöner Abdruck ohne Adresse, das Papierzeichen die Schellenkappe.
819. C. Poelenburg. P. de Jode sc. P.-N. 54. Später Abdruck, mit zugelegter Adresse.
820. P. Pontius. Se ipse sc. P.-N. 55. Ebenso.
821. Cricius Puteanus. P. de Jode sc. P.-N. 56. Schöner Abdruck, ohne Adresse. Papierzeichen die Schellenkappe. Etwas fleckig.
822. Caspar Ravestyn. P. Pontius sc. P.-N. 57. Sehr selten. I. Abdruck, mit 1zeiliger Unterschrift „Caspar" R: und der Adresse v. van den Enden.
823. Theodor Rombouts. P. Pontius sc. P.-N. 58. Später Abdruck, mit zugelegter Adresse.
824. P. P. Rubens. P. Pontius sc. P.-N. 59. Später Abdruck, mit zugelegter Adresse. Papierzeichen die Schellenkappe.
825. C. Saehtleven. L. Vorsterman sc. P.-N. 60. Später Abdruck, die Adresse zugelegt.
826. Herzog Franz Thomas v. Savoyen. P. Pontius sc. P.-N. 61. Ebenso; bis zum Stichrand beschnitten.

827. Caesar Alexander Scaglia. P. Pontius sc. P.-N. 62. Später Abdruck, mit zugelegter Adresse.
828. Corn. Schut. L. Vorsterman sc. P.-N. 63. Ebenso.
829. Gerard Seghers. L. Vorsterman sc. P.-N. 64. Später Abdr.
830. Derselbe, anders dargestellt. P. Pontius sc. P.-N. 65. Schöner später Abdruck, mit zugelegter Adresse. Papierzeichen die Schellenkappe.
831. P. Suayers. A. Stock sc. P.-N. 66. Ebenso.
832. J. Snellinex. A. van Dyck und P. de Jode sc. P.-N. 67. Ebenso.
833. Ambros. Spinola. L. Vorsterman sc. P.-N. 68: Sehr seltner I. Abdruck, mit der Adresse von van den Enden. Ausgebessert, bis an den Stichrand beschnitten.
834. Derselbe. Später Abdruck, die Adresse zugelegt.
835. A. Stalbent. P. Pontius sc. P.-N. 69. Ebenso.
836. H. Steenwyk. P. Pontius sc. P.-N. 70. Ebenso.
837. Petrus Stevens. A. van Dyck und L. Vorsterman sc. P.-N. 71. Ebenso.
838. J. Graf Tilly. P. de Jode sc. P.-N. 72. Guter Abdruck, die Adresse zugelegt. Papierzeichen die Schellenkappe.
839. A. Triest. A. van Dyck und P. de Jode sc. P.-N. 73. Später Abdruck, mit zugelegter Adresse.
840. Diodorus Tuldenus. P. de Jode sc. P.-N. 74. Ebenso.
841. L. van Uden. L. Vorsterman sc. P.-N. 75. Ebenso.
842. R. van Voerst. Se ipse sc. P.-N. 76. Ebenso.
843. C. de Vos. L. Vorsterman sc. P.-N. 77. Ebenso.
844. S. de Vos. P. Pontius sc. P.-N. 78. Ebenso.
845. Simon Vouet. R. v. Voerst sc. P.-N. 79. Sehr seltener II. Abdruck, nur mit 1 Zeile Unterschrift, und der Abdruck von van den Enden. Bis zum Plattenrand beschnitten und etwas fleckig.
846. Sel. Vranex. S. a Bolswert sc. P.-N. 80. Später Abdruck, mit zugelegter Adresse.
847. Johann Wildens. P. Pontius sc. P.-N. 82. Ebenso.
848. A. Wolfart. C. Galle sc. P.-N. 83. Späterer Abdruck, die Adresse zugelegt.
849. J. van den Wouver. A. van Dyck und P. Pontius sc. P.-N. 84. Ebenso.

12. Platten der III. und IV. Ausgabe, von G. Hendriex.

850. Maria Ruten. S. a Bolswert sc. P.-N. 88. Ebenso.
851. A. v. Ertvelt. S. a Bolswert sc. P.-N. 90. Ebenso.

852. Franc. Franck. A. van Dyck sc. P.-N. 91. Ebenso.
Unter der Unterschrift ein Stück ausgeschnitten.

853. P. de Jode jun. Se ipse sc. P.-N. 92. Später Abdruck,
die Adresse zugelegt.

854. Isabella, Inf. von Spanien. L. Vorsterman sc. P.-N. 93.
Ebenso.

855. Francesco Moncada. L. Vorsterman sc. P.-N. 95. Sehr
seltener und schöner I. Abdruck vor „cum privilegio". Bis an den Plattenrand beschnitten, etwas fleckig
und ausgebessert.

856. Wolfgang Wilhelm, Pfalzgraf bei Rhein. L. Vorsterman
sc. P.-N. 96. Schöner später Abdruck, mit zugelegter
Adresse.

857. A. v. Noort. A. van Dyck sc. P.-N. 97. Nur der Kopf,
in Oval ausgeschnitten und aufgezogen. Später Abdruck.

858. Franz Snyders. A. van Dyck u. Jac. Neeffs sc. P.-N. 100.
Später Abdruck, die Adresse zugelegt.

859. Wilh. de Vos. A. van Dyck und S. a Bolswert sc.
P.-N. 103. Ebenso.

860. Paul de Vos. A. van Dyck und S. a Bolswert sc.
P.-N. 104. Ebenso. Beschädigt, ausgebessert und aufgezogen.

861. Johanna de Blois. P. de Jode sc. P.-N. 106. Später
Abdruck, mit der Adresse von Gillis Hendricx.

862. S. a Bolswert. A. Lommelin sc. P.-N. 107ᵇ. Ebenso.

863. A. de la Faille. A. Lommelin sc. P.-N. 109. Schöner
seltner I. Abdruck, mit der Adresse v. Gillis Hendricx vor Jacobus de Man. Bis nahe an den Plattenrand beschnitten.

864. Z. van Hontsum. A. Lommelin sc. P.-N. 112. Später
Abdruck, mit der Adresse.

865. Cath. Howard. A. Lommelin sc. P.-N. 114. Ebenso.
Bis zum Stichrand beschnitten.

866. J. Le Roy. A. Lommelin sc. P.-N. 115. Ebenso.

867. N. Rockox. P. Pontius sc. P.-N. 117. VII. Abdruck, mit
G. H.

868. Franz Thomas v. Savoyen. P. Pontius sc. P.-N. 119.
Seltner II. Abdruck, mit Gillis Hendricx.

869. A. de Tassis. Jac. Neeffs sc. P.-N. 120. Guter später
Abdruck mit gelöschter Adresse.

3. Platten der V. Ausgabe, von Meyssens u. A.

870. Marie v. Aremberg. P. Pontius'sc. P.-N. 121. I. Abdruck, mit Meyssens' Adresse. Bis zum Stichrand beschnitten.
871. Dasselbe. Später Abdruck, mit zugelegter Adresse.
872. Graf v. Arundel. W. Hollar sc. P.-N. 122. Ebenso.
873. Gräfin v. Arundel. W. Hollar sc. P.-N. 123. Ebenso.
874. Marie de Barlemont. Jac. Neeffs sc. P.-N. 124. I. Abdruck, mit Meyssens' Adresse. Scharf beschnitten.
875. Dasselbe. Später Abdruck, die Adresse zugelegt.
876. A. de Bourbon. P. de Balliu sc. P.-N. 125. Ebenso.
877. Gräfin v. Carlisle. P. de Balliu sc. P.-N. 126. Ebenso.
878. Dasselbe. I. Abdruck, mit Meyssens' Adresse. Scharf beschnitten.
879. Charles I. J. Meyssens sc. P.-N. 127. Später Abdruck, die Adresse zugelegt.
880. Dessen Gemahlin Henriette Marie. J. Meyssens sc. P.-N. 128. II. Abdruck, mit Meyssens' Adresse.
880ᴬ. Dasselbe: Mit zugelegter Adresse und mit Tinte bez.: C. Waumans.
881. Marie de Croy. C. Waumans sc. P.-N. 129. Später Abdruck, mit gelöschter Adresse.
882. Beatr. de Cusance. P. de Jode sc. P.-N. 130. Ebenso.
883. Fr. van der Ee. J. Meyssens sc. P.-N. 132. Ebenso.
884. Ferdinand III. C. Galle sc. P.-N. 133. Ebenso.
885. Maria Anna, dessen Gemahlin. C. Galle sc. P.-N. 134. Ebenso.
886. Ferdinand v. Oesterreich. P. de Jode sc. P.-N. 135. Schöner II. Abdruck, mit Meyssens' Adresse.
887. Jacob Hamilton. P. v. Lisebelius sc. P.-N. 136. Schöner I. Abdruck, mit Meyssens' Adresse. Bis nahe an den Stichrand beschnitten.
888. Joh. Meyssens. C. Galle sc. P.-N. 138. Später Abdruck, die Adresse zugelegt.
889. Marquis de Mirabella. C. Waumans sc. P.-N. 139. Schöner I. Abdruck, mit Meyssens' Adresse. Knapp beschnitten.
890. Jean de Montfort. P. de Jode sc. P.-N. 140. Später Abdruck, mit gelöschter Adresse.
891. Gräfin v. Nassau-Siegen. M. Natalis sc. P.-N. 141. Guter II. Abdruck, mit Meyssens' Adresse. Oben etwas fleckig.
892. A. v. Opstal. Helt Stokade sc. P.-N. 142. Seltner II. Abdruck, mit 1 Zeile Unterschrift und dem

Namen des Malers, aber ohne den des Stechers und ohne Adresse.

893. Friedrich Heinrich v. Oranien. C. Waumans sc. P.-N. 143. Schöner I. Abdruck, mit Meyssens' Adresse. Scharf beschnitten, beschädigt und aufgezogen.

894. Amalie, Gemahlin des Vorigen. C. Waumans sc. P.-N. 144. Später Abdruck, die Adresse zugelegt.

895. Graf Pappenheim. C. Galle sc. P.-N. 145. III. Abdruck vor Jac. de Man's Adresse.

896. Henr. v. Pfaltzburg. C. Galle sc. P.-N. 146. Später Abdruck, mit zugelegter Adresse.

897. Graf v. Portland. W. Hollar sc. P.-N. 147. Guter I. Abdruck, mit Meyssens' Adresse. Mit breitem Rand, etwas fleckig.

898. Gräfin v. Portland, Gemahlin des Vorigen. W. Hollar sc. P.-N. 148. Aelterer II. Abdruck, mit zugelegter Adresse.

899. Rafael v. Urbino. P. Pontius sc. P.-N. 149. Sehr seltner I. Abdruck, mit der Adresse des Stechers, vor der von Meyssens.

900. Herzogin v. Richmond. W. Hollar sc. P.-N. 150. Später Abdruck, mit zugelegter Adresse.

901. Rupert, Pfalzgraf bei Rhein. H. Snyers sc. P.-N. 151. Ebenso.

902. Carl Emanuel v. Savoyen. P. Rucholle sc. P.-N. 152. III. Abdruck, mit de Man's Adresse.

903. T. Engelbertus Taje, Eques baro de Wemmelius. C. Galle sc. P.-N. 153. Guter I. Abdruck, mit Meyssens' Adresse. *)

904. H. d'Urfé. P. de Balliu sc. P.-N. 154. Aelterer III. Abdruck, mit ausgeschliffener Adresse.

905. Lucas und Cornelius de Wael. W. Hollar sc. P.-N. 155. I. Abdruck, mit Meyssens' Adresse. Aufgezogen.

906. Theod. Rogiers. P. Clouet sc. P.-N. 157. Schöner II. Abdruck vor de Man's Adresse, mit breitem Rand.

907. Carl Ludwig, Kurf. v. d. Pfalz. W. Hollar sc. P.-N. 159. Später Abdruck, die Adresse zugelegt.

908. N. Rockox. P. Pontius sc. (P.-N. 117.) IV. Abdruck, mit der Jahrzahl, vor dem „obiit etc." mit H. de Neyt excudit.

909. Joh. v. Nassau-Siegen. L. Vorsterman exc. et sc. P.-N.

---

*) Das Szwykowski unbekannte Gemälde dazu ist auf der Dresdner Gallerie, wo es als Portrait des Malers Engelbrecht aufgeführt ist.

84

160. Schöner Abdruck, mit der Adresse des Stechers. Bis nahe an den Stichrand beschnitten.
910. L. Vorsterman. L. Vorsterman jun. sc. et exc. P.-N. 161. Guter II. Abdruck vor der abgeschnittenen Ecke.

4. Platten der VI. Ausgabe, ohne Adressen.

911. Maria d'Arenberg. A. Lommelin sc. P.-N. 162. Späterer Abdruck.
912. Howard IV. v. Arundel. L. Vorsterman sc. P.-N. 163. Guter später Abdruck. Die untere linke Ecke ergänzt.
913. H. de Bran. L. Vorsterman sc. P.-N. 165. Schöner Abdruck der einzigen Gattung.
914. Charles I. A. Lommelin sc. P.-N. 166. Später Abdruck.
915. Josse de Hertoge. Jac. Neeffs sc. P.-N. 168. Aelterer Abdruck.
916. Heinrich Liberti. Pet. de Jode sc. P.-N. 171. Guter II. Abdruck.
917. Ch. van der Lamen. P. Clouet sc. P.-N. 169. Ebenso.
918. Ph. Le Roy. P. Pontius u. L. Vorsterman sc. P.-N. 170. V. Abdruck oder Copie. Ohne alle Unterschrift.
919. J. Malder. A. Lommelin sc. P.-N. 172. Später Druck.
920. Ernst v. Mansfeld. R. v. Voerst sc. P.-N. 173. Guter Druck. Wasserzeichen der Pelikan.
921. Wilh. Marcquis, Arzt. P. de Jode sc. P.-N. 174. Guter Druck. Der untere Rand unterlegt.
922. Fr. Marselaer. A. Lommelin sc. P.-N. 175. III. Abdruck.
923. Car. Scribanius. P. Clouet sc. P.-N. 177. Später Druck.
924. Quintin Simon. P. de Jode sc. P.-N. 178. II. Abdruck, vor dem Aufätzen.
925. Adrian Stevens. A. Lommelin sc. P.-N. 179. Späterer Abdruck.
926. Joh. de Wael. A. Lommelin sc. P.-N. 181. Ebenso.
927. Anna Wake. P. Clouet sc. P.-N. 182. Ebenso. Scharf beschnitten, ausgebessert, aufgezogen und fleckig.

b. Weitere Portraits, nicht zur Iconographie gehörig, in älteren und neueren Stichen.

1. Könige und Fürsten.

928. Carl I., König v. England. Ganze Figur. P. van Gunst sc. gr. fol. Guter Abdruck.
929. Carl I., König v. England, u. seine Gemahlin, in Medaillons

auf einer Platte (nach v. Dyck?). R. Peake sc. qu. 8.
Aeusserst selten. Etwas fleckig.

930. Henrietta Maria, Königin von England, mit ihren Kindern.
Compagni sc. Verkleinerte Copie nach Strange. fol.

931ᴬ. ————— als Maria Magdalena. Ganze Figur. P. de
Ballia sc. fol. Grauer Druck.

931ᴮ. ————— anders, in ganzer Figur. P. van Gunst sc.
gr. fol. Guter Abdruck.

932. Jacob II., König von England, als Herzog von York. Halbfigur in Oval. Migé sc. 4. Fehlt der Text.

933. Maria, Prinzessin von England. Brustbild in Oval. H. Hondius sc. fol. Selten.

934. Maria von Medicis. Brustbild in Oval. P. de Jode exc. et
sc. I. Abdruck, mit weissem Hintergrund, vor
dem Rahmen und vor vielen Ueberarbeitungen.
Bis nahe an den Stichrand beschnitten. 8.

935. Dasselbe. II. Abdruck, mit Ausfüllung der Ecken etc. und
ganz überarbeitet.

936. Fr. Heinrich, Prinz von Nassau. Brustbild in Oval. C.
Danckerts sc. et exc. S.

937. ————— P. de Jode sc. 8. Colorirt.

938. Johannes, Prinz von Nassau. Brustbild in Oval, mit Beiwerken. J. Suiderhoef sc. gr. fol. Guter Abdruck.

939. Wilhelm Wolfgang, Herzog von Neuburg. Ganze Figur.
W. Flachenecker lithogr. gr. fol.

940. Margarethe, Herzogin v. Orleans. Brustbild in Oval, mit Beiwerken. P. v. Sompel sc. fol. Fleckig.

941. Ferdinand, Erzherzog von Oesterreich. Brustbild in Oval.
P. de Jode exc. et sc. 8.

942ᴬ. ————— anders. Idem sc. 8.

942ᴮ. ————— Brustbild in Oval mit Beiwerken. B. Moncornet exc. et sc. fol.

943. Isabella Clara Eugenia, Erzherzogin v. Oesterreich. Brustbild in Oval. H. Hondius sc. fol. Guter Abdruck, etwas
faltig.

944. Prinz Rupert v. d. Pfalz. Brustbild. P. de Jode exc.
et sc. 4.

945. ————— Halbfigur. J. Cochran sc. Punktirt 4. Chin.
Papier.

946. Franz Thomas von Savoyen. Brustbild in Oval. B. Moncornet exc. et sc. fol. Fleckig.

947. ————— Brustbild in Oval. Idem exc. et sc. kl. 4.

948. Gustav Adolph, König von Schweden. Brustbild in Oval.
P. de Jode sc. 8. Aufgezogen.

949. Elisabeth, Königin von Spanien. Brustbild in Oval, mit Beiwerken, nach P. P. Rubens. J. Louys sc. fol. Beschnitten
und aufgezogen.

## 2. Grafen, Staatsmänner etc.

950. Stuart, Lord John u. Lord Bernard, in ganzer Figur. J. Mac-
Ardell sc. Schwarzkunst. gr. fol. Guter Abdruck.

951. Aremberg, Albert Fürst v. P. de Jode exc. et sc. 4.

952. Arundel, Graf v. Halbfigur. P. A. Tardieu sc. Galerie
Orleans. 4. Seltner Abdruck vor der Schrift. Ueber
den Plattenrand beschnitten.

953. ——————— jünger. Kniestück. P. Lombart sc. fol.
Bis zum Plattenrand beschnitten.

954. Bentivoglio, Cardinal. J. Morin sc. Rob.-Dum. 43. Matter Druck. Aufgezogen.

955. Buckingham, Georg u. Franz von. Ganze Figuren. J. Mac-
Ardell sc. Schwarzkunst. Guter Abdruck, aber der obere
Rand etwas ausgebessert.

956. Sogenannter Cromwell, aus der Dresdner Gallerie. C. G.
Rasp sc. fol.

957. Fontaine, Graf v. Halbfigur. P. de Jode sc. et exc. 4.

958. Goodwin, Arthur. Ganze Figur. P. v. Gunst sc. gr. fol.
Verschnitten.

959. Le Blon, Mich. Brustbild. T. Matham sc. fol. Guter
Abdruck.

960. ——————— Charles Bye sc. 8.

961. Marselaer. C. Galle sc. fol. Guter Abdruck, etwas fleckig.

962. Piccolomini, Graf Octav. v. Brustbild in Oval. M. Haas
sc. Vor der Schrift.

## 3. Künstler.

963. Cornelissen, Ant. Der Kopf allein. Susanna Silvestre
sc. fol. Aufgezogen.

964. Crayer, Caspar de. Brustbild in Oval. A. Guiducci sc. 8.

965. ——————— anders. J. Neeffs sc. 4. Bis zum Stichrand
beschnitten.

966. Del Mont. Halbfigur. J. Beckett sc. Schwarzkunst. fol.
Vor dem Namen des Stechers.

967. v. Dyck. Brustbild. W. Vaillant sc. Schwarzkunst. 4. Selten.
968. ——— und Rubens auf einem Blatte, mit reicher Umgebung. A. v. Dyck u. E. Quellinus inv. P. Pontius sc. Guter Abdruck mit der Adresse von Huberti.
969. Fiammingo (Du Quesnoy). Gürtelbild. P. v. Bleeck sc. Schwarzkunst. fol. Guter Abdruck.
970. Gerbier, Balth. Brustbild. J. Meyssens exc. 4.
971. ——— mit seiner Familie. W. Walker sc. gr. qu. fol. Ohne Plattenrand.
972. Hals, Franz. Brustbild. D. Coster sc. 4.
973. Jones, Inigo. Brustbild in Oval. R. Earlom sc. Schwarzkunst mit Nadelschrift.
974. Nys, Franc. de. nach Mariette; nach Andern Michel le Blon oder A. van Dyck selbst. Halbfigur. W. Vaillant sc. Schwarzkunst. fol. Ausgebessert und aufgezogen.
975. Oliver, Peter. Gürtelbild. Ohne Stechernamen. fol.
976. Pontius, Paul. Gürtelbild. J. Watson sc. Schwarzkunst. · fol. Fleckig.
977. ——— Medaillon aus Lavater. gr. 4.
978. Rombouts, Theod. Brustbild. B. Eredi sc. 4.
979. Rykaert, gen. der Siebenbürger. Kniestück. C. G. Rasp sc. fol. Schöner Abdruck.
980. Titian und seine Geliebte. Copie nach v. Dyck's Radirung. A. Pauli sc. fol. Der Schriftrand abgeschnitten.
981. ——— Kleiner. Idem sc. Ebenso.
982. 10 Blätter Kupfer, meist Maler zu dem Buche „Icones aliquot etc." F. Bolanzani sc. Romae, 1745. 8. Selten.

4. Gelehrte.

983. Bruyant, Nicol. Medaillon mit Beiwerken. P. Pontius sc. 4.
984. Gevartius. Halbfig. W. Baillie sc. In Zeichnungsmanier. fol.
985. Junius, Franz. Gürtelbild. M. Burghers sc. fol. Selten.

5. Frauen.

986. Bedford, Anna v. Kniestück. P. Lombart sc. Ueber d. Plattenrand beschnitten.
987. Canarvaen, Anna Sophia v. Gürtelbild. Idem sc. Schöner Abdruck.
988. Carlisle, Margaretha v., mit ihrem Kinde. Kniestück. Idem sc. Ueber den Plattenrand beschnitten.
989. ——— Lucia v. Kniestück. Idem sc. Guter Abdr.

990. Carlisle, Lucia v. Ganze Figur. P. van Gunst sc. gr. fol. Fleckig.
991. Castlehoven, Elisabeth v. Ganze Figur. W. Vaillant sc. Schwarzkunst. fol. Selten.
992. Devon, Elisabeth. Kniestück. P. Lombart sc. fol. Bis zum Stichrand beschnitten.
993. van Dyck's Wife. F. Bartolozzi sc. 4. Eingerissen und ausgebessert.
994. Frauenportrait, wahrscheinlich van Eyck's Geliebte Margarethe Lemm. Brustbild. L. Ferdinand sc. Radirt. 4.
995. Helena Forman, Rubens' second wife. Ganze Figur. Th. Chambars sc. gr. fol.
996. Harvey, Elisabeth. Gürtelbild. W. Hollar sc. Parthey 1412. Grauer Druck. fol.
997. Herbert, Penelope. Kniestück. P. Lombart sc. fol. Fleckig und beschnitten.
998. Morton, Anna v. Gürtelbild. Idem sc. fol. Guter Abdruck ohne Plattenrand.
999. (Solms, Amalie). Ungenanntes Portrait. Kniestück. J. v. Prenner sc. fol. Matter Druck.
1000. Sunderland, Dorothea v. P. Lombart sc. fol.
1001. Tassis, Maria Luissa v. Halbfigur. C. Vermeulen sc. gr. fol. Bis an den Stichrand beschnitten und aufgezogen.
1002. Lady Jane Weuman. Halbfigur. J. Boydell sc. Schwarzkunst. fol. Schöner Abdruck.
1003. Unbekanntes Frauenportrait. Kniestück. Stampart sc. 4.

## 6. Verschiedene.

1004. V. d. Borcht, Nicol. Ganze Figur. C. Vermeulen sc. gr. fol.
1005. Le Roy, Philipp. Gürtelbild. J. Beckett sc. Schwarzkunst. fol. Selten.
1006. Lumage, M. A., Kunstsammler. Halbfigur. M. Lasne sc. 4. Etwas über dem Plattenrand beschnitten.
1007. Rockocks, N. Kniestück. L. Vorsterman sc. fol. I. Abdruck vor den Münzen, vor dem Wappen etc. Fleckig, bis an den Stichrand beschnitten.
1008. Rubens' Kinder. Ganze Figur. (Nicht nach v. Dyck, sondern nach P. P. Rubens.) P. Tanjé sc. fol. Probedruck vor aller Schrift. Etwas fleckig.
1009. Männlicher Kopf. J. J. de Boissieu sc. Radirt. 4. Späterer Abdruck, links oben eingerissen.

1010. 31 Bl. diverse Portraits nach v. Dyck. Theils von unbedeutenden Stechern, theils aus Büchern, theils beschädigt.

## 2. JEREMIAS FALCK.

### 1. Portraits.

1011. Daniel Dilger, Theolog in Danzig. Brustbild in Oval. S. Wägener pinx. fol. Hagen No. 5. *) Schöner Abdruck.
1012. J. Mochinger, Pastor in Danzig. Gürtelbild. Ad. Boy p. fol. Hg. 6. Schöner Abdruck.
1013. Nathanael Schmieden, Rathsherr in Danzig. Halbfigur. Hg. 7. Ebenso.
1014. Stüve, Rathsherr in Danzig. Halbfigur. A. Boy p. fol. Hg. 8. Ebenso, aber verschnitten.
1015. Constantin Ferber, Praeconsul in Danzig. Halbfigur. Idem del. fol. Hg. 9. Ebenso. Bis zum Stichrand beschnitten und aufgezogen.
1016. Gabriel Schumann, Consul in Danzig. Brustbild in Medaillon. L. de Necker p. 4. Hg. 10. Ebenso. Die untere rechte Ecke ausgebessert und etwas fleckig.
1017. Joh. Hevelius, Astronom in Danzig. Halbfigur. Helmich a Iwenhusen p. 4. Hg. 11. Verschnitten und der Rand ganz fehlend.
1018. Georg Graf Ossolinsky, Kanzler von Polen. Brustbild in Oval. fol. Hg. 15. Mit Ausbesserungen und aufgezogen.
1019. Christine, Königin von Schweden. Brustbild in Oval. D. Beck p. fol. Hg. 28. Beschädigt u. in Oval geschnitten.
1020. ——————— Als Pallas (Büste). fol. Hg. 30. Guter Abdruck.
*1021. Karl X. Gustav, König von Schweden. Brustbild in Oval. fol. Hg. 31. Beschädigt und in Oval geschnitten.
1022. Gustav Horn, schwedischer Feldmarschall. Brustbild in Oval. D. Beck p. fol. Hg. 35. Guter Abdruck, aber etwas brüchig.
1023. Leonard Torstenson, schwedischer Feldmarschall. Brustbild in Oval. Idem p. fol. Hg. 36. Ebenso.
1024. Graf Königsmark, schwedischer Feldmarschall. Brustbild in Oval. Idem p. fol. Hg. 37. Schöner Abdruck.

---

*) Vergl. Seidel und Hagen in den Preussischen Provinzialblättern 1847, im Kunstblatt 1848 und Szwykowski's Manuscript (vorn unter den Büchern).

6*

1025. Rupertus Duglass, schwedischer Reitergeneral. Brustbild in Oval. Idem p. fol. Hg. 38. Ebenso.
1026. Dasselbe Bl. in Oval geschnitten.
1027. Graf Pontius de la Gardie, schwedischer Generallieutenant. Brustbild in Oval. Hg. 42. Schöner Abdr., aber faltig.
1028. Ludw. de Geer, Senator. Brustbild in Oval. D. Beek p. fol. Hg. 46. Guter Abdruck.
1029. Sewedh Bodh, schwedischer Reichsrath. Brustbild in Oval. R. Cooper p. fol. Schöner Abdruck. Bis an den Plattenrand beschnitten.
1030. Dasselbe Bl. in Oval geschnitten.
1031. Unbekanntes Portrait eines Staatsmannes mit dem Orden des goldenen Vliesses. Brustbild in Oval. fol. In Oval geschnitten.

### 2. Andere Gegenstände.

1032. 15 Bl., nämlich die Monate und Tag u. Nacht. J. Sandrart p., J. Falck, T. Matham, F. Suyderhoef etc. sc. fol. Le Blanc 20—31. Gute Abdrücke, aber bis zum Stichrand beschnitten und aufgezogen. 1 Bl., der Januar, doppelt, wo der Schriftrand abgeschnitten.
1033. Die Cyklopen. Michelangelo da Caravaggio p. fol. Hg. 80. Guter Abdruck, aber etwas brüchig und fleckig.
1034. Der Satyr mit dem Fruchtkorb. J. Jordaens p. Mit S. a Bolswert's Namen als Stecher. Aus dem Cabinet de Reynst. fol. Hg. 83.
1035. Die alte Coquette. J. v. Lys p. Aus dem Cabinet de Reynst. fol. Hg. 90. Stark beschädigt und aufgezogen.
1036. 2 Bl.: Die Visionen des Petrus u. Paulus. J. v. Lys p. Aus dem Cabinet de Reynst. Schöne Abdrücke ohne Schrift, mit wenig Papierrand.
1037. 8 Bl: Die 8 Bildsäulen P. Ringerings auf dem Langgassischen Thore in Danzig. fol. Hg. 98—105. Moderfleckig.

### 3. GEORG FRIEDRICH SCHMIDT.

1038. König Friedrich August von Polen. Unter Busch's Namen gestochen. Siehe Jacobi Vorr. S. 21 No. 2. Sehr selten.
1039. Archidiaconus J. C. Schmid. G. Luschewsky p. Ebenso. fol. Jac. Vorr. S. 22 No. 4. Sehr selten.

1040. Graf Guido von Stahremberg. Ebenso. 8. Jac. Vorr. S. 22 No. 5. Sehr selten. Links verschnitten und der Name des Künstlers abgeschnitten.

1041. Kaiserin Katharina. P. Rotari p. Unter dem Namen von Tschemesoff gestochen. fol. Jac. Vorr. S. 23 No. 7. Schöner Abdruck.

1042. Fürst Leopold von Dessau. Unter Busch's Namen gestoch. fol. Bis zum Plattenrand beschnitten. Es scheint, als wenn Schmidt dasselbe später noch einmal in kleinem Format unter seinem eigenen Namen gestochen hätte. No. 3.

1043. Pastor Fr. Ludw. Müller. fol. No. 5. Sehr selten. Verschnitten, der Rand ganz fehlend.

1044. P. Scarron. 8. No. 9. Ueber den Plattenrand beschnitten.

1045. Le pélérinage de piété, oder die beiden Priester Tournus und de Paris auf der Wanderung. gr. fol. No. 13. Aeusserst selten. Etwas brüchig und mit unterlegten Stellen an den Rändern.

1046. J. Parrocel. H. Rigaud p. 8. No. 15. III. Abdruck, die Adresse zugelegt.

1047. Fréderic Guillaume, roi de Prusse. A. Pesne p. 8. No. 16. IV. Abdruck, die Adresse zugelegt.

1048. Gaspard de Coligny. 8. No. 17. Verschnitten.

1049. Jean Paul Bignon. H. Rigaud p. 8. No. 20. III. Abdruck, mit der Adresse, ohne Plattenrand.

1050. Jean Lau. H. Rigaud p. 8. No. 21. I. sehr seltener Abdruck, vor der Schrift, mit den Künstlernamen in Nadelschrift. Fleckig, mit Ausbesserungen, aufgezogen, ohne Plattenrand.

1051. John Milton. 8. No. 23. Guter Abdruck mit der Adresse, welche später zugelegt worden ist.

1052. G. v. Thevenard. Gueslain p. 8. No. 24. Ebenso.

1053. Anne d'Autriche. J. van Loo p. 8. No. 26. Ebenso.

1054. Adrienne Lecouvreur. L. La Fontaine p. 8. No. 27. Mit der Adresse.

1055. Ninon de l'Enclos. L. Ferdinand p. 8. No. 30. Ebenso, etwas gerieben

1056. Anne de la Vigne. Idem p. 8. No. 31. Mit der Adresse. Fleckig und beschnitten.

1057. Noel Étienne Sanadon. L. Cars del. 8. No. 32. Die Adresse zugelegt.

1058. Charles Gabriel de Tubières de Caylus. La Fontaine

p. Schmidt und Wille sc. gr. fol. Jac. No. 4 und Le Blanc, Catalogue de Wille, No. 113. Schöner Abdruck, im obern Rande etwas fleckig.

1059. Louis de la Tour d'Auvergne. H. Rigaud p. gr. fol. No. 42. Guter Abdruck, etwas brüchig.

1060. Erzbischof von Cambray. H. Rigaud p. gr. fol. No. 47. Grauer Druck, ohne Plattenrand.

1061. Fr. le Chambrier. H. Rigaud p. fol. No. 49. Schöner Abdruck, sehr selten.

1062. Der grosse de la Tour. Se ipse p. gr. fol. No. 50. Brüchig und fleckig.

1063. Dau. le Chambrier. Schmidt u. Wille p. fol. Jac. No. 51 u. Le Blanc, Catalogue de Wille, No. 141. Schöner Abdruck, bis an den Plattenrand beschnitten.

1064. Jean Baptiste Silva. H. Rigaud p. gr. fol. No. 52. Unreiner Abdruck.

1065. Jean Bernoulli. J. Ruber p. 8. No. 54. Mit der Adresse.

1066. Pierre Mignard. H. Rigaud p. gr. fol. No. 59. Sehr beschädigt und der Rand abgeschnitten.

1067. J. H. Burckhard. F. Müller p. 4. No. 63. Schöner Abdruck.

1068. Henry Voguell. A. Pesne p. gr. fol. No. 69. Guter Abdruck dieses seltenen Blattes.

1069. Chr. Fr. Blume. C. F. Falbe p. fol. No. 65. Rissig und aufgezogen, ausgebessert.

1070. Christian August von Anhalt. A. Pesne p. gr. fol. No. 66. Neuer Abdruck.

1071. S. Freiherr von Cocceji. A. Pesne p. fol. No. 67. Schöner Abdruck.

1072. F. B. Oertel. fol. No. 68. I. Abdruck mit incoctum st. invictum. Brüchig.

1073. Antoine Pesne. Se ipse p. fol. No. 69. Alter Abdruck.

1074. Minister von Görne. A. Pesne p. fol. No. 70. Ebenso.

1075. 2 Bl.: August III. und Maria Josepha von Polen. L. de Sylvestre p. gr. fol. No. 71 u. 72. Gute alte Abdrücke vor dem Stern. Bis nahe dem Plattenrand beschnitten, etwas fleckig und ausgebessert.

1076. J. T. Eller. A. Pesne p. fol. No. 73. Beschädigt und aufgezogen.

1077. Allegorie mit dem Portrait der Baronesse von Grapen—

dorf.. B. N. Lesueur p. fol. No. 74. Schöner Abdruck, etwas fleckig.

1078. Minister von Arnim. A. Pesne p. fol. No. 75. Selten.
Schöner Abdruck, etwas fleckig und brüchig.

1079. Der Arzt la Mettrie. kl. fol. No. 76. Selten. Mit kleinen Beschädigungen.

1080. Reichsgraf von Woronzow. L. Tocqué p. gr. fol. No.
77. Sehr selten. Guter Abdruck, aber etwas
fleckig und bis zum Plattenrand beschnitten.

1081. Graf Esterhasi. L. Tocqué p. fol. No. 78. Vor dem
Grabstichel. Matter Abdruck, bis zum Stichrand beschnitten.

1082. Kaiserin Elisabeth von Russland. L. Tocqué p. roy.
fol. No. 82. Selten. Grauer Abdruck, bis zum Plattenrand beschnitten, brüchig und aufgezogen.

1083. Graf von Rasumowsky. Idem p. fol. No. 83. Sehr
selten. II. Druck mit der längeren Unterschrift. Bis an
den Plattenrand beschnitten.

1084. Graf von Brühl, als Büste. 4. No. 84.

1085. Minister von Borck. A. Pesne p. fol. No. 86. Seltener, vorzüglicher Abdruck mit dem Stempel
des Meisters. Der äussere Rand gebrochen.

1086. Der Banquier Splitgerber. J. M. Falbe p. gr. fol. No.
87. Selten. Fleckig.

1087. Prinz Heinrich von Preussen. A. van Loo p. gr. fol.
No. 88. Seltener, schöner Abdruck mit dem
Stempel des Meisters.

1088. Der kleine de la Tour. Ipse p. fol. No. 89. Selten.
Schöner Abdruck.

1089. Professor Büsching. Enken p. gr. 8. No. 90. Bis über
den Plattenrand und unter die Schrift verschnitten.

1090. Feldmarschall von Katt. A. Pesne p., Schmidt und
Fr. G. Berger d. Ac. sc. gr. fol. No. 91. Selten.

1091ᴬ. Die schöne Griechin. N. Lancret p. fol. No. 96.
Fleckig und bis an den Plattenrand beschnitten.

1091ᴮ. A femme avare galant escroc. Idem p. qu. fol. No.
102. II. Abdruck mit De Larmessin sc. und dessen
Adresse.

1092. 23 Bl. zu: Mémoires de Brandenbourg. Berlin, 1767.
No. 109. Stichelarbeit u. Radirungen, nämlich No. 4, 11,
13, 17, 19, 21. 25, 27, 29, 31 in Probedrücken,
meist vor der Schrift, aber gebräunt. No. 6, 8, 10

12, 14, 16, 18, 20, 22, 24, 26, 28, 30 aus dem Buche.
Selten. Aufgezogen in einem Heft. gr. 4.

### Radirungen.

1093. Brustbild eines Mannes. Nach Rembrandt. 12. No. 112.
Copie.
1094. Ein Morgenländer. 4. No. 114. Grauer Druck.
1095. Ein Greis. 4. No. 115.
1096. ————— Copie von Schleuen, von der Gegenseite.
1097. Ein alter Krieger. 4. No. 116.
1098. Ein junger Mann. Nach Rembrandt. 4. No. 117. Grauer
Druck. Bis nahe an den Plattenrand beschnitten.
1099. ————— Copie v. d. Gegenseite. Kirschner del. Ebenso.
1100. Ein etwas älterer Mann. Nach Rembrandt. 8. No. 118.
Auf grauem Papier. Matt.
1101. Eine alte Frau. Nach Rembrandt. 8. No. 119. Matt.
1102. Ein Greis in persischer Tracht. Nach Rembrandt. kl. 4.
No. 120. Ziemlich guter Druck. Selten.
1103. Ein Mann in mittlen Jahren. Nach Rembrandt. 4.
No. 121. Ebenso.
1104. Eine vornehme junge Frau. Nach Rembrandt. 4. No. 123.
Ebenso.
1105. Ein vornehmer junger Mann. Nach Rembrandt. 4.
No. 124. Später Abdruck.
1106. Die jüdische Braut. Nach Rembrandt. kl. fol. No. 128.
Guter seltner Druck auf grauem Papier.
1107. Der Vater dieser Braut. Nach Rembrandt. kl. fol.
No. 129. Neuer Druck.
1108. Ein Greis. Nach G. Flinck. 4. No. 131. Fleckig.
1109. Schmidt's Bildniss. Mit der Reissfeder. gr. 4. No. 134.
Leidlicher Druck.
1110. ————— Copie von Kauke. 8. Mit Beiwerken. Bis
an den Stichrand beschnitten.
1111. Des Künstlers Gattin, nähend. 8. No. 135. Bis zum
Stichrand beschnitten. Fleckig.
1112. Der sogenannte Herzog v. Geldern, seinem Vater drohend.
Rembrandt p. kl. fol. No. 137. Fleckig u. aufgezogen.
1113. Das Bildniss des Dr. Lieberkühn mit der Hygieia. kl. fol.
No. 138. Vorzüglicher Abdruck mit Plattengrat.
1114. Der Patriarch Jakob. Rembrandt p. 8. No. 139.
1115. Die Schauspielerin Mlle. Clairon. Cochin le fils del. 8.
No. 140. Copie von der Gegenseite von D. Berger.

1116. Schmidt's Bildniss mit der Spinne am Fenster. gr. 4. No. 141. Leidlicher Abdruck.

1117. ———— Ebenso. Etwas gerieben.

1118. ———— Copie von D. Berger. 8.

1119. Des Künstlers Gemahlin. gr. 4. No. 142. Guter Abdruck.

1120. Der General von Schuwaloff. Lagrenée del. gr. 4. No. 143. Guter II. Abdruck.

1121. ———— Schwacher Druck, auf gelbem Seidenpapier.

1122. Der Jude Hirsch Michel. 4. No. 144. Guter und seltner Abdruck, mit der Unterschrift, die später entfernt wurde. Auf grauem Papier.

1123. Rembrandt's Mutter Rembrandt p. 4. No. 145. Guter Abdruck.

1124. Die Karschin (Anna Louise Dürbach). Mit Beiwerk. 8. No. 146.

1125. Bildniss einer Dame, sogen. Prinzessin v. Oranien. Rembrandt p. 4. Mo. 147. Seltner leidlicher Abdruck auf dunklem Papier.

1126. ———— Beschädigt.

1127. Der Juwelier Dinglinger. A. Pesne p. 8. No. 148. Beschädigt und aufgezogen.

1128. Der Arzt Möhsens. Schmidt p. Bode, Krüger und Schmidt sc. 4. No. 149.

1129. Ein junger Mann, angebl. Rembrandt. Rembrandt p. kl. 4. No. 150. Copie von der Gegenseite.

1130. Angebl. Rembrandt im mittleren Alter. Rembrandt p. kl. 4. No. 151. Bis zum Stichrand beschnitten und beschädigt.

1131. Wilhelm II., Prinz von Oranien und Cats. G. Flinck p. kl. fol. No. 152. Grauer Druck.

1132. Christi Verspottung. Rembrandt p. 4. No. 159. Brüchig und fleckig.

1133. 9 Bl. aus den Poésies diverses (Friedrich's des Grossen). Berlin, 1760. No. 161. und zwar 24, 25, 26, 27, 30, 31, 32 (Doubl.), 33 in guten Probedrücken, meist vor der Schrift. Aufgezogen in einem Heft. gr. 4.

1134. Der Satyr mit der Ziege. Cugliacazzi del. kl. 4. No. 162.

1135. Die heil. Jungfrau betend. Sasso Ferrato p. kl. fol. No. 163. (Stichelarbeit.) Guter Abdruck.

1136. Eine Gruppe Kinderköpfe. Fiammingo del. qu. 8. No. 164.

1137. Jairi Töchterlein. Rembrandt p. qu. fol. No. 165. Schöner Abdruck. Fleckig.

1138. Ein Greis in einem Gewölbe (Jeremias). Rembrandt p. gr. 4. No. 166. Schöner Abdruck, mit etwas Plattengrat.

1139. Darstellung Christi im Tempel. Dietrich p. qu. fol. No. 167. Leidlicher Abdruck.

1140. Petri Reue. F. Bol p. 4. No. 170. Ebenso.

1141. Drei nackte Bacchus-Kinder. Fiammingo inv. qu. 4.

1142. Darstellung Mariä im Tempel. Pietro Testa p. Grabstichelblatt. gr. fol. No. 172. Brüchig, beschädigt und unterlegt.

1143. Loth mit seinen Töchtern. Rembrandt p. kl. fol. No. 173. Copie von der Gegenseite, auf dünnem grauem Papier.

1144. Sara führt Hagar zu Abraham. C. W. E. Dietrich p. qu. fol. No. 174. Bis zum Stichrand beschnitten und aufgezogen.

1145. Maria mit Jesus und Johannes. A. van Dyck p. fol. Mo. 176. Faltig.

1146. Der alte Tobias mit seinem Weibe. Rembrandt p. qu. fol. No. 177. Guter Abdruck. Etwas fleckig.

1147. Landschaft. Roos inv. kl. qu. fol. No. 179. Selten.

1148. 7 Bl. zu (Friedrich's d. Gr.) satyrischem Gedicht Le palladium, nämlich 6 Bl. gr. 4., No. 184, 1 −6, und 1 Bl. qu. 8., No. 184, 13. Sehr selten, da das Werk dem König missfiel und die Auflage bis auf 12 Exemplare verbrannt wurde.

### 4. J. G. WILLE.

#### a. Portraits des Meisters.

1149. Wille's Portrait. J. G. Müller sc. fol. Schöner Abdruck.

1150. ———— Medaillon. P. A. Wille del. P. C. Ingouf sc. 4. Guter Abdruck.

1151. ———— Brustbild in Oval. F. Kauke sc. 8.

1152. ———— Medaillon. J. F. Bause sc. Ohne Plattenrand.

#### b. Stiche von ihm.

1153. La devideuse. G. Dow p. fol. Le Blanc No. 61, II. seltener Abdruck, etwas grau.

1154. Le petit physicien. C. Netscher p. 4. No. 66. Beschnitten.
1155. La petite écolière. J. E. Schenau p. 4. No. 69. Verschnitten.
1156. Soeur de la bonne femme de Normandie. P. A. Wille
del. 4. No. 72. Guter Abdruck, aber fleckig.
1157. Louis Dauphin de France. Klein p. fol. No. 106.
Guter Abdruck.
1158. Marquis de Marigny. L. Tocqué p. gr. fol. No. 125.
Guter V. Abdruck, im Rande fleckig.
1159. Maurice de Saxe. H. Rigaud p. gr. fol. No. 121. Leidlicher Abdruck.
1160. N. de Largillière. Se ipse p. 8. No. 129. Guter H.
Abdruck.
1161. Moreau de Maupertuis. R. Fournière p. Daullé und
Wille sc. gr. fol. No. 132. Verschnitten u. aufgezogen.
1162. Magd. de Scudéri. Elisabeth Chéron p. 8. No. 144.
I. Abdruck, mit der Adresse.
1163. Herzog v. Yorck. fol. No. 150. Bis zum Stichrand beschnitten.
1164. Friedrich der Grosse. A. Pesne p. fol. No. 151. Schöner Abdruck. Bis zum Plattenrand beschnitten.
1165. Der Bettler Mark Peterman de Vesten-Ville, nach Wille's
Zeichnung, von J. H. Rode. fol. Radirt. s. Le Bl. Vorwort, S. 13, No. 9. Sehr selten.
1166. 2 Bl. männliche Köpfe von demselben. Radirt. 8.


5. J. F. BAUSE.

a. Portrait des Meisters.

1167. Brustbild in Oval. A. Graff p. V. S. Klauber sc. fol.
1168. ———————— 8. Grögory sc.
1169. ———————— Achteckig. Zschoch sc.

b. Blätter vom Meister selbst, in alten Abdrücken.

1170. Noah und seine Söhne. A. F. Oeser del. Aquat. qu. fol.
Keil No. 1. Selten.
1171. Abrahams Brandopfer. Idem del. fol. No. 2.
1172. Abraham auf Moria. Idem del. fol. No. 3.
1173. Christuskopf. Guido Reni p. Aquatinta. fol. No. 5.

7

1174. Die drei Apostel. Michel Angelo da Caravaggio p. qu. fol. No. 7. Fleckig und beschnitten.
1175. Petrus, aus dem Gefängniss befreit. A. Bloemaert del. Zeichnungsmanier. qu. fol. No. 8. Sehr selten.
1176. Petri Reue. C. W. E. Dietrich del. Aquat. qu. fol. No. 9.
1177. Der barmherzige Samariter. A. F. Oeser del. Aquatinta. fol. No. 10. Fleckig.
1178. Die heilige Magdalena. Battoni p. qu. fol. No. 11. Der Schriftrand abgeschnitten.
1179. Venus und Amor. C. Cignani p. fol. No. 12.
1180. Der grosse Amor. A. R. Mengs p. fol. No. 14. Etwas fleckig und brüchig.
1181. Artemisia. Guido Reni p. fol. No. 15.
1182. Die Macht der väterlichen Liebe. B. Rode del. qu. fol. No. 16.
1183. Die studirende Kunst. C. W. E. Dietrich del. Aquatinta. qu. fol. No. 17.
1184. Niobe nach der Antike. fol. No. 21.
1185. Todtenkopf eines Kindes. A. F. Oeser del. qu. 4. Farbig gedruckt.
1186. Serena. J. B. Greuze p. fol. Abdruck in Roth. No. 23.
1187. Männlicher Kopf, in Rembrandt's Manier. C. W. E. Dietrich del. 4. No. 24.
1188. 2 Bl. Brustbild eines alten Mannes und einer alten Frau. Rembrandt p. fol. No. 25 u. 26.
1189. Die junge Strickerin. A. F. Oeser del. Aquatinta. 4. No. 28.
1190. Michel Ehrlich. B. Denner p. Schwarzkunst. fol. No. 30.
1191. Lucinde. P. Falkonet p. Schwarzkunst. fol. No. 31.
1192. Der Orientale. C. W. E. Dietrich p. Aquat. 4. No. 32.
1193. Der Persianer. F. Mieris p. fol. No. 33. Fleckig und aufgezogen.
1194. Die Vertraute. J. Kupetzky p. fol. No. 34. Der Rand zum Theil abgeschnitten.
1195. Die fleissige Hausfrau. Gerard Dow p. fol. No. 35.
1196. Rosetta. C. Netscher p. fol. No. 36. Etwas fleckig.
1197. Das Mädchen mit den Händchen im Schooss. J. Reynolds p. Roth punktirt. 4. No. 37.
1198. La petite rusée. J. Reynolds p. fol. No. 39. II. sehr seltener Abdruck, vor der Schrift. Unten bis nahe an den Plattenrand beschnitten.
1199. ———— Copie von Bolt. 8.

1200. Titelblatt zu Rocolles Geschichte der Betrüger. 8. No. 46. Selten.

1201. Aus Wieland's Amadis. II. Ramberg del. gr. 8. No. 63.

1202. Aus Wieland's Diogenes. Chaerea. II. Ramberg del. gr. 8. No. 64.

1203. Damon und Musidora. J. S. Bach del. Aquatinta. Braun gedruckt. qu. fol. No. 110.

1204. Josephus II. gr. 4. No. 118. Sehr selten.

1205. Peter I. v. Russland. Le Roy p. fol. No. 119.

1206. Peter III. v. Russland. Schulze p. kl. fol. No. 120.

1207. Catharina II. v. Russland. Idem p. kl. fol. No. 121. Selten.

1208. Paul Petrowitsch, Grossfürst von Russland. 4. No. 122. Selten.

1209. Friedrich d. Gr., mit erhobenem Commandostab. Hempel p. 4. No. 125. Sehr selten.

1210. ――――――― den Hut abnehmend, genannt das grosse Portrait Friedrichs d. Gr. fol. No. 127. Sehr selten. Rechts am Rande eingerissen und aufgezogen.

1211. Heinrich, Prinz von Preussen. A. Graff p. 4. No. 129. Schöner Abdruck in blauschwarzem Ton, aber brüchig.
Nebst einem Autograph des Prinzen, dat. Rheinsberg le 8. Février 1781.

1212. Georg III., König von England. 4. No. 130. Selten.

1213. Charlotte, Königin von England. 4. No. 131. Selten.

1214. Gustav Adolph, König von Schweden. Fittler p. fol. No. 132. Etwas fleckig.

1215. Stanislaus, König. von Polen. 8. No. 133. Selten. Matter Abdruck.

1216. Louise Auguste, Kronprinzessin v. Dänemark. A. Graff p. fol. No. 134. Mit einer kleinen Beschädigung im Hintergrund.

1217. Churfürst Friedrich August von Sachsen. A. Graff p. 1769. fol. No. 135. Beschnitten.

1218. ――――――― Idem p. 1792. fol. No. 136. Ohne Plattenrand.

1219. Herzog Ferdinand von Braunschweig. G. F. Hänisch p. fol. No. 137. Seltner II. Abdruck, vor d. Namen der Künstler.

1220. 2 Bl. Carl Wilhelm Ferdinand, Erbprinz v. Braunschweig, und dessen Gemahlin. J. Mac-Ardell p. 4. No. 138 u. 139. Brüchig. Selten.

1221. Herzogin Dorothea v. Curland. A. Graff p. fol. No. 140. Vor der Schrift.

1222. Friedrich, Herzog von Holstein-Beck. J. J. Mosnier p. fol. No. 141. II. seltner Abdruck, vor der Schrift. Der Rand rissig.

1223ᴬ. William Pitt. W. Hoare p. 4. No. 142. Vor der Nummer. Sehr selten.

1223ᴮ.————— Mit der Nummer. Sehr selten.

1224. Der Freiherr von Printzen. 4. No. 143. Sehr selten.

1225. Achmet Effendi. Anton Span p. 4. No. 144. Sehr selten.

1226. Nic. Ludw. Graf von Zinzendorf. 8. No. 146. Selten.

1227. Minister Graf von Hoym. J. Bardou p. 4. No. 148. Sehr seltner II. Abdruck, vor dem Orden. Nebst einem Autograph. Blosse Unterschrift.

1228. ————— III. Abdruck. Bis an den Plattenrand beschnitten.

1229. Freifrau Spiegel v. Pickelsheim. R. P. May p. gr. 8. No. 149. Selten.

1230. J. F. v. Domhardt. Becker p. gr. fol. No. 150. Etwas brüchig. Selten.

1231. Freiherr von Münch. A. Graff p. fol. No. 151. Selten.

1232. Graf von Hochberg-Rohnstock. Frz. Krause p. fol. No. 152. Selten.

1233. Die Gemahlin des Vorigen. fol. No. 153.

1234. Staatsminister v. Werder. P. J. Bardou p. fol. No. 154. II. sehr seltner Abdruck vor aller Schrift.

1235. G. Fr. v. Dittmer. F. Naumann p. fol. No. 155.

1236. Paul III. Pont. max. 8. No. 156. Sehr selten.

1237. J. Ch. Steinbart. 8. No. 158. Selten.

1238. Fr. Sam. Bock, Prof. der Theol. 8. No. 159. Rechts verschnitten.

1239. Jacob Brucker. fol. No. 160. Bis zum Plattenrand beschnitten.

1240. Dr. J. A. Ernesti. A. Graff p. 1768. 8. No. 161. Matter Druck.

1241. ————— Idem p. 1778. fol. No. 162.

1242. J. F. W. Jerusalem. 8. No. 163. Brüchig und bis zum Plattenrand beschnitten.

1243. ————— A. F. Oeser p. fol. No. 164. Ohne Plattenrand.

1244. J. J. Spalding. A. Graff p. fol. No. 165. Aufgezogen.
1245. H. J. Zollikofer. A. Graff p. fol. No. 166.
1246. ————— 8. Wahrscheinlich auch von Bause. Fehlt Keil. Fleckig.
1247. S. E. N. Morus. A. Graff p. fol. No. 168.
1248. O. F. Butendach. F. C. Gröger del. fol. No. 169. Sehr selten.
1249. Dr. J. G. Rosenmüller. J. F. A. Tischbein p. fol. No. 170. Beschnitten.
1250. J. St. Putter. H. W. Dietz p. fol. No. 172. Selten.
1251. A. D. Lange, geb. Gnilge. kl. fol. No. 173. Selten.
1252. F. de Paula Ferg. Se ipse p. 8. No. 176.
1253. M. A. v. Thümmel. A. F. Oeser p. 8. No. 177. Bis an den Stichrand beschnitten.
1254. C. F. Gellert. Idem p. fol. No. 178. Bis zum Plattenrand beschnitten und fleckig.
1255. ————— A. Graff p. 8. No. 180. Fleckig und ohne Plattenrand.
1256. ————— Von der Gegenseite. 8. No. 181. Ebenso.
1257. F. A. Junius. fol. No. 183. Verschnitten und aufgezogen.
1258. J. B. Basedow. 4. No. 184.
1259. G. W. Rabener. A. Graff p. fol. No. 185.
1260. ————— 8. No. 186. Ohne Plattenrand.
1261. C. Ch. Gaertner. 8. No. 187.
1262. H. G. Koch. fol. No. 188.
1263. Christiane Henriette Koch. A. Graff p. fol. No. 189.
1264. Sal. Gessner. Idem p. fol. No. 190. Bis an den Plattenrand beschnitten.
1265. Christian Felix Weisse. Idem p. fol. No. 191.
1266. C. S. Horn. Charpentier p. fol. No. 192. Im untern rechten Rand fleckig.
1267. C. W. Ramler. 8. No. 193. Selten.
1268. ————— A. Graff p. fol. Mo. 194. Bis nahe dem Stichrand beschnitten.
1269. G. E. Lessing. A. Graff p. fol. No. 195. Aufgezogen.
1270. M. Mendelssohn. A. Graff p. fol. No. 196.
1271. Joh. Pet. Uz. 8. No. 197. Ohne Plattenrand.
1272. ————— fol. No. 198.
1273. R. A. Schubart. A. F. Oeser p. fol. No. 199. Beschnitten und fleckig.
1274. J. G. Sulzer. A. Graff p. fol. No. 200.
1275. Albr. v. Haller. S. Freudenberger p. fol. No. 201.

1276. C. L. v. Hagedorn. A. Graff p. fol. No. 202.
1277. J. A. v. Segner. J. H. Zieger p. fol. No. 203.
1278. ——————— Grösser in Oval, mit Eichenguirlanden über der Bordüre. fol. Fehlt Keil. Beschnitten.
1279. G. W. v. Leibnitz. A. Schütz p. fol. 204.
1280. J. Winckelmann. A. Maron p. fol. No. 205.
1281. Joh. Reinh. Forster. A. Graff p. fol. No. 206.
1282. ——————— Etwas fleckig.
1283. J. G. Boehme. A. Graff p. gr. fol. No. 207.
1284. Christiane Regine Boehme. A. Graff p. gr. fol. No. 208.
1285. C. M. Wieland. G. O. May p. fol. No. 209. Brüchig und ohne Plattenrand.
1286. ——————— A. Graff p. 4. No. 210.
1287. Dr. C. Ferd. Hommel. A. Graff p. fol. No. 211. Ueber dem Stichrand beschnitten.
1288. J. J. Bodmer. A. Graff p. fol. No. 212. Etwas fleckig.
1289. C. Wouter Visscher. J. Schmidt p. gr. fol. No. 214.
1290. J. G. Unger. F. E. Wagner p. 4. No. 215. Grauer Druck, ohne Plattenrand.
1291. ——————— Ebenso.
1292. E. Platner. A. Graff p. fol. No. 216.
1293. I. Kant. V. H. Schnorr p. fol. No. 217.
1294. C. H. Wolke. A. C. Heine p. fol. No. 218.
1295. Angelika Kaufmann. F. Möglich sc. 4. No. 219. Matter Druck.
1296. C. W. Müller, Bürgermeister. A. Graff px. fol. No. 220.
1297. H. G. Bauer. Idem p. fol. No. 221.
1298 L. F. G. v. Göckingk. Idem p. fol. No. 222.
1299. D. Q. G. Schacher. Idem p. fol. No. 223. Etwas fleckig.
1300. H. F. J. Apel. Idem p. fol. No. 224.
1301. Gottfr. Winkler, d. Vater. Nach A. Graff u. A. F. Oeser. fol. No. 225.
1302. Gottfr. Winkler, der Sohn. J. F. A. Tischbein p. 8. No. 226. Faltig und aufgezogen.
1303. ——————— Idem p. 8. No. 226.
1304. ——————— Dasselbe aufgezogen.
1305. J. M. Albrecht. fol. No. 228. Selten.
1306. Casp. Richter. A. Graff p. fol. No. 229. Ohne Plattenrand.
1307. Pierre Mauru. E. G. Hausmann u. A. F. Oeser p. fol. No. 230. Selten.

1308. Joh. Thomas Richter. A. Graff p. S. No. 231. Aufgezogen.
- 1309. ——————— Idem p. fol. No. 232.
1310. ——————— Etwas fleckig.
1311. Joh. Heinr. Küstner. A. Graff p. fol. No. 233. Seltener Abdruck mit den Versen. Siehe Keil, Nachtr. S. 167.
1312. J. Fr. Kees. C. F. R. Lisiewsky p. fol. No. 234.
1313. C. G. Frege. A. Graff p. fol. No. 235. Fleckig und über dem Plattenrand beschnitten.
1314. J. G. Quandt. Idem p. fol. No. 236.
1315. J. C. Frantz. Pichler del. fol. No. 237. Sehr selten.
1316. D. F. Oehler. C. L. Vogel p. fol. No. 238. Ebenso.
1317. E. H. Loehr, der Vater. A. Graff, p. fol. No. 239.
1318. E. P. Otto. Idem p. fol. No. 240. Links über den Plattenrand beschnitten.
1319. J. H. Hansen. J. F. A. Tischbein p. fol. No. 241. Im Rande fleckig.
1320. Fr. L. Hansen. Idem p. fol. No. 242.
1321. Conr. Wilhelmi. C. A. Schwartz p. fol. No. 243. Mit der handschriftl. Dedication des Künstlers an Director Weitsch.
1322. C. E. Loehr, der Sohn. A. Graff p. fol. No. 244.
1323. John Wilkes. W. Hogarth p. fol. No. 245. Selten.
1324. Wtenbogardus. Copie nach Rembrandt. fol. No. 246. Ueber den Plattenrand beschnitten.
1325 C. G. Wendler. A. F. Oeser p. fol. No. 247.
1326. J. Chr. Gebauer, geb. 1710, gest 1772. Brustbild in Medaillon (1788). fol. Dieses fast unzweifelhaft echte Blatt fehlt Keil, s. Winkler's Katalog No. 367. Verschn.

## 6. DANIEL BERGER.

1327. 272 Bl.: historische Darstellungen, Portraits, Almanachskupfer u. s. w., dabei 2 Portraits des Meisters. (Platten mit mehreren Darstellungen zählen als 1 Bl.) In verschiedenem meist kleineren Format.

## 7. DANIEL CHODOWIECLI.

1328. Der grösste Theil des Werkes dieses Meisters, bestehend in einzelnen Blättern und Folgen, welche aber meist aus den Büchern genommen sind. Ein Theil der letzteren in 31 Heften von weissem Carton, fol. Sämmtliche Blätter genau nach Engelmann nummerirt. Ferner befinden sich dabei mehrere Stiche etc. seines Portraits, eine Handzeichnung: „Spielende Katzen." Zusammen 598 Bl., wovon einige Doubletten und die auf einem Untersatzbogen befindlichen, von Engelmann in eine Nummer zusammengefassten, kleinen Almanachskupfer als 1 Bl. gezählt sind. Ferner noch 31 Bl. Copien nach Chodowiecki'schen Stichen, meist Almanachskupfer aus Büchern, und 51 Bl. Stiche nach Chodowiecki's Zeichnungen, ebenso. Das Ganze in zwei alten Mappen.

## B. Nach Stecher-Schulen.

### 1. DEUTSCHE SCHULE.

1329. **Amman, J.** Hans Sachs. Nach A. Herneyssen, geätzt. fol. (Becker No. 116.) Sehr fleckig und das Papier oben beschnitten.

1330. ——————— M. Luther. Holzschnitt. qu. 4. (Becker 78.)

1331. **Aldegrever.** Graf Archimbald erwürgt seinen Sohn. 8. Bartsch No. 73. Guter Abdruck, aufgezogen.

1332. **Amling, C. G.** Henriette Maria Adelheid, Herzogin in Baiern und Pfalzgräfin bei Rhein. fol. Brüchig.

1333. **Bekel, J.** Erzherzog Stephan. Lithographie. fol.

1334. **Berger, Daniel.** 2 Bl.: J. H. Berendes u. J. J. Schickler. Kniestücke nach F. M. Falbe. gr. fol. Brüchig und ohne Plattenrand.

1335. ——————— 2 Bl.: Schwerin's Tod und der verwundete Seidlitz bei Rossbach. Nach J. C. Frisch. gr. qu. fol. Ersteres mit Nadelschrift. Ebenso.

1336. ——————— Major von Kleist. Nach Dan. Codowiecki. Braun gedruckt. gr. qu. fol. Fleckig und aufgezogen.

1337. ——————— 2 Bl.: Die Mausefalle, aus Shakespeare's Hamlet. Nach dems. qu. fol. Vor und mit der Schrift.

1338. ——————— Statue des Fr. W. v. Zeydlitz, von Tassaert. Statue. fol. Rissig.

1339. **Bergmüller, J. G.** 23 Bl. aus der Folge der Abbildungen von Heiligen, Aposteln etc. Radirt. 8.

1340. **Bernigeroth, J. M.** 26 Bl. diverse Portraits nach Verschiedenen. fol. u. gr. fol.

1341. **Blesendorf, S.** Bischof August Friedrich, Herzog zu Schleswig-Holstein. Nach J. Wiand. fol.

1342. **Bodemer, G.** 2. Bl.: Louis XV. und seine Gemahlin als Dauphins. Schwarzkunst. fol.

1343. **Böhm, A. W.** Klopstock. Nach Juel. gr. 4.

1344. **Böhner, J. A.** Johann Georg III. von Sachsen. gr. fol.

1345. **Buchhorn, L.** Dr. G. L. Spalding. Nach J. Alberthal. fol.

1346. **Caspar, J.** Henriette Sonntag. Nach J. Hübner. gr. 4.

1347. **Dietterlein, W.** Friedrich, Herzog von Würtemberg. Geätzt. 4.

1348. **Dürer, A.** 3 Bl.: Pirkheimer, Melanchthon u. Kurfürst Friedrich. 4. Matte Drucke und aufgezogen.

1349. ——————— 14 Bl.: Einige Originalholzschnitte und Copien nach Kupferstichen des Meisters.

1350. **Falckeisen, T.** Tod des Generals Wolff. Nach West. gr. qu. fol. Grau und rissig.

1351. **Fennitzer, G. u. M.** 5 verschiedene Portraits, meist aus der frühern Zeit der Schwarzkunst. fol.

1352. **Freihof, J. J.** Louise von Anhalt-Dessau. Nach Angelika Kauffmann. Schwarzkunst. fol.

1353. —— ———— Abt Chr. Fr. Tchewe. Nach H. Seuffert. Schwarzkunst. fol. Mit Nadelschrift.

1354. **Frey, J.** Clémentine, Königin von England. gr. fol.

1355. **Gericke, J. E.** Geh. Räthin v. Arnim. Ganze Figur. Nach Rosina Lisiewska. gr. fol.

1356. **Grimm, L. E.** Das Bauermädchen mit den Pflanzen. Radirt. S.

1357. **Grimm, S.,** Maler. Erzherzog Sigismund Franz. 4.

1358. **Haas, Georg.** Friedrich, Kronprinz von Dänemark. Revue bei Friedrichsberg. Nach C. A. Lorenzen. gr. qu. fol. Ohne Rand.

1359. **Haid, J. E. u. J. J.** 10 Bl. diverse Portraits. Schwarzkunst. fol. und 4.

1360. **Hainzelmann, Elias.** August, Herzog zu Sachsen, Administrator. Brustbild in Lebensgrösse. Nach C. Schäffer. gr. fol.

1361. **Häublin, N.** Bernhard, Herzog zu Sachsen. Nach M. Merian. fol. Ausgebessert.

7*

1362. **Heckenauer, L.** Georg Gabriel Paumgartner. Nach P. Keyll. fol.

1363. **Heine, J.** Johann Gottfried Schadow. Ganze Figur. Nach Buchhorn lithogr. gr. fol.

1364. **J. ab Heyden.** 6 Bl. diverse Portraits. 8. u. 4. Dabei Sebastian Brandt.

1365. **Hollar, W.** A. Dürer, der Vater. Nach A. Dürer. fol. Parthey 1389. Guter Abdruck, aber beschnitten.

1366ᴬ. ————— Der Wasserspeier Manfre. 4. Parthey 1464. Sehr selten. Der Abdruck stellenweise grau.

1366ᴮ. ————— Brustbild eines jungen unbärtigen Mannes. Nach Holbein. 4. Parthey 1543.

1367. **Isselburg, P.** Heinrich VIII. von England. 4.

1368. ————— Herzog Johann Casimir von Sachsen. fol.

1369. **Jacobé, J.** Prinz Friedrich von Hohenlohe. Schwarzkunst. fol.

1370. **Jenichen, P.** Kaspar Schwenckfeld. Geätzt. 8. Fehlt Bartsch.

1371. **F. Keller, Steifensand etc.** 28 Bl. Heilige. Nach Fiesole, Overbeck u. A., herausgeg. von dem Düsseldorfer Verein zur Verbreitung religiöser Bilder. S. u. kl. 8.

1372. **E. Kieser.** Katafalk des Prinzen Heinrich Friedrich von Wales. fol. Rissig und aufgezogen.

1373. **Kilian, D. Custos,** Stiefvater von L. und W. Kilian. 3 diverse Portraits. fol., qu. fol. u. 4.

1374ᴬ. **Kilian, Lucas.** 15 Bl. diverse Portraits; dabei Gustav Adolph und dessen Gemahlin in ³/₄ Lebensgrösse. Der Schreibmeister, nach F. Hals, und 1 Bl. vor aller Schrift.

1374ᴮ. ————— 2 Bl.: Fürst Gabriel Bethlen. In I. und II. Abdruck vor und mit der Mütze etc. 4.

1375. ————— **Wolfgang.** 12 Bl. diverse Portraits. fol., 4. u. 8.

1376. ————— **Philipp.** 17 Bl. diverse Portraits in verschiedenem Format.

1377. ————— **Bartolome.** 17 Bl. diverse Portr. Ebenso.

1378. ————— **P. A., Jeremias** u. **Georg.** 7 Bl. Ebenso.

1379. **Klein, J. A.** 2 Bl.: Husaren u. Dragoner. Aquatinta. 8.

1380. **Krüger, J. C.** Portrait von W. J. H. und Joachim v. Möllendorf. 8. Nebst einem Autograph.

1381. **Küssel, Matth.** und **Melch.** 2 Bl.: Auguste Maria, Markgräfin von Baden, und Henriette Adelaide, Pfalzgräfin bei Rhein. fol.

1382. **Langer. J. P. v.** 13 Bl.: Christus und die Apostel. Nach Raphael radirt. fol.

1383. **Leonart, J. F.** 2 Bl.: J. L. Beil und J. Helwig. Letzteres nach O. Elligen in Schwarzkunst. fol.

1384. **Lorch, Melch.** 4 Bl.: Turkische Kaiser u Paschas. fol.

1385. **Michelis.** Prinzessin Amalie Auguste von Anhalt-Dessau. Nach Tischbein. Schwarzkunst. gr. fol. Brüchig.

1386. **Müller, J. G. v.** A. M. Frhr. von Dalberg. Nach F. Tischbein. fol.

1387. — — — M. Mendelssohn. Nach J. C. Frisch. fol. Vor der Adresse.

1388. — — — Loder. Nach F. Tischbein. Bis zum Plattenrand beschnitten.

1389. — — — A. G. Spangenberg. Nach A. Graff. fol. Ebenso.

1390. **Müller, Friedr.** J. P. Hebel. 4.

1391. **Oleseziusky.** Kosciusko. 4. Chin. Papier.

1392. **Multz, P.** 21 Bl. Nürnberger Portraits. Seltene Blätter aus früherer Zeit der Schwarzkunst. gr. 4. u. 4. Zum Theil vor der Schrift.

1393. **Parricin, J. B.** Portrait und Katafalk des Herzogs Christian zu Sachsen. Mit Beiwerk. Nach J. D. Gleckner. gr. fol. Gebrochen und faltig.

1394. **Penez, Georg.** „Ihr habt mich bekleidet." (Aus den 7 Werken der Barmherzigkeit.) In Rund. Beschnitten u. aufgezogen. Schöner Abdruck.

1395. — — — Bezeichnet 1543. Kurfürst Johann Friedrich von Sachsen. Bartsch 126. Guter Abdruck. Scharf beschnitten, etwas fleckig und aufgezogen.

1396. **Pfeffel, J. A.** 2 Bl.: Carl, Herzog von Lothringen und Carl Maximilian Joseph, Herzog von Baiern. Nach G. de Marrés. Schwarzkunst. fol. Eingerissen.

1397. **Piehler, J. P.** Portrait des Charles Whirworth. Nach J. B. Larysi. Schwarzkunst. fol. Grauer Druck und wasserfleckig.

1398. **Popp, H.** Portrait d. Weinhändlers Georg Popp. Seltenes Blatt aus früherer Zeit der Schwarzkunst. 4. Scharf beschnitten.

1399. **Preisler, Val. Dan.** Bildniss einer Niederländerin. Nach Rembrandt. Schwarzkunst in bläulichem Druck. fol. Beschnitten.

1400. **Preisler, G. M.** Anna Cath. von Scheidlin. Nach
Kupetzky. gr. fol.
1401. **Rosbach.** Bāronin von Gersdorf, geb. v. Friesen. fol.
1402. **Ridinger, J. E.** 17 Bl.: Die Folge fürstlicher Personen zu Pferde, nebst Carl, Fürst v. Löwenstein-Wertheim.
(Thienemann No. 819—835.) fol. Seltene, alte gute
Abdrücke.
1403. **Rugendas, G. P.** Friedrich August von Sachsen, König von Polen, zu Pferd. Schwarzkunst. Ohne Contoure.
fol. Selten. Aufgezogen.
1404. ——— König Karl XII. zu Pferd in der Schlacht.
Schwarzkunst. gr. fol.
1405. **Sadeler, Joh.** Herdesianus, 4.
1406. ——— 15 Bl.: Christus, Maria und die Apostel.
kl. 8. Aufgezogen.
1407ᴬ. **Sadeler, Egid.** 10 Bl. diverse Portraits, dabei die
persischen Gesandten. fol. u. 4.
1407ᴮ. ——— 12 Bl.: Die ersten zwölf römischen Kaiser.
Nach Tizian. Abgeschnitten und aufgezogen.
1408. ——— Die Dame mit dem Negerknaben, gen. die
Herzogin von Ferrara, auch die schöne Slavonierin. Nach
Tizian. fol. II. Abdruck. Beschnitten.
1409. **Scharff, Andr.** 2 Bl.: J. J. Rietger zu Horst und O.
F. von Gröben. Aus früherer Zeit der Schwarzkunst. 8.
1410. **Sandrart, Jac.** Herzog Ernst der Fromme v. Sachsen.
Brustbild in ²/₃ Lebensgrösse. gr. fol.
1411. ——— Herzog Friedrich Wilhelm zu Sachsen. gr.
fol. Brüchig.
1412. ——— Christine von Schweden. Kniestück. Nach
Bourdon. 4.
1413. ——— Herzog Ernst der Fromme. Nach R. Weh-
renfels. fol.
1414. ——— Graf H. W. von Stahremberg. Nach G. C.
Eimart. fol.
1415. ——— Königin Hedwig Eleonore v. Schweden. fol.
1416. **Schleuen, J. F.** 2 Bl.: Gustav Adolph, Graf von Got-
ter und seine Geliebte als Schäfer. fol. I. u. II. Abdruck
vor und mit dem Namen des Dargestellten. Ersterer beschnitten.
1417. **Schmied, A.** Jean Calas. Schwarzkunst. fol.
1418. **Schlotterbeck.** Garve. Nach A. Graff. fol.
1419. **Schmutzer, J.** Madame Bodin, die Tänzerin. fol.

1420. **Schmutzer, J.** 2 Bl.: Don Emanuel Desvalls, Général-Major. 4. Nebst der Copie.

1421. **Schulze, C. G.** Prince Beloselsky. Fast ganze Figur. gr. fol. Faltig.

1422. ———— J. G. Pahlitsch. Nach A. Graff. fol:

1423. **Seiller, J. G.** Joh. Christ. Seyler. Schwarzkunst. 8.

1424. **Seupel, J. A.** 4. Bl. diverse Portraits. gr. fol. u. fol.

1425. **Siedentopf.** Prinz von Preussen. Nach Vogel's Lichtbild. Chin. Papier. fol.

1426. **Sintzenich, H.** 2 Bl.: Friedrich Wilhelm II., König v. Preussen. Nach Schröder. Punktirt. Brüchig. Nebst einem Autograph.

1427. ———— 4 Bl. diverse Portraits zum Theil in Schwarzkunst.

1428. **Solis, Virg.** 22 Bl.: Die Apostel. Holzschnitte. 8.

1429. **Spath, F. J.** Karl Albert, Kurfürst von Bayern. Nach J. Vivien. Bis zum Stichrand beschnitten.

1130. **Stadler, F. v.** Beatrice Cenci. Nach Guido Reni, Copie nach Garavaglia. 4.

1431. **Stöltzel, C. F.** Hans Hubrig, der 110jährige Alte. Brüchig und beschnitten.

1432. **Tischler, A.** Kaiser Joseph II. Brustbild in Lebensgr. Nach P. Lion. gr. fol. Brüchig.

1433. **Tyroff.** Ferdinand, Herzog von Braunschweig, preuss. Feldmarschall. fol.

1440. **Von Unbekannten.** Franz I. Holzschnitt in Burgkmair's Manier. fol.

1441. ———— Karl Eduard, der Prätendent. Schwarzk. fol.

1442. ———— Johann Georg, Kurfürst von Sachsen. Wahrscheinlich von Hollar. fol.

1443. ———— Gustav Adolph, Graf de la Gardie. Aus früherer Zeit der Schwarzkunst. Mit Rissen.

1444. ———— Axelsson Oxenstierna. 4.

1445. ———— Gustav Adolph, todt unter einem Zelt. In Kilian's Manier. gr. fol.

1446. **Vogel, Bernh.** 3 Bl. diverse Köpfe. Nach Kupetzky. Schwarzkunst. fol.

1447. **Weinecke, E.** v. Bismark-Schönhausen. Nach M. Berend. Lithographie. Chin. Papier. gr. fol.

1448. **Weise, G. W.** 3 Bl.: Fürstinnen v. Hessen etc. Nach J. H. Tischbein.

1449. **Wolfgang, J. G.** August Hermann Francke. Nach A. Pesne. fol.

1450. ———— Heinrich II., Fürst v. Reuss-Plauen. In ganzer Figur, mit Beiwerken. Nach Fehling. gr. fol.

1451. **Wortmann, C. A.** Friedrich August der Starke, König von Polen. Kniestück. Nach Sylvestre. gr. fol. Etwas fleckig.

1452. **Wrenk, F.** 2 Bl. Joh. Hunczovsky und die Gräfin Wielhorska. Nach Füger und Grassi. Schwarzkunst. fol.

## 2. NIEDERLÄNDISCHE SCHULE.

1453. **W. Akersloot.** König Philipp IV. v. Spanien. 4.

1454. **H. Bary.** M. de Ruyter. Nach F. Bol. fol. II. guter Abdruck, mit der Adresse von C. Allart.

1455. ———— 2 Bl. Leo ab Aitzema und M. Simon. Nach J. de Bane und M. Sorg. fol. Matt.

1456. **A. Bloteling.** Egbert Mesz Kortenaer. Nach P. v. d. Helst. Capitalblatt in gutem Abdruck. gr. fol.

1457. ———— A. van Nes, Admiral. Nach L. de Jong. fol. Scharf beschnitten und brüchig.

1458. ———— Lord Montague. Nach P. Lely. Schöner Abdruck, aber über den Plattenrand beschnitten.

1459. ———— Maria Beatrix, Herzogin von York. Nach P. Lely. Schwarzkunst, wie die Folgenden. fol.

1460. ———— Königin Katharina v. England. Nach P. Lely. f.

1461. ———— Prinz Wilhelm Heinrich v. Oranien. Mit ausgebessertem Risse. fol.

1462. ———— 4 Bl. diverse Portraits. Rissig u. beschnitten.

1463. **S. a Bolswert u. A.** 12 Bl. Philosophen. Nach antiken Büsten und Rubens' Zeichnungen. Meist alte Abdrücke. 2 Bl. scharf beschnitten.

1464. **H. Collaert.** Don Carlos. 4. Beschnitten.

1465. **Adr. Collaert.** 24 Bl. Die weiblichen Heiligen und Eremiten, mit dem Titel Solitudo etc. Schöne Abdrücke.

1466. **Conradus.** Christophorus Love, Prediger, in London enthauptet. Brüchig und verschnitten.

1467. **C. van Dalen jun.** Johann Moritz, Fürst von Nassau. Kniestück in Oval, mit reichem Beiwerk. Nach G. Flinck. gr. fol. Fleckig und unterlegt.

1468. ———— Tod des Prinzen Friedrich Heinrich von Oranien. 1647. Mit 15 Portraits. In ganzer Figur Nach A. van der Velle. Die Rückseite bedruckt. qu. fol.

1469. **C. van Dalen jun.** Prinz Enno Ludwig v. Ostfriesland, 10 Jahre alt. Nach C. V. Queboren. 4.

1470. ——————— Esaias du Pré, Prediger. Nach Baudringhien. fol. Ueber den Plattenrand beschnitten.

1471. ——————— Johannes Cloppenburch, Prediger. Nach C. ten Houte. fol. Etwas fleckig.

1472. ——————— Renatus Descartes, Philosoph. fol. Mit der Adresse von H. Allerdt. Bis zum Stichrand beschnitten.

1473. ——————— Johann Moritz, Prinz von Nassau, und dessen Wappen, mit Inschrifttafel. Nach G. Flinck. qu. 4. Aufgezogen und scharf beschnitten.

1474. **Danekert Danckerts.** Bernhard Ignatius Graf v. Martinitz. Nach C. Screta. 4.

1475ᴬ. **A. Wilh. Delff.** Heinrich Graf v. Berg. ½ L.-Gr. Nach M. Miereveldt. fol. Ueber den Plattenrand beschnitten.

1475ᴮ. ——————— Hugo Grotius. Nach M. Miereveldt. kl. f.

1476. ——————— Heinrich Matthäus Baron v. Vallesassina. Nach demselben. fol.

1477. ——————— Graf Ernst v. Mansfeld. Nach demselben. fol.

1478. ——————— Wilh. Ludwig, Graf v. Nassau. Nach demselben. Ebenso.

1479. ——————— 3 Bl. Amalia, Gräfin v. Nassau, Ludovica de Coligny von Nassau und Kurfürst Johann Georg v. Sachsen. fol. Beschnitten etc.

1480. ——————— J. Wtenbogard. Nach M. Miereveldt. fol.

1481. ——————— Nach P. Morelse. kl. fol.

1482. ——————— J. Battenfeldt. 4.

1483. **Gérard Edelinck.** Antoine Arnauld. Nach J. P. Champagne. fol. I. Abdruck. Rob.-Dum. No. 140.

1484. ——————— Robert Arnauld. Nach demselben. fol. R.-D. 142. III. Abdruck.

1485. ——————— Pierre Vincent Bertin. Nach N. de Largillière und C. Coypel. R.-D. 149. IV. Abdruck. Ohne Plattenrand.

1486. ——————— Nathanael Dilgerus. fol. R.-D. 185. Ein Hauptblatt.

1487. ——————— C. Gottwaldt. Nach A. Stech. R.-D. 217. Bis an den Stichrand beschnitten.

1488. **Gérard Edelinck.** Madame Helyot. Nach J. Galliot. fol. Guter IV. Abdruck. R.-D. 223.

1489. ——————, Guillaume, de Lamoignon. Nach R. Nanteuil. fol. R.-D. 233. Beschnitten.

1490. —————— Madeleine de Lamoignon. Nach de Seve. fol. R.-D. 234. Schöner I. Abdruck.

1491. —————— Michel Le Tellier. Nach F. Vouet; - fol. R.-D. 244. Seltner III. Abdruck.

1492. —————— Louis XIV. 8. R.-D. 248. IV. Abdruck.

1493. ——————L. Moreri. Nach F. de Troy. fol. R.-D. 280.

1494. —————— Mouton, der Lautenspieler. Nach F. de Troy. fol. R.-D. 281. Guter u. seltner II. Abdruck.

1495. —————— J. C. Parent. Nach J. Tortebat. fol. R.-D. 287. IV. Abdruck. Der Vorname des Künstlers ausradirt.

1496. —————— Poisson, Schauspieler. In ganzer Figur. Nach J. Netscher. gr. fol. R.-D. 299. Guter IV. Abdruck. Etwas fleckig.

1497. —————— Roger de Rabutin. Nach Le Febure. fol. R.-D. 162. Knapp beschnitten und aufgezogen.

1498. —————— D. Schrader. Nach A. Stech. fol. R.-D. 317. Ebenso.

1499. —————— Jacob Prinz v. Wales. Nach F. de Troyes. fol. R.-D. 211. Eingerissen.

1500. —————— 57 Bl. diverse Portraits aus: Perrault, les hommes illustres qui ont paru en France, von Edelinck, van Schuppen u. A.

1501. **N. Edelinck.** Herzog Philipp v. Orleans zu Pferd. Nach J. Ranc. gr. fol. Fleckig.

1502. —————— A. H. Delamotte. Nach demselben. 4.

1503. **Fruyters.** Bischof M. A. Capello. Kniestück. Radirt. fol. Beschädigt.

1504. **C. Galle.** Kaiser Leopold. fol.

1505. **Phil. Galle.** Statue des Herzogs Alba. Nach Jongeling. fol. Beschnitten.

1506. **J. Gole, Bouttats, Helweg, P. v. Gunst** u. A. 42 Bl. Portraits von Fürsten. Nach Verschiedenen. Aus dem Theatrum principum hujus temporis, in Visscher's Verlag. 1 Bl. doppelt.

1507. —————— 7 Bl. Portraits, dabei Dr. B. Becker und die Duchesse de la Vallière. Schwarzkunst. gr. fol., fol. u. 4.

1508. **H. Goltzius.** J. Zurenus, Nach Heemskerk. B. 159. 4.

1509. ——— 2 Bl. Portrait v. G. A. Brederode. 8. Fehlt Bartsch und Weigel. Sehr selten. Nebst einer Copie von der Gegenseite.

1510. ——— 14 Bl. Christus und die Apostel. 8. B. 43 —56. Zum Theil fleckig und knapp beschnitten.

1511. **A. Goudtsbloem.** M. H. Tromp, Admiral. Nach J. Livens. Später Abdruck, mit C. Allard's Adresse.

1512. **P. van Gunst.** Der Herzog von Marlborough. Kniestück. Nach A. v. d. Werff. gr. fol.

1513. ——— 5 Bl. diverse Portraits, dabei Balthasar Becker. Nach Verschiedenen. fol.

1514. ——— u. A. 67 Bl. englische Portraits. Nach A. v. d. Werff zu Larrey Magna Britannia, histoire d'Angleterre. Rotterdam. fol. 2 Bl. doppelt.

1515. **A. Haelwegh.** 2 Bl. König Friedrich III. und Prinz Christian v. Dänemark. Nach A. Wurters. fol.

1516. ——— Gotofredus Kilian, Pastor. 4. (Fehlt Rumohr.)

1517. ——— König Karl II. von England. Nach P. Nason. fol. Zweifelhaft.

1518. **P. Holsteyn.** J. van der Burch. Nach Gerhard Terbourg. fol.

1519. **W. Hondius.** P. Hein, Admiral. Nach J. Dame. fol.

1520. ——— Cornelius Longk, Admiral. Nach J. Mytens. fol. Aufgezogen.

1521. ——— Basilius, Fürst der Moldau. Nach A. von Westerveldt. fol. Knapp beschnitten.

1522. ——— Herzog Albrecht v. Waldstein. fol. Zweifelhaft.

1523. ——— H. Nicolai. Nach Andreas Gertner. fol.

1524. **R. de Hooge.** 2 Bl. Prinz Wilhelm Heinrich von Oranien zu Pferd, und derselbe bei seinem Einzuge in London, mit historisch-allegorischer Umgebung. gr. qu. fol.

1525ᴬ. **Jan Houbraken.** 5 Bl. diverse Portraits. Nach Quincart u. A. fol.

1525ᴮ. ——— Daniel Barbaro. Nach Paul Veronese, aus der Dresdner Gallerie. fol.

1526ᴬ. ——— 7 Bl. englische Portraits, nach Kneller u. A., zu Knapton, collection des hommes illustres. fol. Davon 5 Bl. in äusserst seltenen Probedrücken, vor aller Schrift.

1526ᴮ. ——— 44 holländische Portraits, nach A. Schou-

8

mans, H. Pothoven u. A., zu Wagenaar, Geschichte
der Niederlande. Verlag von Is. Tirion. 8.

1527ᴬ. **Th. van Kessel.** Karl V. Nach Tizian. 4.

1527ᴮ. **J. Livens.** Daniel Heinsius. Rad. fol. Bartsch 57.
I. Abdruck, mit der Adresse von M. van den Enden. Knapp
beschnitten und der Rand aufgezogen.

1528. **A. Matham.** Prinz Christian v. Dänemark. Nach P. Isaac.
4. Braun.

1529. **J. v. Mullen.** Nicolas de Harlay. fol. Aufgezogen.

1530. **J. v. Meurs.** Joh. Christ. Königsmark. fol.

1531. **Crispin de Passe.** 7 Bl. aus der Folge der Helden
des Alterthums. fol.

1532. ————— 78 Bl. Folge der klugen und thörichten Jung-
frauen. Nach M. de Vos.

1533. ————— 7 Bl. Fürsten von Nassau etc. Rund. kl. 4.

1534. ————— Brederode. Halbfigur. fol. Zweifelhaft.

1535. ————— Spinola zu Pferd, mit Begleitung. fol. Zweifelhaft.

1536. ————— Kaufmann Jan van Wely und seine Mörder.
Fliegendes Blatt mit deutschen Versen. qu. fol.

1537. ————— 2 Bl. Rudolph I. und Graf Bucquoy. 8.
Letzteres verschnitten.

1538. **J. C. Philips.** Hochzeitsmahl der Zwerge bei Peter
dem Grossen. qu. fol.

1539. **N. Pitau.** Graf Otto Stenbock. fol.

1540. **Paul Pontius u. A.** sc. 40 Bl. Portraits der Gesandten
des Westphälischen Friedens. Nach A. v. Hulle, aus dem
Werk „Pacificatores orbis christiani etc." fol.

1541. ————— Elisabeth, Königin v. Spanien. Nach Rubens.
(v. Szw. v. Dyck's Iconograph. 184ᵃ.) fol. Knapp beschnitten.

1542. **Ch. van Queboren.** Graf Moritz von Nassau. Etwas
fleckig.

1543. ————— Herzog Alba. Aus einem Buche. fol.

1544. **Rembrandt.** Rembrandt's Mutter, sitzend. 4. Bartsch
343. Alter Abdruck, bevor die Platte in Oval geschnitten
worden ist. Knapp beschnitten und fleckig.

1545. ————— Der Advokat Dolling. 4. Bartsch 264. Copie.

1546. **N. Ryckman.** 14 Bl. Christus und die Apostel. Nach
Rubens. 4. Aufgezogen.

1547. **A. Santvoort.** J. Hornbeck. Radirt. 4. Beschnitten
und aufgezogen.

1548. **P. Schenk.** 33 Bl. diverse holländische, englische und andere Portraits. Nach Verschiedenen. Schwarzkunst. fol. und 4.

1549. **Schoonebeek.** Leopold I. zu Pferd. Schwarzkunst. fol. Selten.

1550. **P. van Schuppen.** Bischof Franciscus Villanus. Nach L. François. fol. Mit Ausbesserungen und aufgezogen. (v. Szw. 185.)

1551. —————— Marie Angelique Arnauld, Aebtissin. Nach Ph. de Champagne. Schönes Hauptblatt.

1552. —————— Bischof Gisbert de la Marche. Nach P. P. Rubens. 4.

1553. —————— Hedwig Eleonore, Königin v. Schweden. Büste mit allegorischem Beiwerk. Nach D. Klöcker. fol.

1554. **C. van Sichem.** 2 Bl. Obersthofmeister v. Schwarzenberg und jugendlicher Kopf. Nach H. Goltzius und J. Matham. Holzschnitte. fol.

1555. **L. Suavius.** 10 Bl. Christus, Apostel und Sybillen. qu. 8. Zum Theil verschnitten.

1556. **J. Suyderhoef.** Die Bürgermeister von Amsterdam. Nach Th. de Keyser. qu. fol. Grau und verschnitten.

1557. —————— J. Holebekius. fol. Guter Abdruck, mit Joos' Adresse.

1558. —————— A. Heereboord. Nach Dubordier. fol. I. Abdruck, ohne Adresse.

1559. —————— A. Beckerts. Nach J. de Vos. fol. I. Abdruck, mit der Adresse von Banheyningh.

1560. —————— Andr. Rivetus. Nach Dubordier. fol. Guter III. Abdruck, mit der Adresse von H. Allerdt.

1561. —————— Fr. Spanhemius. Nach Dubordier. fol. II. Abdruck, mit der Adresse von H. Allerdt. Fleckig.

1562. —————— 2 Bl. J. Polyander a Kerkhoven und L. de Dieu. Nach Baudrigeen und Dubordier. fol. I. Abdruck, aber beschädigt.

1563. —————— Gisbert Voetius. Nach Anna Maria a Schurmann. II. Abdruck. Fleckig.

1564. —————— Joh. de Mey. Nach C. Eveesdyk. 4.

1565. —————— Wickenburg. Nach F. Hals. fol. II. Abdruck. Fleckig.

1566. —————— , **van Sompelen u. A.** 13 Bl. Die deutschen Kaiser. Nach P. Soutman. gr. fol. II. gute Abdrücke, mit der Adresse von de Witt.

**1567. J. Suyderhoef, van Sompelen u. A.** 12 Bl. Portraits der Fürsten v. Nassau-Oranien. Nach Soutman. fol. Spätere Abdrücke; die Platten in Oval geschnitten und mit einem Passe-partout versehen; sämmtlich mit der Adresse von Schoonebeek in Amsterdam.

**1568. P. Tanjé.** Fagelius. Nach G. J. Xavery. fol.

**1569. Unbekannte.** General Fairfax. Brustbild in Oval, mit Beiwerken.

**1570. Gisb. Veenius.** Erzherzog Ernst von Oesterreich. fol.

**1571. Wallerant Vaillant.** 3 Bl. Genrebilder. Schwarzkunst. fol.

**1572. G. Valck.** Gerardus Noodt. fol.

**1573. ———** Volkart Schram, Admiral. fol.

**1574. J. v. d. Velde.** Jacob Zaffius. Nach Frz. Hals. fol. I. Abdruck, mit der Adresse von Proost.

**1575. C. Visscher.** Hondelius. fol. Später Abdruck. Fleckig.

**1576. ———** Gassendus. 4. Beschnitten.

**1577. C. J. Visscher.** Friedrich V., König von Böhmen, und Elisabeth, mit ihren Kindern, in ganzen Figuren in reichstem Costüm. (The palatine family.) Im Hintergrund die Ansicht von Heidelberg. qu. fol. Aeusserst seltnes und kostbares Blatt. Braun und aufgezogen.

**1578. J. de Visscher.** Abraham v. d. Hulst, Admiral. gr. fol. Guter Abdruck. Aufgezogen.

**1579. L. Vorsterman.** Connétable Charles de Bourbon. Nach Tizian. fol. Der Schriftrand abgeschnitten.

**1580. ———** Bischof J. Cramuel v. Lobkowitz. fol. Etwas fleckig.

**1581. J. Wiercx.** Friedrich Otho. fol.

**1582. ———** Helionora Borbonia, Prinzessin von Oranien, in reichstem Costüm. 4. II. Abdruck, ohne den Namen des Künstlers und mit der Adresse von P. de Jode.

**1583. A. Wiercx.** Charles duc de Croy. 8.

**1584. A. v. Zylveld.** Balthasar Becker. 4.

### 3. ITALIENISCHE SCHULE.

**1585. P. Anderloni.** 7 Bl. antike Büsten, nach Longhi; Friedrich d. Grosse und J. Locke, gest. von Anderloni, Caporali, Bisi u. A. 4.

**1586. F. Bartolozzi.** Cupid making his bow. Nach Cor-

reggio. Roth punktirt. fol. Bis an den Stichrand beschnitten.

1587. **Steffano della Bella.** Titelblatt zu Oeuvres de Scarron.
Radirt. 4.

1588. **G. Bonaini.** La Fornarina. Nach Rafael. kl. 4.

1589. **J. A. Salvador Carmona.** Don Carlos Antonio de
Borbon zu Pferd. Nach C. de Arze. fol.

1590. **J. P. Cipriani.** 2 Bl. John Milton als Kind und Jüngling. Nach C. Johnson. Geätzt. fol.

1591. **Giovanni Folo.** Pius VII. Nach V. Camuccini. Medaillon. kl. 4.

1592. **V. Giaconi.** Ludwig Manin, Doge von Venedig. Nach
P. Castelli. gr. fol.

1593. **Gius. Longhi.** Der Greis mit weissem Bart, genannt
der Weisse. Nach Rembrandt. Radirt. Oval. fol.

1594. ————— Das alte Weib. Radirt. kl. 4.

1595. **Nic. Mellini.** Madonna Laura. Nach S. Memmi. fol.
Brüchig.

1596. **C. Mogalli.** Karl V., zu Pferd. Nach Tizian und
van Dyck.

1597. **Gius. Morghen.** 4 Bl. die neapolitanische Königsfamilie.
Nach E. Montini. 4.

1598. **Raph. Morghen.** Der Tanz der Jahreszeiten. Nach
N. Poussin. gr. qu. fol. Guter Abdruck, aber fleckig
und über den Plattenrand beschnitten.

1599. ————— Franciscus de Moncada zu Pferd, genannt
der Cavalier. Nach A. van Dyck. Hauptblatt in ziemlich gutem Abdruck.

1600. **Meister F. P.** 16 Bl. Christus und die Apostel. Nach
Parmeggiano. Radirt. 8. B. 1—6, 9—13. Dabei
einige Copien.

1601. **Math. Pagani's** Verlag, von einem unbekannten Holz-
schneider. Philipp von Hessen. Brustbild, in $2/3$ Lebensgrösse. Oval, mit reichem Beiwerk. Holzschn. gr. fol.

1602. **M. Pitteri.** 7 Bl. Heilige. 8. Knapp beschnitten.

1603. **Rampoldi u. A.** 16 Bl. aus der Folge der Portraits
berühmter Italiener, von F. Anderloni, Jesi, Caravaglia u. A.
Oval. 4.

1604. **J. Wagner.** Carlo Broschi detto il Farinelli, von allegorischen Figuren umgeben. Nach J. Amiconi. gr. fol.

1605. **A. Testa.** Cardinal Consalvi. 4.

1606. **L. Zucchi.** Friedrich Christian, Prinz von Polen und Sachsen. Nach A. Manyoki. Schwarzkunst. gr. fol.

## 4. FRANZOESISCHE SCHULE.

1607. **Allais** u. A. 4 Bl.: Republikanische Allegorien, Egalité, Liberté u. Vérité. Nach Fragonard. Punktirt. qu. fol.

1608. **St. Aubin.** G. J. de l'Epine. fol.

1609. **J. Audran.** Der französ. Parnass. Nach L. Garnier. roy. fol. Knapp beschnitten und aufgezogen.

1610. **J. J. de Balechou.** F. E. Mezeray. Nach Paillet. 8. Selten.

1611. **P. J. Bardou.** Mrs. Baranius als Clara von Hoheneichen. Ganze Figur. Schwarzkunst. gr. fol. Aufgezogen.

1612. **J. F. Beauvarlet.** Madame la comtesse de Barry. Nach Drouet. fol. Brüchig.

1613. **R. Boivin.** Clemens Marot. 4. Beschnitten.

1614. **M. Boulanger.** Dr. med. Raimundus Vieussens. fol.

1615. **F. Boulanger.** Carl von Schweden als Jüngling in idealem Costüm. Nach Klöcker. fol.

1616. **R. Brichet.** Hossein, pascha d'Otchakoff. Braun punktirt. 4.

1617. **J. Callot.** Louis de Lorraine zu Pferd. qu. fol. Aufgezogen.

1618. **L. J. Cathelin.** Pierre Jeliote. Nach L. Tocqué. fol.

1619. —————— N. Piccini. Nach Robineau. fol.

1620. **J. Chereau.** 2 Bl.: Jacob III. von England. Nach A. S. Belle. fol. Vor und mit der Schrift.

1621. **J. Daullé.** Die Sängerin Favart als Bäuerin. Ganze Figur in einer Landschaft. Nach C. Vanloo. fol.

1622. —————— Mlle. Pelissier. Kniestück nach H. Drouet. fol.

1623. **Demarteau.** J. Fr. de Cotte. Nach Carème. Roth punktirt. fol.

1624. **M. Desbois.** Allegorisches Titelblatt zum Lyceum palatinum. Nach J. Dorigny. Radirt. 4. Rob.-Dum. S. 199.

1625. **C. Desrochers.** Fréderic Auguste, Roi de Pologne, électeur de Saxe. 8.

1626. —————— Louis, Dauphin de France (XV.). 8.

1627. **Pierre Drevet.** Philipp V., König von Spanien. Nach H. Rigaud. gr. fol. Schöner Abdruck.

1628. —————— Adrienne Lecouvreur. Nach C. Coypel. fol. Braun und fleckig.

1629. **Pierre Drevet.** Ludwig, Herzog v. Orleans. Nach dems. fol. Schöner Abdruck.

1630. ———— Philippe de Courcillon, marquis de Dangeau. Nach H. Rigaud. fol.

1631. ———— Boileau. Nach F. de Troy. fol. Schöner Abdruck.

1632. ———— Fr. de Salignac, de la Motte Fénélon, Erzbischof. Nach J. Vivien. fol. Schöner Abdruck.

1633. **G. Duchange.** Fr. J. Fleury, curé. fol.

1634. **Et. Fiquet.** J. de Lafontaine. Nach H. Rigaud. 8.

1635. ———— 2 Bl.: Antoine de Chabannes und Louis Maimbourg. Nach Nivellan und Robert. 8. Ersteres beschnitten.

1636. **J. J. Flipart.** 16 Bl.: Grafen von Holland und berühmte Niederländer. Nach Soutman. 4. Ohne Plattenrand.

1637. **F. Forster.** A. v. Humboldt. Nach Steuben. 4. Fleckig.

1638. **J. François. Ch.** König Stanislaus von Polen. Büste mit reichen allegorischen Figuren. Nach P. Girardet. gr. fol.

1639. **Marie Horthemels.** Philippe duc d'Orléans, régent. Nach E. P. Santerre. fol.

1640. **L. Gaultier.** Heinrich IV. von Frankreich, nebst Gemahlin und Kindern, mit Gefolge in reichem Costüm. Mit der Unterschrift in Versen:
O que ce prince croist, les enfans des Monarques
Qui sont les filz de Dieu ne tardent à venir,
Du Roy son Père il a et les traictz et les marques
Puisse il vn Jour son heur et ses vertus tenir etc.
1602. J. Le Clerc excudit. gr. fol. Aeusserst selten und kostbar. Oben eine Falte.

1641. ———— Ungenanntes Portrait des Philippe de Mornay, Herrn von Plessis Morly, aet. 62. 1611. fol. Sehr selten.

1642. **H. Grevedon.** 10 Bl.: Recueil de quelques portraits d'actrices. Lithographien in gr. fol.

1643. **G. Huret.** 12 Bl.; Les vies et actions mémorables des saintes etc., de l'ordre St. Dominique. kl. fol.

1644. **N. Larmessin, de.** Ludwig XV. Ganze Figur. Nach C. Vanloo. fol. Braun und brüchig.

1645. **Michel Lasne.** Mr. Louis de Marillac, maréchal. fol. Selten, wie die folgenden.

1646. **Mich. Lasne.** Gaspard de Coligny, maréchal, aet. 47. fol. Rissig und beschnitten.

1647. ————— Ungenanntes Portrait des Petrus de Marca. Nach D. du Moustier. fol.

1648. ————— Nicolas Caussin, Jesuit. Nach Baugin. Aus dem Buche und aufgezogen.

1649. **P. Legrand.** Le naufrage de Camoens. Nach Horace Vernet. Aquatinta. gr. qu. fol. Im Rande rissig.

1650. **Jean Lepicić.** Charlotte des Mares, Schauspielerin. fol.

1651. **Jean Le Roux.** Franz I. Nach Tizian. gr. fol.

1652. **J. Lecomte, Joannot frères** etc. 14 verschiedene meist französische Portraits. Nach Deveria. Punktirt. 4.

1653. **Thomas de Leu.** Emanuel, duc de Savoye, prince de Piemont. Nach Quesnel. 8. Selten, wie die Folgenden. Rissig und aufgezogen.

1654. ————— Jeanne Coquesme de Conty. 8.

1655. ————— La princesse de Lorraine. 8. Matt und beschnitten.

1656. **A. de Marcenay.** Henry le Grand. Nach Janet. 8.

1657. ————— Maximilian de Bethune. Nach F. Porbus. 8.

1558. **A. Masson.** Der grosse Kurfürst. fol. Rob.-Dum. 30. Rissig und aufgezogen.

1659. ————— Marie de Lorraine, duchesse de Guise. Nach P. Mignard. fol. Guter Abdruck mit den Kaninchen.

1660. **Claude Mellan.** Raph. Menicucius. 8. A. de Montaiglon, catalogue de Mellan 213, und die Adresse von Odieuvre.

1661. ————— Bebé, archevêque de Narbonne. fol. M. 224.

1662. **Fr. Miger.** Mausolée de M. Maupertuis. Nach Hugez und Monnet. gr. fol. Braun und rissig.

1663. **Moncornet** exc. (J. Frosne sc.) 2 Bl.: Karl II. von England und Karl IV. von Lothringen. 4.

1664. **J. Morin.** Cornelius Janssen, Bischof von Ypern. fol. R.-D. 31.

1665. **J. Petit.** 3 Bl.: Louis XV., Louis XVI. und M. P. de Voyer de Paulmy, chev. d'Argenson. Nach H. Rigaud und Liotard.

1666. ————— 3 Bl.: Maria, Königin von Frankreich, geb. Prinzessin von Polen, Louis Philippe Égalité, und Waldemar de Löwendal. Nach de la Tour u. Liotard. fol.

1667. **R. Nanteuil.** Henri Jules de Bourbon, duc d'Enghien. Nach N. Mignard. fol. R.-D. 90. Guter Abdruck.

1668. ————— Jean Baptiste Budes, comte de Guébriant. R.-D. 104. Ebenso, aber scharf beschnitten und aufgezogen.

1669. ————— Henri d'Orléans, duc de Longueville. Nach Ph. de Champagne. fol. Ebenso.

1670. ————— Mallier de Houssay, Evêque de Troyes. Nach Velut. R.-D. 167. fol. Guter Abdruck.

1671. ————— Harduin de Perefixe de Beaumont. fol. R.-D. 213. Ebenso.

1672. ————— Der Cardinal Mazarin. fol. R.-D. 184. Bis zum Stichrand beschnitten.

1673. ————— Pierre Jeannin. fol. R.-D. 112. Brüchig.

1674. ————— Jean François Sarrasin, fol. R.-D. 220. Bis zum Stichrand beschnitten und aufgezogen.

1675. ————— Petrus Puteanus. 8. R.-D. 87. Guter Abdruck, aber knapp beschnitten und aufgezogen.

1676. **Jean Picart.** Cardinal Baronius 1638. fol. Brüchig.

1677. **N. de Poilly.** Ludwig XIV. Nach N. Mignard. fol. ·Etwas fleckig.

1678. ————— J. B. Morin, Dr. med. fol. Guter Abdruck, aber scharf beschnitten.

1679. ————— Maria Louisa, Königin von Spanien. gr. fol.

1680. **Jean Prot.** Fürst Berthier. Nach Berlier. Punktirt. roy. f. Vor der Schrift, aber brüchig und der Rand ganz rissig.

1681. **A. Radigues.** Helena Stepanowna, princesse de Kourakin. Nach P. Rotari. fol.

1682. **N. Regnesson.** Marie Louise d'Orléans, duchesse de Montpensier. fol. Beschmutzt.

1683. **A. Romanet.** Erzbischof Christophe de Beaumont. Nach A. Duharuel. fol.

1684. **E. Rousselet.** Peter Seguier. fol.

1685. ————— Odoardus Farnesius, Herzog v. Parma. Nach Dumoustier. 4.

1686. ————— Der Guitarrenspieler. Im Hintergrunde die Ansicht von Paris, letztere von Stefano della Bella. Radirt. fol. Selten.

1687. **Schenker.** Louis Odier, Arzt. Nach F. Massot. Punktirt. fol.

S*

1688. **C. Simonneau.** Ludwig XIV. Medaillon von der Minerva gehalten. Nach A. Coypel. 4.

1689. **L. Surugue.** Madame de ** en habit de bal. (Madame de Mouchi, fälschlich zuweilen als Gräfin Pampadour aufgeführt.) Nach C. Coypel. f. Braun.

1690. **A. Tardieu.** George Washington. Medaillon. Nach Houdon. 4. Brüchig.

1691. **J. Tardieu.** Marie princesse de Pologne. Nach J. M. Nattier. Grau.

1692. **H. S. Thomassin.** Louis XIV. f.

1693. ———— 8 Bl. Abbildungen von Fürsten in Medaillons. 4.

1694. **Unbekannt.** Christine von Schweden. In Mellan's Manier. 4.

1695. ———— Christus segnet die Alliance Heinrich's des IV. und der Maria von Medicis. Mit französ. Versen. In Gautier's Manier. f. Sehr selten. Beschädigt u. fleckig.

1696. **N. Vienot.** 2 Bl. Ludwig XIII. und seine Gemahlin. Nach Pellerin. f. Brüchig.

1697. **Vafflard.** 24 Bl. Galérie des militaires français qui à différentes époques se sont distingués par leur courage. Kriegsscenen in Lithographie. qu. f. Paris, G. Engelmann.

1698. **F. Weber.** Dante. Chines. Papier. 4.

## 5. ENGLISCHE SCHULE.

1699. **J. Mac-Ardell.** The Rev$^d$ Stephen Hales. Nach Th. Hudson. Schwarzkunst, wie die Folgenden. f.

1700. ———— Griselda Countess Stanhope. Nach A. Ramsey. f.

1701. ———— M. Quin als Falstaff. f. Verschnitten.

1702. **W. Barnard.** The Earl of Vincent, Admiral. Nach J. Keenan. Schwarzkunst. qu. f.

1703. **F. Bartolozzi.** William Henry, Herzog v. Clarence. In ganzer Figur zu Schiffe. Aquatinta. qu. f. Vor der Schrift, aber beschädigt.

1704. **J. Beckett.** Carl II. In ganzer Figur im Krönungsornat. Nach G. Kneller. Schwarzkunst. f.

1705. ———— The Right H. Colonel Rob. Fielding. f.

1706. **A. de Bloys.** Elionora Gwinne. Nach P. Lely. Schwarzkunst. f. Sehr selten. Brüchig.

1707. **M. Burghers.** John Barefoot, Briefträger in Oxford. Nach G. Crowne. Sehr selten.

1708. **John Burnet.** Chelsea pensioners reading the gazette of the battle of Waterloo. Nach D. Wilkie. qu. roy. f. Ein Hauptblatt. Bis nahe an den Plattenrand beschnitten.

1709. **Compton Holland** excudit. Vielleicht von Elstracke. 2 Bl. Jacob I. von England und dessen Gemahlin Anna. Fast Kniestücke in reichem Costüm. f. Sehr selten.

1710. ――――― 2 Bl. Jacob IV., und Bethlen Gabor. 4. Selten.

1711. **G. Dawe.** And. Mitchell, Admiral. Nach R. Bowyer. Schwarzkunst. gr. f.

1712. **J. Dixon.** Henry duke of Buccleugh mit dem Hunde. Nach Thom. Gainsborough. Schwarkunst. qu. f.

1713. **B. Elstracke.** The most Illustrious Prince Frederick by the grace of God King of Bohemia etc. In ganzer Figur zu Pferde. Mit englischen Versen. f. Aeusserst selten und kostbar.

1714. ――――― Thomas Wolsey, Cardinal. Mit angedruckter lateinischer Schriftplatte. 4.

1715. **J. Faber.** Oliver Cromwell. Nach P. Lely. Schwarzkunst, wie die Folgenden. f.

1716. ――――― Sir Peter Warren, Admiral. Nach Th. Hudson. f.

1717. ――――― 6 Bl. diverse englische Portraits. Nach Verschiedenen. f. Meist lädirt.

1718. **W. Faithorne.** Joh. Ogilvius. Nach P. Lely. f. Knapp beschnitten.

1719. **Valentin Green.** Anne Viscountess Townsend. In ganzer Figur. Nach J. Reynolds. Schwarzkunst. gr. f. Fleckig.

1720. ――――― Admiral Nelson. Nach L. F. Abbott. Schwarzkunst. f. Beschnitten.

1721. **John Hall.** The battle of the Boyne. Nach Benj. West. gr. qu. f. Schöner Abdruck, aber fleckig und der Rand löcherig.

1722. **C. H. Hodges.** Mr. Edwin als Lingo. Nach Allfounder. Schwarzkunst. f.

1723. **J. Jones.** Edw. Vernon, Admiral, in ganzer Figur. Nach H. Singleton. Ebenso. gr. f. Etwas beschädigt.

1724. ――――― Lord Hood, Admiral. Nach J. Reynolds. Ebenso. f. Brüchig.

1725. **J. Lucas.** Donna Maria, Königin von Portugal. Nach Th. Lawrence. Mezzotinto. gr. 4.

1726. **R. Jurcell.** Elizabeth countess of Berkley. Nach Reynolds. Schwarzkunst. f.

1727. **E. Savage.** La famille de Washington. Punktirt. gr. qu. f. Brüchig.

1728. **L. Sebbers.** Count William of Rhedern. Lithographie. f. Ebenso.

1729. **W. Sharp.** Sir Walter Raleigh. Mit allegor. Beiwerk. 4.

1730. ———— Isaac Newton. Ebenso. Nach G. Kneller. 4.

1731. **J. Simon.** 4 Bl. diverse Portraits. Schwarzkunst. f. Braun.

1732. **J. Smith.** Carl III. von Spanien. Nach demselben. Schwarzkunst, wie die Folgenden. f. Die oberen Ecken etwas lädirt.

1733. ———— 2 Bl. Jacob II. und dessen Gemahlin. Nach dems. f. Ebenso.

1734. ———— 2 Bl. Wilhelm III. und dessen Gemahlin. Nach dems. f. Ebenso.

1735. ———— George Prinz von Dänemark. Nach dems. f.

1736. ———— John Churchill, Marquis von Blandford als Kind, in ganzer Figur. Nach dems. f.

1737. ———— John Percival, Baronet of Burton. Nach dems. f.

1738. ———— Lady Elizabeth Cromwell, in ganzer Figur als Diana. Nach dems. f. Knapp beschnitten.

1739. ———— Lord Cowper. Nach dems. f. Rissig und aufgezogen.

1740. ———— Thomas Herbert of Pembroke, Admiral. Nach W. Wissing. f.

1741. ———— Prinz Jacob of Ormond. Nach G. Kneller. f.

1742. ———— John, duke of Marlborough. Nach dems. f. Braun.

1743. ———— John Locke. Nach dems. f. Ebenso.

1744. ———— G. Dolben. Nach dems. f.

1745. ———— Mrs. Carter. Kniestück. Nach dems. f. Knapp beschnitten.

1746. ———— W$^m$. Penkethman, Schauspieler. Nach R. Shmuts. f. Braun.

1747. ———— 4 Bl. diverse englische Portraits. f. Braun.

1748. **J. R. Smith.** Lord Viscount Duncan, Admiral. In ganzer Figur, im Gefecht. Nach H. P. Dauloux. Schwarz-

kunst. qu. f. Mit Nadelschrift. Knapp beschnitten und
brüchig.

1749. **J. R. Smith.** Mrs. O'Neill. Nach W. Peters. Schwarzkunst. Brüchig.

1750. **J. T. Smith.** Sir Thomas Pasley, Admiral. Nach L.
F. Abbott. Punktirt. gr. f.

1751. **T. Taylor** excudit. Peter Lord King. Nach M. Dahl.
Schwarzkunst. f.

1752. **R. Tompson.** Sir W<sup>m</sup>. Bartley, Admiral. Nach P.
Lely. Schwarzkunst. f. Selten, wie das Folgende.
Fleckig.

1753. —————— Titus Oates. Nach Tho. Hauker. f.

1754. **G. Townley.** Hans Joachim von Ziethen, preussischer
General. Nach F. C. Cunningham. Schwarzkunst. f.

1755. —————— General de Paoli. Nach R. Cosway. Punktirt. gr. 8.

1756. **Unbekannt.** Walter Raleigh, Admiral. Brustbild mit
Buch in der Hand. In ältester Manier mit englischen Versen. 8. Selten.

1757. —————— Portrait eines unbekannten englischen Geographen, der von einem Faun gekrönt wird. Mit englischen Versen. 8. Selten.

1758. —————— John Jervis, Earl of Vincent, Admiral. Schwarzkunst. f.

1759. —————— Männliches Portrait, anscheinend Officier.
Ebenso. Probedruck vor aller Schrift. f.

1760. —————— Henricus Sacheverell. Nach D. Gibson.
Schwarzkunst. f.

1761. **G. Vertue.** Königin Anna von England. Nach G. Kuel-
ler. f. Ohne Plattenrand und aufgezogen.

1762. —————— John Milton. f.

1763. —————— Hugo Lakiner. f.

1764. **J. Walker.** 2 Bl. Kaiserin Catharina von Russland,
nach Schebanoff, und Prince Nicolas de Jussupoff, nach
Lampi. Schwarzkunst. f. Brüchig.

1765. **J. Watson.** John Duke of Argyll. Nach D. Gainsborough. Schwarzkunst, wie die Folgenden. gr. f.
Fleckig.

1766. —————— Dona Nicoletta, Mistress to Paul Veronese.
Nach demselben. f.

1767. —————— Unbekanntes weibliches Portrait. Nach R. E.
Pyne. f.

1768. **J. Watson.** Philipp Glover, Esqu. Nach J. Russel. f.
1769. ————— Comte Czernichew. Nach L. Tocqué. Links verschnitten.
1770. **G. White.** Grey Nevil. Nach M. Dahl. Schwarzkunst. f. Sehr fleckig.
1771. **R. White.** Thomas Goodwin. f.
1772. **R. Williams.** Countess of Darby. Nach W. Wissing. Schwarzkunst. f.
1773. ————— Madame Sidley, später Countess of Dorchester. Nach demselben.
1774. **P. Williamsen.** König Carl II. von England. 1661. f. Selten.
1775. **Inigo Young.** W$^m$. Pitt. Nach A. Hickel. Schwarzkunst. f.

## C. Künstler-Bildnisse.*)

### 1) Einzelne Blätter.

1776. Amsler, Sam., Kupferstecher. A. Duncan sc. Stahlstich. 4. Fleckig.
1777. Allegrain, Chr. G., Bildhauer. Duplessis p. J. S. Klauber sc. f. 1. Abdruck. Bloss mit 1 Zeile Schrift.
1778. Anguier, Mich., Bildhauer. Gab. Revel p. Laurent Cars sc. f. Receptionsblatt.
1779. Angusciola, Sofonisba. Se ipsa p. W$^m$. Baillu sc. Schwarzkunst. f.
1780. Apelles. Mit Beiwerk und 4 histor. Scenen. J. J. de Sandrart sc. f. Aus der Akademie.
1781. Auer, Joh. P. Idem sc. f. Braun und faltig.
1782. Aved, Madame, Frau des Malers. Aved p. J. J. Balechou sc. f.
1783. de Bane, Joh. Ipse p. S. Blesendorf sc. f. Etwas fleckig.
1784. Bartolozzi, Fr., Kupferstecher. Punktirt. Farbig gedruckt. 8.
1785. ————— Copie. Ebenso. Braun gedruckt.
1786. ————— S. Joshua Reynolds p. Rob. Marcuard sc. Punktirt. f. Etwas fleckig und ohne Plattenrand.

---

*) Wo nicht besonders bemerkt, Maler. Vergl. übrigens das Verzeichniss von Künstlerportraits in Rud. Weigel's Kunstcatalog, 27. Abth. u. ff. (Siehe auch oben S. 86.)

1787. Becker, J. 8. Aufgezogen.
1788. Begas, C. Weger u. Singer sc. Stahlstich. 4.
1789. Berain, J. Mit Beiwerken. J. Vivien p. Suzanne Sylvestre u. Duflos sc. f.
1790. Berchem, Nic. Gaetan Sarri p. Fiquet sc. 8. Mit
der Adresse von Odieuvre.
1791. Berger, Dan., Kupferstecher. Friedr. Berger sc. 8.
1792. Bergmann, Andr., Goldschmidt. Jac. Bergmann p. G.
Fennizer sc. Schwarzkunst. kl. f. Selten.
1793. Bernigeroth, Mart., Kupferstecher. Sysang sc. f.
1794. Bertin, Pet. Vinc., Kunstfreund. N. de Largillière p.
C. Vermeulen sc. Faltig und beschnitten.
1795. Bertin, Nic. de Lien p. B. Lepicié sc. f.
1796. Biard. Neuer Stahlstich. 4.
1797. Blanchard, J. Se ipse p. G. Edelinck sc. II. Abdruck. f.
1798. Blasset, N., Architekt u. Bildhauer. J. L'Enfant sc. f.
Aufgezogen.
1799. Bloemart, Abr. Se ipse p. II. Snyers sc. Schöner I.
Abdruck. f.
1800. ————— mit reicher Umgebung. P. Morcelsen p.
J. Matham sc. f. B. 185. Schöner Abdruck.
1801. Bol, Ferd. Se ipse p. A. Bartsch sc. Radirt. 4.
B. 68.
1802. Bolt, Friedr., Kupferstecher. Se ipse p. Aug. Hüssener sc. Stahlstich. 4.
1803. Boromini, F., Baumeister. f. Vor aller Schrift. Fleckig.
1804. Bossuit, Fr. van. Medaillon, von Genien gehalten. B.
Graat inv. M. Pool sc. f.
1805. Boucher, F. Demarteau sc. In Zeichnungsmanier. 4.
1806. ————— Mit Beiwerken. Roslin p. M. Salvador
Carmona sc. f.
1807. Brabeck, von, M. Kniestück. A. Graff p. J. G. Huck
sc. Schwarzkunst. f.
1808. Brand, Fr. Aug. Schallhas del. Agricola sc. f.
1809. Brander, G. Fr., Mechaniker. Weingandt p. J. E. Haid
sc. Schwarzkunst. kl. fol.
1810. Breughel, P., d. Ae. Aus Odieuvre's Portraitsammlung. 8.
1811. Bruggen, J. van der, Kupferstecher. N. de Largillière p.
Se ipse sc. Schwarzkunst. fol.
1812. Budberg, Frhr. v., Liebhaber. Balzer del. Rosmäss-
ler sc. S.

1813. Buonarroti, Michel Angelo. Mit Einfassung. G. Ghisi sc. fol. B. 71.

1814. ————— Se ipse p. J. L. Potrelle sc. fol.

1815. ————— Se ipse p. Giac. Lepri sc. fol.

1816. ————— 4. Neuer Stahlstich. Punktirt.

1817. Burgkmair, Joh., und seine Frau. Mit einem Handspiegel. Se ipse p. G. Chr. Kilian sc. 4. Beschnitten u. aufgezogen.

1818. Burgschmiet, Erzgiesser. C. Appold sc. Neuer Stahlstich. 4.

1819. Caimox, Balth., Kunsthändler. Dietrich Krüger sc. kl. fol.

1820. Callot, J. Mit Beiwerken. M. Lasne p. Moncornet exc. 8.

1821. Cammucini, Palette aufsetzend. fol. Vor aller Schrift.

1822. Canova, A., Bildhauer. Jackson p. Lithographie. 4.

1823. ————— T. Lawrence p. J. Posselwhite sc. Neuer Stahlstich. 4.

1824. Carracci, Annib. Se ipse p. P. Ant. Pazzi sc. z. Museo Fiorentino. fol.

1825. ————— ————— Ch. Townley sc. Schwarzkunst. fol.

1826. ————— Anders. F. Bartolozzi sc. Zeichnungsmanier. fol.

1827. Carracci, Lud. G. B. Cecchi sc. Zu Serie degli uomini. 4.

1828. Carl, Joh., Kriegsbaumeister, in ganzer Figur. Luc. Schnizer sc. fol. Beschädigt und aufgezogen.

1829. ————— Halbfigur. J. Sandrart sc. fol.

1830. Carlton, D. Dudley, Dilettant. M. Mierevveldt p. W. Delff sc. 4. Aufgezogen.

1831. Carpser, Peter, Baumeister. Medaillon mit Beiwerken. Stein p. Bernigeroth sc. 4. Braun.

1832. Casanova. A. R. Mengs p. C. F. Boethius sc. Aquatinta. fol.

1833. Cazes, P. J. Mit Beiwerk. A. J. Aved p. J. P. Le Bas sc. Receptionsblatt. fol. Mit kleinem Fleck.

1834. Champagne, Ph. de. Se ipse p. A. Oleszczinsky sc. f.

1835. Chambre, J. de la, Schreibmeister. J. D. Bray p. P. Holsteyn sc. fol. Ohne Plattenrand.

1836. Chardin. Ganze Figur, sitzend, von hinten. Se ipse p. J. J. Flipart sc. fol.

1837. Chauveau, F., M. und Stecher. Le Febure p. L. Cossin sc. fol. I. Abdruck, mit der Jahrzahl und der Adresse von Boudan. Fleckig.

1838. Cheli, Architekt. Vivant Denon sc. Radirung. 16.

1839. Cheron, Elisabeth Sophie, M. u. Kupferst. Bein sc. 8.

1840. Chodowiecki, D. Zingg del. Geyser sc. 8.

1841. Cipriani, G. B., Kupferstecher. Punktirt in Oval. 8.

1842. Cleve, C. van, Bildhauer, in Oval, mit Umgebung. J. Vivien p. J. P. de Poilly sc. 1714. Receptionsblatt. fol.

1843. Coizevox, A., Bildhauer. H. Rigaud p. Matthey sc. Zu Odieuvre. 4.

1844. 3 Bl. Coornhert, Theod., Kupferstecher. C. Cornelis p. J. Müller sc. B. 34. 4. Schöner Abdruck, etwas fleckig. Nebst 2 anderen dergl.

1845. Cornelius, P. v. Biow photogr. Mandel u. Jacobi sc. Aus Biow's deutschen Zeitgenossen. fol.

1846. ――――― Schlotthauer del. Barth sc. 8.

1847. ――――― A. Hüssener sc. Stahlstich. 4.

1848. Corvina, Maddalena. Claude Mellan del. et sc. Oval, 8. Cat. de Montaiglon No. 250.

1849. Cort, Jac., Kupferstecher. Fälschlich bezeichnet Jacobus Callot. Oval. 4.

1850. Cosway, Mrs. Maria. R. Cosway p. L. Schiavonetti sc. Braun punktirt. 4.

1851. Coustou, G., Bildhauer. Le Gros p. Ch. Dupuis sc. Receptionsblatt. Schöner Abdruck. fol.

1852. Coypel, Charles, Maler und Stecher. Se ipse p. J. J. Balechou sc. fol. Ohne Plattenrand.

1853. Coypel, Ant., Maler u. Stecher. Se ipse p. P. A. Pazzi sc. Mus. florent. fol.

1854. ――――― In ganzer Figur an der Staffelei, neben ihm sein Kind. Se ipse p. G. Duchange se. fol.

1855. Crabeth, Dirck u. Wouter, Glasmaler. Se ipse p. H. Bary sc. qu. fol.

1856. Cranach, Luc. Alter unbekannter Holzschnitt. 4.

1857. ――――― Se ipse p. M. Steinla sc. 4.

1858. ――――― Mit den Monogrammen. J. P. Bittheuser sc. Titelbl. 8.

1859. ――――― Se ipse p. J. M. Bernigeroth sc. Richtiger: Luther als Junker Georg. 8.

1860. Cresti, Domenico. Se ipse p. P. A. Pazzi sc. Zum Mus. florent. fol.

1861. Dalen, D. van, d. J., Maler und Stecher. Se ipse p. et sc. (?) Abdruck einer Silberplatte mit verkehrter Schrift. 8.

1862. Daguerre, Photograph. Richter sc. Stahlstich. 4.

9

1863. Dantan, d. J., Bildhauer. Caecilie Brandt lith. **4.**
1864. David v. Angers, Bildhauer. Eadem lith. **4.** Fleckig.
1865. Deisch, Math., Maler und Stecher. Se ipse p. et sc.
Schwarzkunst. fol. Ohne Schrift.
1866. Delaroche, Paul. C. Brandt lith. **4.**
1867. ——————— Devrient lith. **4.** Fleckig.
1868. Desnoyers, Kupferst. Hüssener sc. Neuer Stahlstich. **4.**
1869. Desportes, H. In ganzer Figur bei erlegtem Wild. Se
ipse p. F. Joullain sc. gr. fol. Fleckig.
1870. Dietrich, C. W. E. A. Graff p. A. H. Riedel sc. Radirt. **8.**
1871. Dillis, Wolfgang, Bruder des Malers. Kellerhoven p.
et sc. Radirung, braun gedruckt. **4.**
1872. Dinglinger, J. M., Goldschmidt. Manyoki p. J. G. Bodenehr sc. Schwarzkunst. fol. Grau.
1873. ——————— dessen Frau, geb. Biermann. J. Kupetzky p.
Bernard Vogel sc. Schwarzkunst. fol.
1874. Donat, Joh. Dan. A. F. Oeser p. C. G. Geyser sc.
Radirt. **4.**
1875. Donner, M., Bildhauer, mit Umgebung. P. Troger p.
C. G. Geyser sc. **8.**
1876. Donner, Raph., Bildhauer, mit Umgebung. P. Troger p.
J. Schmutzer sc. **8.**
1877. Dorsch, Christ., Bildhauer. J. D. Preisler p. H. Böll-
mann sc. fol. Brüchig.
1878. Dupuis, P. N. Mignard p. Ant. Masson sc. Rob.-
Dum. 25. fol. Scharf beschnitten, beschädigt und aufgezogen.
1879. Dürer, A., der Vater, Goldschmidt. $^2/_3$ Lebensgrösse.
A. Dürer p. N. Strixner lith. gr. fol. Tondruck.
1880. Dürer, A. Se ipse p. et sc. Holzschnitt v. 1527. Copie. fol.
1881. ——————— Se ipse p. Luc. Kilian sc. fol.
1882. ——————— ——————— J. J. Haid sc. Schwarzkunst.
kl. fol.
1883. ——————— 9 Bl. diverse Portraits, meist Copien. **4.** u. **8.**
1884. Edelinck, G., Kupferstecher. Tortebat p. P. Dupin sc.
Zu Odieuvre's Sammlung. **8.**
1885. Ehret, Gg. Dion. Heckell p. J. J. Haid sc. fol.
Schwarzkunst.
1886. Ellenrieder, Vater der Malerin. Marie Ellenrieder p.
et sc. Radirt. **8.**
1887. Enslen, J. C. F. Baumgarten p. et lith. Chin. Papier. **4.**

1888. Erasmus v. Rotterdam. Hans Holbein p. L. Vorsterman sc. fol.

1889. ———— H. Holbein p. Chr. v. Mechel sc. fol.

1890. ———— 10 Bl. diverse Portraits, Kupferstiche und
Holzschnitte. fol., 4. und 8.

1891. Ermels, Joh. F., Maler und Stecher. Dan. Preisler p.
V. D. Preisler sc. Schwarzkunst. fol. Beschnitten.

1892. Erwin, Sabine, Bildhauerin. M. v. Schwind p. J. C.
Müller sc. S.

1893. Eyb, J. P. von, Modellschneider. 1667. Alter Kupferstich. 8.

1894. Faltz. Reim., Medailleur. D. Richter p. J. W. Heckenauer sc. fol.

1895. Fischer, Joh. Mart., Bildhauer. H. Maurer p. K. Pon-
heimer sc. Schwarzkunst. fol.

1896. Flaxman, John, Bildhauer. J. Jackson p. C. Brandt
lith. 4.

1897. Fleischmann, Kupferstecher. 2 Bl. Se ipse fec. Ohne
Namen. 4. Abdruck ohne Bart und dasselbe mit Bart.

1898. Fleury, Rob. Martersteig del. C. Wolf sc. Stahlstich. 4.

1899. Flüggen, Gisb. A. Weger sc. Stahlstich. 4.

1900. Fosse, Chr. de la. H. Rigaud p. Duchange sc. Receptionsblatt. fol. Schöner Abdruck.

1901. ———— Idem p. D. Sornique sc. Zu Odieuvre. 8.

1902. Franck, Hieron., in Achteck. Se ipse p. Morin sc.
Rob.-Dum. 52.

1903. Freudweiler, H. H. Lips del. M. G. Eichler sc. fol.

1904. Fuchs, G., Goldschmidt, in ganzer Figur. Ohne Künstlernamen. 8.

1905. Füger, H. Fr. Se ipse p. Pfeiffer sc. Braun punktirt. fol.

1906. Füssli, H. H. Pfenninger fec. 8.

1907. Gallait, L. A. Hüssener sc. Stahlstich. 4.

1908. Genelli, Bon. C. Rahl del. C. Gonzenbach sc. 8.

1909. Gérard. C. Brandt lith. 4.

1910. Gessner, Sal. A. Graff p. F. Müller sc. fol.

1911ᴬ. ———— Denon del. St. Aubin sc. 8.

1911ᴮ. Gibbons, M. Grinlin, Bildhauer. G. Kneller p. J. Smith
sc. Schwarzkunst. fol.

1912. Gillot, C., Maler und Stecher, mit Umgebung. Se ipse p.
J. Aubert f. fol.

1913. Gilly, Baumeister, mit Beiwerken. D. Chodewiecki del.
S. Halle sc. 8. Brüchig.

1914. Giorgione, da Castel Franco (Barbarelli). Tizian p. C. v.
Dalen sc. fol. Bis zum Stichrand beschnitten.

1915. Giotto. G. Longhi del. C. Rampoldi sc. 4.

1916. Girardon, Bildhauer, mit Beiwerk. Vivien p. Drevet
sc. gr. fol. Bis zum Stichrand beschnitten u. aufgezogen.

1917. Glume, J. G., Maler und Stecher. Se ipse del. et sc.
Radirt. 4.

1918. ————— mit Hut und Reissfeder. 1748. Ebenso.

1919. ————— von vorn. 1749. Ebenso.

1920. Golling, L. 2 Bl. H. Popp p. Barth. Kilian u. L. Visscher sc. fol.

1921. Goltzius, H., Maler und Stecher, mit reicher Umgebung.
Se ipse p. J. Suyderhoef sc. gr. fol. I. Abdruck,
mit der Adresse von P. Soutman. Im oberen Rande etwas
fleckig.

1922ᴬ. Graff, A. Se ipse p. J. G. Müller sc. fol. Schöner
Abdruck.

1922ᴮ. ————— an der Staffelei, von seiner Familie umgeben. Se ipse p. Ohne Namen des Stechers. Schwarzkunst. gr. fol.

1923. ————— 2 Bl. Se ipse del. et sc. Radirt. 4. und
Kaufmann Basse. Ebenso.

1924. Grandville. A. Duncan sc. Stahlstich. 4.

1925. Grass, A., Bildhauer. J. F. Leonart sc. 8.

1926. Grassi, J. Niedermann p. Gottschick sc. 8.

1927. Gravelot, H., Zeichner u. Stecher. La Tour p. J. Mas-
sard sc. 4.

1928. Greuze, J. Büste. (Se ipse del. J. J. Flipart sc.)
Ohne Künstlernamen. 4.

1929. Grimoux, J. Se ipse p. A. L. Romanet sc. 4. Grau-
fleckig.

1930. Guglielmi, G. Se ipse del. J. El. Haid sc. Schwarzkunst. 4.

1931. Guillain, S., Bildhauer. N. A. Coypel p. P. L. Surugue
sc. Receptionsblatt. fol.

1932. Gurlitt, L. Stahlstich. 4.

1933. Gutthäter, G., Kunstfreund. M. Merian jun. sc. Radirt. 4.

1934. Hackert, Ph. Devrient sc. 4.

1935. Haecken, van der. A. T. Hudson p. J. Faber sc.
Schwarzkunst. fol.

1936. Hallé, N., M. und Kupferst. Ohne Künstlernamen. Paris, chez Bligny. 4.

1937. Hals, Fr., die Zither spielend. Se ipse p. . Faber sc. Schwarzkunst. fol. Im unteren Theile grau.

1938. Harleman, Ritter C., Gartenkünstler, mit Beiwerken. A r e - nius p. J. J. Haid sc. Schwarzkunst. fol.

1939. Hatzmann, Nic. J. A. Büner sc. 1670. 8.

1940. Hauer, J. 2 Bl. Ohne Namen des Stechers, in Büner's Manier. 8. Und desgl. radirt.

1941. Hartmann, F. Se ipse del. et sc. Radirung. 8.

1942. Hedlinger, J. C., Medailleur, mit alleg. Beiwerk. A r e n i u s p. J. J. Haid sc. fol.

1943. Heideloff, C., Baumeister. Weger und Singer sc. Stahlstich. 4.

1944. Heinecken, Ch. H. de, Kunstgelehrter. A. de St. Aubin del. et sc. 4.

1945. Hess, Peter. Weger sc. Stahlstich. 4.

1946. Hevelius, Joh., Astronom u. Kupferstecher. A. Stech p. Lamb. Visscher sc. fol.

1947. Hildebrandt, T. Relief. G. Feckert lith. Tondruck. 4.

1948. ——————— C. Brandt lith. 4.

1949. Hoffmann, B. Manioky p. M. Deisch sc. Schwarzkunst. fol.

1950. Holbein, Hans. Se ipse p. Andr. Stock sc. Mit de Wit's Adresse. fol.

1951. Hollinger, J. C. v., Medailleur. Aus Lavater. Grau. fol.

1952. Holtzschuher, L., Medailleur. (Jo. Fr. Leonart) sc. Schwarzkunst, in Fennitzer's Manier. 4.

1953. Houasse, R. A. Tortebat p. A. Trouvain sc. Receptionsblatt. fol. Mit angelegter Schrift.

1954. Hübner, J. Se ipse del. L. Sichling sc. Stahlstich. 4.

1955. Hutin, Ch. Se ipse del. C. F. Boethius sc. In Kreidemanier. fol.

1956. Jäger, G. Se ipse del. Weger sc. Stahlstich. 4.

1957. Jörger, J., Liebhaber. 2 Bl. J. Sandrart und A. Kohl sc. 4.

1958. Jouvenet, J. Se ipse p. A. Trouvain sc. Receptionsblatt. qu. fol.

1959. Julienne, J. de, Kunstsammler, mit Watteau's Portrait in der Hand. F. de Troy p. J. J. Balechou sc. gr. fol. Guter Abdruck.

1960. Juvenel, P. L. Strauch inv. G. Strauch sc. Radirt. 8.

1961. Iwanowitsch, Kalmuk, Maler u. Stecher. Medaillon, punktirt. 8.
1962. Kauffmann, Aug. Reynolds p. E. Morace sc. fol.
1963. Kauke, Kupferst. Se ipse del. et sc. 8.
1964. Kaulbach, W. Stahlstich. 4.
1965. Kayser, N. de. Se ipse p. A. Weger sc. Stahlstich. 4.
1966. Keller, J. C., Erzgiesser. Bei der Kanone, gen.: „der grosse Keller". H. Rigaud p. P. Drevet sc. gr. fol.
1967. ———— Dessen Frau. Idem p. et sc. fol.
1968. Kilian, Georg. Se ipse p. G. Christ. Kilian sc. Schwarzkunst. fol.
1969. Kilian, G. C. Guglielmi del. Se ipse sc. Schwarzkunst. fol.
1970. Kiss, A., Bildhauer. Weger sc. Stahlstich. 4.
1971. Klenze, L. v., Baumeister. Duncan sc. Stahlstich. 4.
1972. Knaur, H., Bildhauer. Wurster sc. Stahlstich. 4.
1974. Kneller, G., mit alleg. Beiwerk. Se ipse p. J. Faber sc. Schwarzkunst. fol.
1975. Knöffel, J. C., Baumeister. v. d. Schmissen p. A. Tischler sc. gr. fol.
1976. Knorr, W., Kupferstecher, mit Beiwerken. J. E. Ihle p. J. A. Schweikart sc. fol. Schöner Abdruck.
1977. Koekkoek, B. C. Hüssener sc. Stahlstich. 4.
1978. Kruseman, C. Stahlstich. 4.
1979. Kohl, L. Se ipse del., Clem. Kohl sc. 4.
1980. Kupetzky, J., mit seinem Sohn, gen.: das Portrait mit der Brille. Se ipse p. B. Vogel sc. Schwarzkunst. fol. Rechts beschnitten.
1981. ———— Se ipse p. J. G. Saiter sc. 4.
1982. ———— Laute spielend. Se ipse p. Rosbach sc. fol.
1983. Lairesse, G. Se ipse p. Schenk sc. Schwarzkunst. fol. Beschnitten.
1984. ———— Dessen Frau u. Kind. Se ipse p. Buchhorn sc. fol. Brüchig.
1985. Lampi, Frau und Kind des Malers. J. B. Lampi p. N. Rhein sc. Schwarzkunst. fol.
1986. Largillière, N. de. Geulain p. Ch. Dupuis sc. Receptionsblatt. fol.
1987. ———— H. del. G. B. Cecchi sc. 4.
1988. ———— Se ipse p. F. Chereau sc. fol. Unten etwas fleckig.

1989. Lautensack, P. Mit Beiwerken. J. S. Lautensack sc. Radirt. kl. fol. B. 2.

1990. Lebrun, Ch. (Se ipse p.) E. Desrochers sc. S.

1991. Leclerc, Zeichner und Stecher. de la Croix p. P. Dupin sc. 8. Zu Odieuvre.

1992. Lescov, T. M. Roos del. et sc. Radirt. Privatplatte. 8.

1993. Leutze. Röting p. Payne sc. Stahlstich 4.

1994. Leygebe, G., Eisenschneider. J. J. Metzger sc. fol. Beschnitten und fleckig.

1995. Leys, H. Wolff sc. Stahlstich 4.

1996. Livens. (A. v. Dyck) del. A. Bartsch sc. Titelblatt zu Oeuvre de Rembrandt. S.

1997. ———— E. Lievens del. A. Bartsch sc. Radirt. 4.

1998. Mansart, F., Baumeister. L. de Namur p. G. Edelinck sc. fol. R.-D. 266. Ohne Plattenrand.

1999. Maratti, C. Se ipse del. A. Riedel sc. Radirt. 4.

2000. Marochetti, C., Bildhauer. Duncan sc. Stahlstich. 4.

2001. Marot, D., Baumeister. Parmantier p. J. Gole sc. fol. Beschnitten.

2002. Matham, J., Kupferstecher. Ohne Namen der Künstler, in Suyderhoefs Manier. 4.

2003. Mayr, G. L., Goldschmidt. Th. Hirschman sc. 4.

2004. Mechel, C. de, Kupferstecher. A. Hickel p. J. J. de Mechel sc. fol.

2005. ———— B. de Haller del. et sc. 8.

2006. ———— B. Hübner sc. Vor der Schrift. 4.

2007. Mellan, Claude, Kupferstecher. Se ipse p. et sc. fol. Vor der Adresse.

2008. ———— Dasselbe von der Gegenseite. G. Edelinck sc. Zu Perrault. fol. R.-D. 273.

2009. Mengs, Raph. Se ipse p. Dom. Cunego sc. fol.

2010. ———— Se ipse p. C. G. Rasp sc. 4.

2011. ———— Büste mit allegorischer Umgebung. N. Guibal del. Ch. Guérin sc. fol. Brüchig und aufgezogen.

2012. Mengs, Ismael. Se ipse p. B. Folin sc. 8.

2013. Merz, Jac., Maler u. Stecher. Se ipse p. H. Lips sc. S.

2014. Mettenleiter, J. M., mit J. E. Haid in einem Zimmer sitzend. J. Mettenleiter p. J. E. Haid sc. Schwarzkunst. qu. fol.

2015. Michaelis, J. G., Mathematiker und Sammler. A. Wernerin p. J. C. Teucher sc. fol. Fleckig.

2016. Miele, J. Se ipse p. F. v. Bartsch lith. fol.

2017. Mieris, F. van. Se ipse p. N. Strixner lith. Tondruck. 4.

2018. ———— Dessen Frau mit dem Papagei. F. Mieris p. J. S. Klauber sc. fol.

2019. Mignard, P. Brustbild in einem Tableau von seiner Tochter, der Comtesse de Feuquière, gehalten. Se ipse p. J. Daullé sc. fol. Schöner Abdruck.

2020. Molitor, M. v. Jos. Abel p. A. Bartsch sc. 1812. Radirt. fol. B. 69.

2021. Montana, J. B., Bildhauer. Hier. David sc. fol.

2022. Morghen, Raph., Kupferst. Caronni sc. fol.

2023. Müller, Heinr., Goldschmidt, und sein Sohn. J. Iselburg del. et sc.

2024. Müller, Joh. Gotth., Kupferstecher. F. Tischbein p. E. Morace sc. fol.

2025. Müller, Wilhelm Andreas. Se ipse del. et sc. Radirt. 4. Fleckig.

2026. Nagler, v., Kunstsammler. Fr. Krüger p. C. Wildt lith. fol.

2027. Netscher, G. Se ipse p. J. S. Klauber sc. fol. Galérie Orléans.

2028. ———— Dessen Kinder. C. Netscher p. C. G. Geyser sc. fol.

2029. Neys, J. de. Ohne alle Bezeichnung. 8. Aufgezogen.

2030. Oeser, Ad. Fr. A. Graff p. Schultze direx. 8.

2031. Ostade, A. v. Se ipse del. J. Gole exc. (et sc.) Schwarzkunst. fol.

2032. ———— Dasselbe, aus Houbraken. 8.

2033. ———— In seinem Atelier. Se ipse p. L. Ekemann-Alesson lith. fol. Tondruck.

2034. Overbeck, Fr. J. Schnorr del. C. Müller sc. 4.

2035. ———— C. Brandt lith. 4.

2036. Palladio, A., Baumeister. G. Longhi del. P. Caronni sc. 4.

2037. ———— F. W. Meyer sc. Punktirt. 8.

2038. Pautre, J. le. Se ipse del. et sc. 4. Fleckig.

2039. Perugino, P. Rafael p. A. Regona sc. 4.

2040. Permoser, B., Bildhauer. Mit Umgebung. Bodenehr del. et sc. 8.

2041. Pesne, A. Se ipse p. G. F. Schmidt sc. f. Jacoby 69. fol. Oben fleckig.

2042ᴬ. Piazetta, J. B. Se ipse p. J. G. Haid sc. Schwarzkunst. fol.

2042ᴮ. Piazetta, **J. B. Se ipse** p. **J. G. Saiter** sc. fol.

2043. Picart, B., Zeichner und Stecher. M. des Angles p. Ohne Stechernamen. fol.

2044. Picart, E., Kupferstecher. B. Picart del. et sc. 4.

2045. Pierre, J. B. M. Cochin fils del. St. Aubin sc. 4.

2046. Pimmel, Fr. Alb., Goldarbeiter. Wolfg. Phil. Kilian sc. 4. Beschnitten und aufgezogen.

2047. Piles, R. de, Kunstgelehrter. Se ipse p. B. Picart sc. fol.

2048. Poerson, C. F. N. de Largillière p. E. Desrochers sc. Receptionsblatt. fol. Schöner Abdruck.

2049. Pompadour, Marquise de, Dilettantin. Nattier p. Cathelin sc. 4.

2050. Pouget, Fr. M., femme de M. Chardin. N. Cochin del. L. Cars sc. 4.

2051. Poussin, N. Se ipse p. J. L. Potrelle sc. fol.

2052. —————— Dasselbe v. d. Gegenseite. Ducarme lith. fol.

2053. —————— Profil ohne Künstlernamen. 8.

2054. Preller, Fr. Se ipse del. C. Geyer sc. Stahlstich. 4.

2055. Preisler, J. D. J. M. Schuster p. J. G. Pintz sc. fol.

2056. Preiss, J. Ph., Bildhauer. J. A. Böner sc. fol.

2057. Prenner. Se ipse p. 8. Beschnitten.

2058. Prestel, J. G. in seinem Atelier. A. D. Prestel del. et sc. Radirt. fol.

2059. —————— J. J. Prener del. Se ipse sc. Kreidestich. 8.

2060. Puget, P., Maler, Bildhauer u. Baumeister. F. Puget p. C. Dupuis sc. Zu Odieuvre. 4.

2061. Quesnel, F. Se ipse p. M. Lasne sc. kl. fol. Scharf beschnitten und aufgezogen.

2062. Quinkhard, J. M., an der Staffelei mit Tanjé's Portrait. Se ipse p. P. Tanjé sc. fol.

2063. Racknitz, z. J. F. F., Kunstschriftsteller. Mit allegorischer Umgebung. C. F. Schuricht del. J. G. Schmidt sc. fol.

2064. Rauch, Ch., Bildhauer. 2 Bl.: E. Rietschel del. Hüssener sc. fol. Brüchig, und ein Umriss. 8.

2065. Reinick, R. Stahlstich. 4.

2066. Reisen, C. C., Steinschneider. J. van der Bank p. G. White sc. Schwarzkunst. fol. Beschnitten.

2067. Rembrandt. 2 Bl. mit seiner Frau. Se ipse sc. 1636. 8. B. 19, und eine Copie von der Gegenseite.

2068. —————— Brustbild mit der Federmütze. Se ipse sc. 1638. 4. B. 20. Später Abdruck mit zugelegtem Namen.

2069. —————— Se ipse p. G. Longhi sc. Radirt. fol.

9*

2070. Rembrandt. 9 Bl. diverse Portraits in Kupferstich und Lithographie. fol. 4. u. 8.
2071. Restout, J., Maler und Stecher. M. Q. de la Tour p. P. E. Moitte sc. fol. Receptionsblatt.
2072. Retzsch, M. Brandt lith. 4.
2073. Richter, Ludwig. Ehrhardt p. Stahlstich, 4.
2074. Rietschel, E., Bildhauer. Weger sc. Stahlstich. 4.
2075. Rigaud, H. Mit Umgebung. Se ipse p. P. Drevet sc. fol. Mit der Jahrzahl 1721.
2076. Rode, C. B. 2 Bl. D. Chodowiecki del. D. Berger sc. und Fr. Reclan d. Rad. 8.
2077. Rode, Heinrich. C. B. Rode sc. Redirt und Aquatinta. 4.
2078. Romano, Giulio Pippi. Se ipse p. J. L. Potrelle sc. fol. Der Rand etwas fleckig.
2079. Rösel von Rosenhof, A. J. Van der Smissen p. J. W. Windter sc. 4.
2080. Rossbach. (?) Se ipse lith. 4. Grün gedruckt.
2081. Rossi, F. (Cecchino Salviati). Se ipse p. R. Pozzi sc. Mus. florent. fol.
2082. Roettiers, J., Medailleur. N. de Largillière p. C. Vermeulen sc. fol.
2083. Rubens, P. P. 6 Bl. diverse Portraits, gest. von S. Saveri, Custodis u. A. 4. u. 8.
2084. ——————— Die erste Frau des Künstlers, E. de Brantes. Se ipse p. A. Biessel sc. Radirung. fol.
2085. Sacchi, A. Mit Beiwerken. C. Maratti p. G. Vallet sc. 4. Vor der Adresse von Frey.
2086. Sachsen-Teschen, Herzog Albrecht von., Sammler. J. Adam sc. 8.
2087. Sachsen, Maria Antoinette, Kurfürstin von —. Se ipse p. Giu. Canale sc. Receptionsblatt. fol.
2088. Sandrart, J. R. Collin sc. Titel zum 2. Bd. der Akademie. fol.
2089. Santi, Rafael. 2 Bl. als Kind und Knabe. Lithographien, Tondrücke. 4.
2090. ——————— 6 Bl. diverse Portraits. fol. 4. u. 8.
2091. Sarazin, J., Bildhauer. Mit Beiwerk. C. N. Cochin sc. Receptionsbl. fol.
2092. Schadow, Joh. Gottfr. Buchhorn del. Wachsmann sc. Punktirt. 4.
2093. Schalcken, G., mit dem Lichte. Se ipse p. P. Schenck sc. Schwarzkunst. fol.

2094. Schäuffelein, H. L. 1516. Schwarzkunst in Fennitzer's Manier. S.
2095. Schellauer, J., Bildhauer. J. Seele p. J. B. Bitthenser sc. fol.
2096. Schelfhout, A. Stahlstich. 4.
2097. Schenck, P., Kupferstecher. S. de Lubienietzky p. Se ipse sc. Schwarzkunst. fol.
2098. ————— 2 Bl. dessen Frau u. Tochter. P. Schenck sc. Schwarzkunst. fol.
2099. Schenker, N., Kupferstecher. Mad. Schenker-Massot p. Bouvier sc. 4.
2100. Schlicht, A., Baumeister und Kupferstecher. Aquatinta. S.
2101. Schmidt, M. (Kremser-Schmidt). P. Haubenstricker p. P. Coloman Fellner sc. Radirt. 4.
2102. Schneider, J. A., Sammler. Pochmann p. Kowalsky sc. f.
2103. Schnorr v. Karolsfeld, Julius. Hüssener sc. Stahlst. 4.
2104. Schnorr v. Karolsfeld, Veit H. Giessmann lith. fol.
2105. Schönfeld, J. H. Mit Beiwerken. B. Kilian sc. fol. Beschnitten und aufgezogen.
2106. Schotel, J. G. Duncan sc. Stahlstich. 4.
2107. Schraudolph, J. Weger sc. 4.
2108. Schrödter, Ad. Se ipse lith. fol.
2109. Schubert, J. D., Zeichner und Stecher. F. v. Vieth del. J. C. B. Gottschick sc. 8.
2110. Schultze, C. G., Kupferstecher. Wagner del. J. C. B. Gottschick sc. 8.
2111. Schuppen, J. van. Se ipse p. G. A. Müller sc. fol. Braun und aufgezogen.
2112. Schurman, Anna Maria a. 7 Bl. diverse Copien ihrer eigenhändigen Portraits. 4. u. 8.
2113. Schuster, Dan. G. Bachmann p. E. Wideman sc. 4.
2114. Schwanthaler, Lud., Bildhauer. A. Hüssener sc. Stahlst. 4.
2115. Schwind, M. v. 2 Bl. E. Rietschel modell. J. Thäter sc. 4. Fleckig; u. A. Hüssener sc. Stahlstich. 4.
2116. Séeger, C. D. de, Director d. Karlsakademie. C. J. Schlotterbeck p. et sc. fol. Der Rand beschädigt.
2117. Seeman, E. Se ipse p. J. G. Schmidt sc. fol.
2118. Sems, Joh., Baumeister. 1600. Aus einem holländischen Buch. 4. Beschnitten.
2119. Sonnin, E. G., Baumeister. Ganze Figur. Punktirt. S.
2120. Soria, J. B., Architect. Titelblatt seines Ornamentwerks. Hieronymus David sc. fol.

2121. Speckle, Baumeister. J. Th. de Bry sc. 4. Aus einem Buche.
2122. Spengler, J. C., Architect. Mit Umgebung. (C. H. de Lode sc.) fol.
2123. Stampart, F. de. Se ipse p. et sc. 8.
2124. Steen, J. 2 Bl. Der Künstler und seine Frau. J. Steen p. Hendelet sc. fol.
2125. Stehlin, J. de, Architect. 2 Bl. Der Künstler und seine Frau. L. Tocqué p. J. Stenglin sc. Schwarzkunst fol.
2126. Steinhäuser, C., Bildhauer. Hüssener sc. Stahlstich. 4.
2127. Steinle, E. C. v. Stralendorff del. J. G. Müller sc. 4. Fleckig.
2128. Steuben, C. Stahlstich. 4.
2129. Stiglmaier, J. B., Erzgiesser. Stahlstich. 4.
2130. Stoss. V., Bildhauer. Aus Murr's Journal. 8.
2131. Strauch, L., Maler und Stecher. H. Troschel sc. fol.
2132. Stüler, Baumeister. E. Meyerheim fec. Lithographie Chin. Papier. fol. Mit einem eigenhändigen Briefe des Künstlers.
2133. Tarade, J. de, Festungsbaumeister. J. A. Seupel del. et sc. fol.
2134. Teniers, D. Ph. Thys p. L. Vorsterman jun. sc. Zum Brüsseler Galleriewerk. fol. II. Druck mit der Nummer. Etwas faltig.
2135. Teniers, A., Maler u. Kunsthändler. Se ipse p. G. Edelinck sc. 4. R.-D. 326.
2136. Terburg, G. Se ipse del. A. Bartsch sc. Radirt. 4. B. 243.
2137. Testa, B. Se ipse del. et sc. fol. B. 1. Mit d. Adresse von Westerhout.
2138. Thiele, A. J. C. Fiedler p. C. G. Geyser sc. 4.
2139. Thorwaldsen, A. 4 Bl. diverse Portraits. 4. und 8.
2140. Tischbein, J. H. Se ipse p. Joh. Carl Müller sc. Punktirt. fol.
2141. Tortebat, Fr. M. de Pille p. G. Edelinck sc. fol. R.-D. 328. Guter Abdruck mit „de Pille" statt d. spätern „de Piles.."
2142. Troschel, Jac. polnischer Hofmaler. Ohne Künstlernamen. 8.
2143. Trippel, A. Clemens del. Schreyer sc. 4.
2144. Troy, F. de, d. Ae. Se ipse p. Desrochers exc. 8.
2145ᴬ. ———————— Se ipse p. J. B. Poilly sc. fol. Receptionsblatt.

2145<sup>B</sup>. Troy, F. de, d. Ac. Se ipse p. C. Weigel exc. Schwarzkunst. fol.

2146. Troy, Jean de, d. J. François de Troy p. Simon
Vallée sc. fol.

2147. Ulrichs, H., Kupferstecher. J. A. Bönner sc. 4.

2148. Vaiani, Anna Maria. C. Mellan del. et sc. 8. Mit der
Adresse von Odieuvre.

2149. Vaillant, W. Se ipse p. et sc. Schwarzkunst. fol. Auf
dunklem Papier. Beschnitten.

2150. Vanloo, C. A. Le Sueur p. J. Klauber sc. Receptionsblatt. fol. Mit nur 1 Zeile „Carle Vanloo" Unterschr.

2151. ————— Se ipse del. G. Demarteau d. Ac. sc.
In Rothsteinmanier. fol. Bez. No. 35.

2152. ————— L. M. Vanloo p. Ohne Stechernamen. Paris,
chez Basan. fol.

2153. ————— Dasselbe. Kleine engl. Copie zum Universal
magazine. 8.

2154. ————— Bacha faisant peindre sa maitresse. Mit dem
im Vorgrund an der Staffelei sitzenden Künstler. Se ipse
p. B. Lepicié sc. gr. qu. fol. Brüchig.

2155. ————— L. M. Vanloo p. S. C. Miger sc. Zu
Restout, galérie française.

2156. Van Loon, Ger., Medailleur. Mit Beiwerk. F. v. Mieris p.
J. Houbraken sc. fol.

2157. Veit, Ph. Mit Fascimile ohne Künstlernamen. 4.

2158. Velde, J. van den, Schreibmeister. Mit Beiwerk. J. Maet-
ham fec. 4.

2159. Veneziano, Antonio. Se ipse p. M. A. Corsi sc. Mus.
florent. Abdruck vor der Retouche mit der längern Unterschrift.

2160. Verboeckhoven, C. Weger sc. Stahlstich. 4.

2161. Verien, Nic. F. Jouvenet p. G. Edelinck sc. 8. R.-
D. 335. Vor den Namen der Künstler.

2162. Verkolje (?). Ohne Namen. Schwarzkunst. 4.

2163. Vermont, H. C. de. A. Roslin p. Salv. Carmona sc.
Receptionsblatt. fol.

2164. Vernet, H. Lithographie. 4.

2165. Veronese, P. Se ipse p. Bollinger sc. Punktirt. 4.

2166. Verschaffelt, P. v. A. Terbouche p. A. Karcher sc.
Roth punktirt. 8.

2167. Vinne, J. v. d. Se ipse del. D. van Noorde sc.
Zeichnungsmanier. fol.

2168. Vogel v. Vogelstein, C., an der Staffelei mit seinem Sohne. Stahlstich. 8.
2169. Voit, F. v., Baumeister. Weger sc. Stahlstich. 4.
2170. Vouet, Simon. Die Frau des Malers, Virginia de Vezzo. C. Mellan sc. 8.
2171. Vos, M. de. Mit allegorischen Beiwerken. J. Heintz inv. E. Sadeler sc. fol.
2172. Wagner, Joh. Mart., Bildhauer. Küchler sc. Radirt. fol. Chin. Papier.
2173. Waldmüller, F. G. Hüssener sc. Stahlstich. 4.
2174. Warin, Jean. Le Fèvre p. J. Balechou sc. 4. Mit d. Adresse von Odieuvre.
2175. Weirotter, F. E., Maler und Stecher. Du Greux p. J. Balzer d. J. sc. fol. Der Rand etwas fleckig.
2176. Weitsch, J. F., genannt Pascha Weitsch. J. F. Eich p. D. Chodowiecki sc. Radirt. 4. Jac. 181.
2177. Werner, P. P., Medailleur. R. Müller p. P. E. Nusbiegel sc. Schwarzkunst. fol.
2178. Wertmüller, M. R., Maler und Baumeister. P. A. Pazzi del. et sc. fol.
2179. (Wessel, Jac.) G. C. Groth p. M. Deisch sc. Schwarzkunst. fol. Ueber d. Stichrand beschnitten.
2180. West, Benj., und seine Familie. Ipse p. Pariset sc. Nach Facius. kl. qu. fol. Vor der Schrift.
2181. Widnmann, Bildhauer. Weger sc. Stahlstich. 4.
2182. Wigmana, G. Se ipse p. B. Picart sc. Radirt. 8. Aufgezogen.
2183. Wilde, Maria de, Kupferstecherin. Pet. Schenk fec. Schwarzkunst. fol.
2184. Wilkie, Dav. Münzer sc. Stahlstich. 4.
2185. Winkelmann, Kunstgelehrter. A. R. Mengs p. M. Blot sc. fol.
2186. Wit, Jac. de. J. M. Quinkhard p. J. Houbraken sc. 4.
2187. Wolff, Goldschmidt. Von einem unbekannten Stecher. 1624. 8.
2188. Woollett, W., Kupferstecher. Gabr. Stuart p. C. Watson sc. Punktirt. 4.
2189. (Worlidge), Kopf. Radirt. 1738. 4.
2190. Wouverman, Ph. C. de Visscher del. N. Dupuis sc. f.
2191. Wren, Chr. J. Faber fec. Schwarzkunst. f. Beschnitten und brüchig.

2192. Zampieri, Dominichino. Se ipse p. Ch. Townley sc. Schwarzkunst. f.
2193. Zingg, A. A. Graff del. M. Thöuert sc. S.
2194. ———— Dasselbe ohne Plattenrand.
2195. Zuccheri, J. Se ipse p. B. Eredi sc. Serie degli uomini. 4.

### Tableaux von mehreren Portraits.

2196. 2 Bl. Réunion d'Artistes. 29 Köpfe neuerer französischer Künstler in Oval. L. L. Boilly p. A. Clement sc. Punktirt. gr. f. Nebst Erklärungsblatt. In Umrissen.
2197. Die Maler auf dem Hallstädter Gletscher, im österreichischen Salzkammergute. 1825. Lithographie. qu. f. Chines. Papier.
2198. J. C. Lavater, Felix Hess und Heinrich Füssli, bei Spalding zu Barth in schwedisch Pommern. 1763. Heinrich Füssli p. C. v. Mechel exc. gr. qu. f.

### 2) Sammelwerke und Folgen von Künstlerportraits.

2199. 8 Bl. Lithographien von Leclerc, Jourdy u. A., nach eigenhändigen Künstlerportraits. Paris, chez Tessari. f.
2200. 14 Bl. aus: Bildnisse berühmter Maler, nach Original-Malereien in schwarzer Kunst vorgestellt von J. El. Haid. 1744. f. Mit Verzeichniss des vollst. Werkes v. 25 Bl.
2201. 5 Bl. aus G. W. Knorr, allgemeine Künstler-Historie. Nürnberg, 1759. 4.
2202. 54 Bl. aus Sandrart's deutscher Akademie. Auf Untersatzbogen mit Bezeichnung. 4.
2203. 50 Bl. aus Bullart, Académie des sciences et des arts, nach Verschiedenen gest. v. L. de Boulonois u. A. Auf Untersatzbogen. f.
2204. 14 Bl. aus de Bie, het gulden Cabinet. 1662. Nach Verschiedenen gest. v. Woumans, W. Hollar, Lauwers u. A. Mit der Adresse von J. Meyssens. Meist beschnitten. 4.
2205. 6 Bl. aus: Pictorum aliquot celebrium germanicae inferioris imagines. H. Cock, Wierx u. A. sc. 2 Bl. aus der 1. u. 4 Bl. aus der 3. Auflage. f. Mit ausführlicher Abhandlung, wie die Folgende, abgedruckt in Weigel's und Naumann's Archiv. 2. Jahrg.
2206. 23 Bl. aus der späteren Sammlung unter dems. Titel von

H. Hondius. 1610. Mit Verzeichniss und einer ausführlichen Abhandlung.

2207ᴬ. 50 Bl. Blancken's Bildnisse berühmter Künstler, Buchhändler etc. Nürnberg, 1725. 4. Mit Register.

2207ᴮ. 18 Bl. aus Lavater's physiognomischen Fragmenten. 4.

---

2208. 137 Bl. diverse Künstlerportraits, ohne Kunstwerth oder beschädigte Abdrücke.

---

## II. Portraitsammlung.

Wissenschaftlich nach den Personen geordnet.

(Blätter ohne besondern Kunstwerth oder in schlecht gehaltenen Abdrücken. Meist aus Büchern und, wenn nicht besonders bemerkt, in verschiedenem Format, sämmtlich mit biographischen etc. Notizen.)

### A. Umfassendes.

I. Portrait-Sammelwerke allgemeinen Inhalts.

2209. 54 Bl. aus Brachel, historia nostri temporis. 1655. 4. Zum Theil mit Biographien.

2210. 7 Bl. aus dem Pantheon anabaptisticum. 1702. 4.

2211ᴬ. 25 Bl. aus Gardesii historia reformationis. 1749. 4.

2211ᴮ. 20 Bl. aus Lavater's physiognomischen Fragmenten. 4. und kleiner.

2212. 84 Bl. Bildnisse von Schweizern aller Stände und Zeiten. Von Pfenninger. · 8.

2213. 22 Bl. Die Mitglieder des deutschen Parlaments. Nach Biow's Lichtbildern. Lithogr. von Schertle. f. Chines. Papier.

2214. 4 Bl. aus: deutsche Zeitgenossen. Nach Biow's Lichtbildern. Leipzig, 1851. Erzherzog Johann, Arndt, Rauch und Cornelius. Gest. v. Teichel, Trossin, Eichens und Jacobi. roy. f.

II. Von Szwykowski's angelegte Sammlungen zu biographischen Encyclopädien.

2215. 549 Bl. zu: Baur, allgemeines histor. Lexicon Alphabetisch geordnet und mit beigeschriebenen Biographien. 4. u. 8. Auf Untersatzbogen.

2216. 126 Bl. zu: Leidenfrost, historisch-biographisches Handwörterbuch. Ilmenau, 1824. Zum Theil mit Biographien. Meist kleineren Formats.

2217. 159 Bl. zu: Allgemeines histor. Lexicon. Alphabetisch geordnet und bezeichnet. f. Auf Untersatzbogen.

2218ᴬ. 314 Bl. zum Conversations-Lexicon. Auf Untersatzbogen. 4. Zum Theil mit Notizen.

2218ᴮ. 234 Bl. zu: L'Advocat, dictionnaire historique. 1755. Ebenso.

## B. Fürsten, Staatsmänner, Krieger und Beamte.

### Sammelwerk.

2219. 49 Bl. aus Nilson, Europäischer Ehrentempel. Augsburg (um 1770). f. Mit genauem Verzeichniss.

### Römische Kaiser.

2220. 13 Bl. aus dem XI., XII. u. XIII. Theil der Welthistorie. Geheftet. 4.

2221. 12 Bl. in Medaillons mit darunter gestochener französicher Biographie. Jollain exc. Geh. 4.

### Deutschland.

### Deutsche Kaiser und Haus Oesterreich.

2222. Die deutschen Kaiser. In Holzschnitten nach den Bildern deutscher Künstler im Römer zu Frankfurt. 52 Bilder auf 1 Bogen. roy. f., und dieselben aus Nieritz's Volkskalender 1852. Mit den Biographien.

2223. 54 Bl. Die gesammten Kaiser aus dem Hause Oesterreich.

2224. 24 Bl. Kaiser, Erzherzöge und Herzoginnen aus dem Hause Oesterreich.

2225. 13 Bl. Die Erzherzöge von Oesterreich aus dem Habsburger Hause von dem Stammvater Ernesto Ferreo in Steyermark.

2226. 62 Bl. Die Erzherzöge in Oesterreich aus dem Habsburger Hause von dem dritten Stamm-Vater Carolo in Steyermark bis jetzt.

2227. 86 Bl. aus: Spiegel der Ehren des Erzhauses Oesterreich von Birken. Ao. 1668 u. 1687. Meist von Philipp Kilian gestochen. f. (Darunter viele aus dem Text geschnittene histor. Abbildungen, Wappen etc.)

10

2228. 17 Bl. aus: Galeazzo Gualdo Priorato, historia di Leopoldo Cesare. 1670. f. Gest. von van der Steen u. A. Mit ausführlichem Verzeichniss.

2229ᴬ. 38 Bl. österreichische Staatsmänner und Feldherren.

2229ᴮ. 106 Bl. dergl., meist aus dem 30jähr. Kriege.

### Brandenburg und Preussen.

2230. 38 Bl. Churfürsten und deren Familien.

2231. 57 Bl. Könige und deren Familien.

2232. 19 Bl. Markgrafen zu Brandenburg.

2233. 46 Bl. Minister und Staatsmänner.

2234. 53 Bl. Feldmarschälle (darunter diejenigen Fürsten, welche den Titel Feldmarschall führten). Mit genauem Verzeichniss.

2235. 46 Bl. Generale, mit Verzeichniss, dabei: Beschreibung des Denkmals, welches in Rheinsberg errichtet ist. Mit 4 Kupfern. Berlin, 1791. f. und: Denkmal König Friedrich's des Grossen, enthüllt am 31. Mai. Berlin, 1851. Mit Holzschnitten. qu. 4.

### Sachsen.

2236. 9 Bl. Sachsen-Lauenburg. Stamm-Tafel VII. Hübner 153. Fürsten und Staatsmänner zusammen, wie bei den Folgenden.

2237. 39 Bl. Markgrafen von Meissen aus dem Hause Wettin. St.-T. VIII. H. 146—48. u. 3 Bl. Landgrafen v. Thüringen.

2238. 33 Bl. Churfürsten und Könige. St.-T. IX. H. 157.

2239. 26 Bl. Sachsen. Ebenso. St.-T. XIX. H. 168.

2240. 18 Bl. Sachsen-Weissenfels, -Merseburg und -Zeitz. St.-T. XX—XXII.

2241. 18 Bl. Sachsen. Ernestinische Linie. St.-T. XI. H. 158.

2242. 4 Bl. Sachsen-Altenburg. St.-T. XII. H. 159.

2243. 16 Bl. Sachsen-Weimar. St.-T. XI—XIII.

2244. 7 Bl. Sachsen-Eisenach und Jena. St.-T. XIV.

2245. 33 Bl. Sachsen-Gotha-Altenburg. St.-T. XV. H. 163.

2246. 13 Bl. Sachsen-Meiningen und Hildburghausen. St.-T. XVI. XVII.

2247. 7 Bl. Sachsen-Coburg-Gotha. St.-T. XVII. H. 164—66.

2248. 18 Bl. Sachsen. Albertinische Linie. St.-T. XVIII.

2249. 30 Bl. Sächsische Staatsmänner und einige diverse Portraits.

2250. 12 Bl. Herzöge in Bayern. Tab. 132. 133.
2251. 15 Bl. Churfürsten zu Bayern. T. 134.
2252. 33 Bl. Chur-Linie zu Pfaltz. T. 138—40.
2253. 14 Bl. Königreich Bayern.

### Geistliche Churfürsten.

2254. 14 Bl. Trier. T. 287.
2255. 16 Bl. Mainz. T. 288.
2256. 9 Bl. Köln. T. 289. 90

### Uebriges Deutschland.

2257. 45 Bl. Braunschweig-Lüneburg. II. T. 183. 91.
2258. 6 Bl. Hannover.
2259. 31 Bl. Hessen. Darunter eine Folge von 14 Bl. Schäffler p. Phil. Kilian sc. f.
2260. 29 Bl. Mecklenburg, Pommern, Schlesien u. Könige von Böhmen.
2261. 22 Bl. Württemberg.
2262. 21 Bl. Anhalt.
2263. 7 Bl. Baden.

### Niederlande.

2264. 15 Bl. Grafen von Nassau-Oranien.
2265. 32 Bl. Prinzen von Oranien, Statthalter, Generale, Gesandte etc.
2266. 51 Bl. aus Emanuel v. Meteren, belgische Historie. 1603.

### Scandinavische Länder.

2267. 37 Bl. Dänemark.
2268. 76 Bl. Schweden und Norwegen.

### Grossbritannien.

2269. 30 Bl. Könige von England bis Elisabeth. Mit Tabelle.
2270. 20 Bl. Das Haus Stuart.
2271. 35 Bl. Das Haus Hannover.
2272. 33 Bl. Englische Fürsten und Staatsmänner. Meist in älteren Stichen.
2273. 103 Bl. Dergleichen, meist zu Larrey, histoire d'Angleterre, und in neuen Stichen kleineren Formats.

Frankreich.

2274. 17 Bl. Herzöge von Lothringen.
2275. 26 Bl. Haus Valois.
2276. 64 Bl. Haus Bourbon bis Louis XVI.
2277. 8 Bl. Haus Orléans.
2278. 20 Bl. Haus Condé.
2279. 32 Bl. Republik und Napoleon I.
2280. 16 Bl. Restauration.
2281. 30 Bl. Louis Philipp.
2282. 3 Bl. Napoleon III.
2283. 78 Bl. Staatsmänner und Generale der Republik und des Kaiserreichs. Meist aus Folgen. 4.
2284. 57 Bl. diverse französische Fürsten, Staatsmänner etc., meist in älteren Stichen, darunter die lebensgrossen Portraits von Poilly u. a. werthvolle Blätter, jedoch schlecht erhalten.

Italien und pyrenäische Halbinsel.

2285. 24 Bl. Savoyen und Piemont.
2286. 10 Bl. Parma und Piacenza.
2287. 19 Bl. Haus Sforza und Medici.
2288. 9 Bl. Ferrara und Modena.
2289. 23 Bl. Herzöge zu Mantua aus dem Hause Gonzaga.
2290. 7 Bl. Neapel.
2291. 24 Bl. Venedig.
2292. 17 Bl. ältere und neuere italienische Staatsmänner etc.
2293. 106 Bl. Spanien.
2294. 34 Bl. Portugal.

2295. 105 Bl. Russland.
2296. 55 Bl. Polen, Königreich. Mit einer 12 Bogen starken Abhandlung über Polen-Bildnisse.
2297. 34 Bl. ———————— Staatsmänner des Königreichs und der Revolution.
2298. 42 Bl. Türkei.
2299. 21 Bl. Siebenbürgen, Ungarn, Donaufürstenthümer.
2300. 11 Bl. Neu-Griechenland.
2301. 15 Bl. Afrika.
2302. 28 Bl. Amerika.
2303. 32 Bl. Asien.

## C. Geistliche.

2304. 75 Bl. Päpste.
2305. 137 Bl. Cardinäle. Mit ausführlichen Registern.
2306. 56 Bl. Bischöfe.
2307. 35 Bl. Aebte, Priester etc.
2308. 12 Bl. Folge von französischen Geistlichen.
2309. 13 Bl. aus Templum honoris monasterii Wiblingensis. Aug. Vind. 1702.

### 2. Protestantische.

2310. 83 Bl. Dr. Martin Luther, Reformatoren und protestantische Geistliche.
2311. 39 Bl. Geistliche Liederdichter. Mit ausführlichem Register nach dem Züllichauer Gesangbuch.

2312. 3 Bl. Juden und Deutschkatholiken.

## D. Gelehrte.

### 1. Zu Gelehrten-Lexicis und Umfassendes.

2313. 114 Bl. zu Jöcher's Gelehrten-Lexicon.
2314. 89 Bl. zu Mencken's Gelehrten-Lexicon. Sehr alte Blätter in kleinerem Format.
2315. 56 Bl. zu Meusel's gelehrtes Deutschland. Mit Biographien.
2316ᴬ. 41 Bl. diverse deutsche Gelehrte.
2316ᴮ. 46 Bl. Astronomen, Geographen, Sprachforscher und Philosophen.

### 2. Besondere Fächer.

2317. 66 Bl. Kunstgelehrte. Mit ausführlichem Register und Biographien. Gut erhaltene Blätter, darunter mehrere Künstlerportraits.
2318. 330 Bl. Juristen. Nach „Hommelius, effigies jurisconsultorum" gesammelt; mit ausführlichem Verzeichniss; nach den Formaten und alphabetisch geordnet.
2319. 268 Bl. Mediciner. Nach „Möhsen, Bildnisse berühmter Aerzte" geordnet. Ebenso.
2320. 20 Bl. „Naturkundige der alten und neuen Zeit, herausg. von Adolph Kunike, Wien." Lithogr. fol.

### E. Dichter und Schriftsteller.

2321ᴬ. 46 Bl. aus verschiedenen Nationen. fol.
2321ᴮ. 41 Bl. Griechen und Römer, dabei Philosophen und Helden des Alterthums.
2322. 305 Bl. Deutsche. Chronologisch geordnet, mit Register, in 2 Convoluten.
2323. 26 Bl. Niederländer. Mit 2 ausführlichen Abhandlungen.
2324. 163 Bl. Franzosen. Chronologisch geordnet, mit Register über sämmtliche Schriftsteller.
2325. 120 Bl. Engländer. Ebenso.
2326. 63 Bl. Italiener. Ebenso.
2327ᴬ. 5 Bl. Spanier. Ebenso.
2327ᴮ. 6 Bl. Dänemark und Schweden.

### F. Künstler (excl. bildende Künste).

2328. 170 Bl. Musiker und Componisten. Alphabetisch geordnet, mit 2 Registern.
2329. 38 Bl. Schauspieler und Schauspielerinnen. Zum Theil in älteren Stichen. fol.
2330. 28 Bl. Schauspielerinnen. In neueren Lithographien.
2331. 28 Bl. deutsche Schauspieler und Schauspielerinnen. Kleineres Format.
2332. 107 Bl. ausländische Schauspieler und Schauspielerinnen. Ebenso. Mit Verzeichniss.
2333. 23 Bl. Tänzer und Tänzerinnen. Mit Verzeichniss.

### G. Verschiedene Stände.

2334. 65 Bl. Reisende, Weltumsegler, Erfinder u. s. w.
2335. 16 Bl. Buchhändler. Gez. und lith. von Paalzow. fol.
2336. 37 Bl. Buchdrucker.

### H. Bewohner einzelner Städte.

2337. 215 Bl. Danziger, darunter mehrere Wappenbilder.

*Zu dieser interessanten Sammlung, welche viele Blätter von artistischem Interesse, u. A. die von Szwykowski in*

*dem Naumann-Weigel'schen Archiv, Jahrg. 1855, S. 146
beschriebenen Liebhaber-Radirungen, enthält, gehört die
umfassende Abhandlung unter No. 759 d. Verz.*

2338. 94 Bl. Berliner. Mit 2 Verzeichnissen.
2339. 25 Bl. Königsberger, u. Bewohner anderer Städte Preussens.
2340. 55 Bl. Nürnberger. Gesammelt und bezeichnet nach Panzer's Verzeichnissen. Nürnberg, 1784 u. 1790.

### I. Frauen-Bildnisse.

2341. 80 Bl. in fol. Alphabetisch geordnet.
2342. 54 Bl. in 4. Ebenso. Mit Verzeichniss.

### K. Diverse Portraits.

2343. 18 Bl. Narren, Schwindler, räthselhafte Menschen.
2344. 49 Bl. Diebe, Mörder, Giftmischer, Mordbrenner.
2345. 33 Bl. Aufrührer, Landesverräther, Rebellen.
2346. 30 Bl. Riesen, Zwerge, Wunderkinder, Greise.
2347. 6 Bl. abnorme Frauengestalten.
2348. 39 Bl. unbezeichnete (darunter mehrere Portraitstiche vor
aller Schrift) und diverse.
2349. 73 Bl. Karrikaturen.
2350. 48 Bl. Denkmäler, neuerer Zeit, meist in Stahlstichen.

## III. Verschiedene Gegenstände.

2351. 288 Bl. historische u. Genre-Stücke, Ansichten etc. aller Art.
2352. 33 Bl. biblischen und katholischen Inhalts.
2353. 63 Bl. aus „Raderus, Bavaria sancta, Monaci 1615—27".
Gestochen von den Gebr. Sadeler. Aufgezogen in 1 Bd.
gr. fol. Schwnsldr.
2354. 26 Bl. aus „Silvae Sacrae, Monachi 1594", und
53 Bl. aus „Solitudo sive vitae patrum eremicolarum, ibid.
1594". Gestochen von denselben. Aufgezogen
in 1 Bd. qu. fol. Hlbfrz.

2355. 20 Bl. Autographen, und zwar Unterschriften von Friedrich
d. Gr. u. Friedrich Wilhelm II., kurze Briefe von de Beau-
sobre, A. v. Humboldt, Böckh, L. Tieck, C. G. J. Jacobi,
Eduard Devrient, Holtei und einigen Anderen.

2356. Eine Parthie alte Mappen.

# Anzeigen.

Im Verlage von **RUDOLPH WEIGEL** in LEIPZIG erschien und ist durch alle Buch- und Kunsthandlungen zu beziehen:

**Archiv für die zeichnenden Künste,** mit besonderer Beziehung auf Kupferstecher- und Holzschneidekunst und ihre Geschichte. Im Vereine mit Künstlern und Kunstfreunden herausgegeben von Dr. R. Naumann. Unter Mitwirkung von R. Weigel. I. Jahrg. 1855. Mit 2 Kupfern und 1 Holzschnitt. gr. 8. 3²⁄₃ Thlr.

Desselben II. Jahrgang. 1856. Mit 26 in den Text eingedruckten Holzschnitten und Facsimile's der Handschrift von A. Dürer u. A. 3 ¹⁄₅ Thlr.

Desselben III. Jahrgang. 1857. (Enth. u. A.: Botanische und anatom. Abbildungen des Mittelalters von Dr. Choulant). 3 ¹⁄₂ Thlr.

Desselben IV. Jahrgang 1858. Mit 2 Kupferstichen und einem Papierabdruck von einem Schwefelabgus. 4⁵⁄₆ Thlr.

Desselben V. Jahrgang. 1859. 1. u. 2. Heft. 1³⁄₄ Thlr. (Wird fortgesetzt).

**Anton van Dyck's Bildnisse bekannter Personen.** Iconographie ou le cabinet des Portraits d'Antoine van Dyck. Ausführliche Nachricht über diejenigen 185 Platten, welche von und nach den Werken des Meisters im Kunstverkehr unter diesen generellen Bezeichnungen verstanden werden, so wie sie vom Jahre 1632 bis 1759 durch fünfzehn verschiedene Ausgaben und Auflagen bekannt geworden sind. Von Ignaz von Szwykowski. (Bes. Abdruck aus dem Archiv). 3 Thlr.

**Revision der Acten über die Frage: Gebührt die Ehre der Erfindung des Papierabdruckes von gravirten Metallplatten den Deutschen oder den Italienern?** Von Chr. Schuchardt. Mit einem Papierabdruck von einem Schwefelabgus. (Bes. Abdruck aus dem Archiv). 16 Ngr.

**Leben und Wirken des unvergleichlichen Thiermalers und Kupferstechers Johann Elias Ridinger,** mit dem ausführlichen Verzeichniss seiner Kupferstiche, Schwarzkunstblätter und der von ihm hinterlassenen grossen Sammlung von Handzeichnungen, geschildert von Pastor emer. G. A. W. Thienemann. Nebst Ridingers Portrait in Stahlstich und 12 aus seinen Zeichnungen entlehnten Kupferstichen. gr. 8. 2²⁄₃ Thlr. Prachtausgabe in gr. 4. geb. 5¹⁄₂ Thlr.

**Nachträge, Zusätze und Berichtigungen** zu: Leben und Wirken Joh. Elias Ridinger's, von G. A. W. Thienemann, Pastor emer. 6 Ngr. Ausgabe in gr. 4. 10 Ngr.

**Die Kupferstich-Sammlung Friedrich August II.** König von Sachsen, beschrieben und mit einem historischen Ueberblick der Kupferstecherkunst begleitet von J. G. A. Frenzel. Nebst einer chromolith. Abbildung: Das Schweisstuch der heil. Veronica. 1854. XVI u. 150 S. Lex. 8. 2⅔ Thlr.

**Verzeichniss meiner Kupferstichsammlung** als Leitfaden zur Geschichte der Kupferstecherkunst und Malerei von J. G. von Quandt. Nebst einer Kupfertafel. 1853. VIII und 320 S. Lex. 8. 2⅔ Thlr.

**Geschichte der königl. Kupferstichsammlung zu Copenhagen.** Ein Beitrag zur Geschichte der Kunst und Ergänzung der Werke von Bartsch und Brulliot. Herausgegeben von C. F. von Rumohr und J. M. Thiele, Prof., Secretair der Academie der bildenden Künste und Inspector der königl. Kupferstichsammlung zu Copenhagen. 1835. VIII und 100 S. 8. br. 22½ Ngr.

**Hans Holbein der Jüngere,** in seinem Verhältniss zum deutschen Formschnittwesen. Von C. Fr. von Rumohr. 1836. IV und 128 S mit 1 Titelvignette. br. 22½ Ngr.

**Zur Geschichte und Theorie der Formschneidekunst.** Von C. Fr. von Rumohr. 1837. 138 S. und 9 Holzschnitttafeln. 8. br. 1 Thlr.

**Untersuchung der Gründe für die Annahme: dass Maso di Finiguerra Erfinder des Handgriffes sei,** gestochene Metallplatten auf genetztes Papier abzudrucken. Von C. Fr. von Rumohr. 1841. 60 S. 8. broch. 15 Ngr.

**Ueber die Eigenhändigkeit der Malerformschnitte.** Von August Ernst Umbreit. 2 Hefte. 1840 und 1843. 144 S. 8 br. 22½ Ngr.

**Jobst Amman, Zeichner und Formschneider, Kupferätzer und Stecher.** Von C. Becker. Nebst Zusätzen von R. Weigel, 17 Holzschnitten und Register. 1854. XX und 235 S. 4. 3 Thlr.

**Leben und Werke des Bildhauers Tilmann Riemenschneider,** eines fast unbekannten aber vortrefflichen Künstlers, am Ende des 15. und Anfang des 16. Jahrhunderts. Beschrieben und herausg. von C. Becker. 24 S. Mit 7 Kupfertafeln und 2 Vignetten, gezeichnet von F. Leinecker u. A. und gestochen von L. Regnier. fol. 1849. In Umschlag. 5⅓ Thlr.

**Die Bekehrung des Paulus,** ein dem Albr. Dürer zuzueignendes, bis jetzt unbekanntes Kupferblatt aus des Meisters frühester Periode, im königl. Kupferstich-Cabinet zu Dresden. In lithographirtem Facsimile mit Erläuterungen von J. G. A. Frenzel. kl. fol. 1854. 15 Ngr.

**Monographie** der von dem vormals K. Poln. und Churfürstl. Sächs. Hofmaler und Prof. etc. C. W. E. Dietrich radirten, geschabten und in Holz geschnittenen malerischen Vorstellungen. Nebst einem Abrisse der Lebensgeschichte des Künstlers. Verfasst und herausgegeb, von J. F. Linck. Berlin 1816. X und 310 S. 8. broch. 2 Thaler.

Le graveur en taille douce ou catalogues raisonnés des estampes dues aux graveurs les plus célèbres. Par M. Charles Le Blanc de la bibliothéque royale de Paris. I. A. s. le t.: Catalogue de l'oeuvre de Jean Georges Wille graveur, avec une notice biographique. 1847. XVI et 150 p. in-8. br. 1¼ Thlr.

Le même. II. A. s. le t.: Catalogue de l'oeuvre de Robert Strange graveur, avec une notice biographique. 1848. XVIII et 72 p. in-8. br. 20 Ngr.

Suppléments au Peintre-Graveur de Adam Bartsch, récueillis et publiés par Rud. Weigel. Tome I. Peintres et Dessinateur Néerlandais. 1843. VIII et 350 p. in-8. br. 2⅔ Thlr.

Rudolph Weigel's Kunstlager-Catalog. 28 Abtheilungen oder 4 Bände. gr. 8. 10¼ Thlr.

Der 3. Band enthält eine wissenschaftliche Uebersicht der in dem ersten Bande aufgeführten Schriften über die schönen Künste nebst Anhängen über illustrirte Bücher, über Holzschneidekunst in Büchern etc. — Der vierte Band enthält eine grosse Sammlung von Künstler-Portraits in Werken und in einzelnen Blättern von frühester Zeit bis zur Gegenwart; sowie J. E. Ridingers und D. Chodowiecki's Kupferstiche nach den neuen Catalogen der Herren G. A. W. Thienemann und W. Engelmann geordnet und mit Verkaufspreisen versehen.

Derselbe, 29. Abtheilung. 235 S. gr. 8. 15 Ngr.

Diese Abtheilung enthält 1) Schriften über die schönen Künste, Kupferstiche, Radirungen etc. 2) Künstlerportraits etc. u. 3) Kupferstiche, Lithographien etc. nach neueren deutschen Künstlern. (Fortsetzung zu der 12. Abtheilung).

Catalog des Kupferstichwerkes von Johann Friedrich Bause, mit einigen biographischen Notizen, von Dr. Georg Keil. Mit dem Portrait des Künstlers, lithographirt von Fr. Pecht. 1849. XVIII und 168 S. incl. Nachtrag. 8. br. 1⅓ Thlr.

# LE
# PEINTRE GRAVEUR.

### PAR

## ADAM BARTSCH.

21 Vols. in-8. avec planches et Atlas in-folio.

Von obigem Werke besitze ich noch eine Anzahl vollständiger
Exemplare, welche für den Ladenpreis von 47 Thlr. 3 Ngr. gegen Baar-
zahlung durch alle Buch- und Kunsthandlungen bezogen werden können.
Auch einzelne Bände werden, soweit sie überzählig vorhanden (Vol. VI,
VII und XI fehlen), zu den betreffenden Specialpreisen abgegeben, wor-
auf ich Bibliotheken und Kupferstichsammler aufmerksam zu machen
mir erlaube.

LEIPZIG.

**Joh. Ambr. Barth.**

---

### *Zur Notiz.*

Der nächstfolgende Auctions-Catalog enthält die erste
Abtheilung der grossen Kupferstichsammlung des bekannten Kupferstechers Bause, welche durch den gleichfalls
verstorbenen Herrn Hofrath Dr. Keil ergänzt und fortgesetzt worden ist.

# Rudolph Weigel's Kunstauction.

## Versteigerungspreise

der

# von Szwykowski'schen Kunstauction

vom 24. October 1859.

Wo unter den Limiten weggegangen, entsprachen die Bücher etc. nicht den Anforderungen meiner Herren Comittenten. Mehrere der Bücher waren defect.

**Rudolph Weigel.**

| №. | Rtl. | Ngr. | №. | Rtl. | Ngr. | №. | Rtl. | Ngr. | №. | Rtl. | Ngr. | №. | Rtl. | Ngr. |
|---|---|---|---|---|---|---|---|---|---|---|---|---|---|---|
| 1 a-d | 1 | 20 | 34 | — | 9 | 62 | — | 8 | 90 | — | 23 | | | |
| 3 | 8 | 15 | 35 | — | 1 | 63 | — | 1 | 91 | — | — | | | |
| 4 | — | 15 | 36 | 1 | 10 | 64 | — | 10 | 92 a-c | — | 2 | | | |
| 4 a | — | 5 | 37 | 2 | 5 | 67 a-c | 1 | 15 | 93 | 1 | 5 | | | |
| 5 | — | 10 | 38 | — | 4 | 67 A | — | 15 | 94 | — | 1 | | | |
| 6 | — | 22 | 39 | — | 6 | 68 a-c | — | 1 | 95 | — | — | | | |
| 7 a-e | 3 | 5 | 40 | — | 2 | 69 a-c | — | 6 | 96 | — | 1 | | | |
| 8 a-e | 6 | 20 | 41 | — | 4 | 70 a-e | — | 2 | 97 | — | — | | | |
| 9 a-b | 1 | — | 42 | — | 4 | 71 a-f | — | 18 | 99 | — | — | | | |
| 10 | — | 17 | 43 | — | 4 | 72 | — | 1 | 100 | — | 2 | | | |
| 11 | 5 | — | 44 | — | 3 | 73 | — | 1 | 101 a-d | — | 6 | | | |
| 13 | 1 | — | 45 | — | 15 | 74 | 1 | 10 | 102 | — | 1 | | | |
| 14 a b | — | 15 | 46 | 1 | 2 | 75 a-d | — | 2 | 103 | — | 12 | | | |
| 16 | — | 7 | 47 | — | 15 | 76 a b | — | 1 | 104 | — | 1 | | | |
| 17 | — | 12 | 48 | — | 23 | 77 a b | — | 1 | 105 | — | — | | | |
| 19 | — | 3 | 49 | 1 | 28 | 78 a-c | — | 3 | 106 | — | 2 | | | |
| 20 | — | 4 | 50 | 2 | 9 | 79 | — | — | 107 | — | 1 | | | |
| 21 | — | 17 | 50A a b | — | 2 | 80 | — | 6 | 108 | — | 10 | | | |
| 23 | — | 1 | 51 | 1 | 1 | 81 | — | 4 | 109 | — | — | | | |
| 24 | — | 1 | 52 | — | — | 82 a b | — | 12 | 110 | — | — | | | |
| 25 | — | 1 | 53 | — | 7 | 83 | 7 | 16 | 111 | — | 2 | | | |
| 26 | 4 | 23 | 54 a-c | — | 1 | 84 | — | 2 | 112 | — | 1 | | | |
| 27 | — | 24 | 55 a b | — | 20 | 84 A | — | 1 | 113 | — | — | | | |
| 28 | — | 12 | 56 | — | 1 | 85 | — | — | 114 | — | 2 | | | |
| 29 | 1 | — | 57 a b | 1 | 13 | 85 A | — | 2 | 115 | — | 1 | | | |
| 30 | — | 4 | 58 | 1 | 16 | 86 | — | — | 116 | — | — | | | |
| 31 | — | 2 | 59 | — | 8 | 87 | — | — | 117 | — | 5 | | | |
| 32 | — | 2 | 60 a-c | — | 15 | 88 | — | — | 118 | 2 | 20 | | | |
| 33 | 1 | 7 | 61 | — | 1 | 89 | — | 1 | 119 | — | 1 | | | |

| №. | Bl. | Ngr. | №. | Bl. | Ngr. | №. | Bl. | Ngr. | №. | Bl. | Ngr. |
|---|---|---|---|---|---|---|---|---|---|---|---|
| 120 | — | — | 174 | — | — | 241 | — | 1 | 292 93 | — | 14 |
| 121 | — | 1 | 175 | — | 1 | 242 | — | — | 294 | — | 2 |
| 122 | — | — | 176 | — | — | 243 | — | — | 295 | — | 14 |
| 123 | — | 5 | 177 | — | 6 | 243 A | — | 4 | 296 | — | 8 |
| 124 | — | 1 | 178 | — | 2 | 244 | — | — | 297 | — | 5 |
| 125 a-d | 2 | 17 | 179 | — | 1 | 245 | — | 5 | 298 | — | 10 |
| 126 | — | 2 | 180 | — | 1 | 246 | — | — | 299 | 1 | 10 |
| 127 | — | 1 | 182 | — | 1 | 247 | — | 2 | 300 | — | 4 |
| 128 | — | 1 | 183 | — | 2 | 248 | — | — | 302 | — | 5 |
| 129 | — | 12 | 184 | — | — | 249 | — | 1 | 303 | 1 | 7 |
| 130 | — | 4 | 185 | — | — | 250 | — | — | 304 | — | 10 |
| 131 a b | — | 5 | 185 A | — | — | 252 | — | 1 | 305 | — | 9 |
| 132 | — | — | 186 | — | 1 | 254-59 | — | 1 | 306 | — | 2 |
| 133 | — | — | 187 | — | 4 | 260 a-g | 5 | 16 | 307 | — | 1 |
| 134 a b | — | — | 188-93 | — | 1 | 261 | — | — | 309 | — | 2 |
| 136 37 | — | 4 | 194-99 A | — | 1 | 262 | — | — | 310 | — | 2 |
| 138 | — | 1 | 200-1 6 | — | 6 | 263 | — | 1 | 311 | 1 | 4 |
| 140 | — | — | 217 | — | 2 | 264 | — | 6 | 312 | — | 16 |
| 141 | — | — | 218 | — | 2 | 265 | — | 1 | 313 | — | 15 |
| 142 | — | 1 | 219 | — | — | 266 | — | — | 314 | — | 20 |
| 143 | — | 1 | 220 | — | 1 | 367 | — | 2 | 316 | 1 | 25 |
| 144 a b | 1 | 18 | 221 | — | 2 | 269 | — | — | 317 | — | 2 |
| 145 | — | 1 | 221 A | — | 12 | 270 | — | — | 318 | 1 | 20 |
| 146 | — | — | 222 | — | — | 271 | — | 3 | 319 | — | 2 |
| 147 | — | 8 | 223 | — | 3 | 272 | — | 27 | 320 a-m | — | 8 |
| 148 | — | — | 224 | — | — | 272 A | — | 14 | 321 | — | 8 |
| 149 | — | 1 | 225 | — | — | 273 a-d | 4 | 12 | 322 | 1 | 10 |
| 150 | — | 1 | 226 | — | 5 | 274 | — | 18 | 323 | — | 13 |
| 151 | — | 1 | 227 | — | 1 | 275 | 1 | — | 324 | — | 16 |
| 152-55 | — | 1 | 227 A | — | 3 | 276 | — | 16 | 325 | 2 | 20 |
| 156 57 | — | 2 | 228 | — | 1 | 277 | 1 | 20 | 326 | — | 21 |
| 158 | — | 24 | 229 | — | 1 | 278 | — | 29 | 327 | 1 | 4 |
| 159 | — | 1 | 230 | — | 1 | 279 | — | 20 | 328 | — | 24 |
| 160 | — | 1 | 230 A | — | 1 | 280 | — | 8 | 329 | — | 28 |
| 162 | — | — | 231 | — | 1 | 281 | — | 7 | 330 | — | 10 |
| 163 | — | 1 | 232 | — | — | 282 | — | 7 | 331 | — | 21 |
| 164 a b | 2 | 7 | 233 | — | 16 | 283 | — | 7 | 332 | 2 | — |
| 165 | — | — | 234 | — | 1 | 284 | 2 | 29 | 333 | — | 18 |
| 167 | — | — | 235 | — | — | 285 | — | 5 | 334 | — | 12 |
| 168 | — | 9 | 236 | — | — | 286 a-d | 1 | 10 | 335 | — | 6 |
| 168 A | — | 1 | 236 A | — | 4 | 287 | — | 11 | 336 | 1 | 20 |
| 169 | — | 5 | 237 | — | — | 288 | 1 | 5 | 338 | — | 19 |
| 170 | — | — | 238 | — | 2 | 289 | — | 5 | 339 | 2 | 6 |
| 171 | — | 1 | 239 | — | 2 | 290 } 290 A } | 9 | 1 | 340 a-c | 3 | 12 |
| 172 | — | — | 240 | — | — | 291 | — | 13 | 341 | 1 | 17 |
| 173 | — | — | 240 A | — | 1 | | | | 342 | 1 | 18 |

| №. | Rt. | Ngr. | №. | Rt. | Ngr. | №. | Rt. | Ngr. | №. | Rt. | Ngr. |
|---|---|---|---|---|---|---|---|---|---|---|---|
| 343 | — | 8 | 389 | — | 14 | 436 | — | 2 | 481 A | 1 | 15 |
| 344 | — | 4 | 390 | — | 15 | 437 | — | 5 | 482 a b | 1 | 9 |
| 345 | 1 | 29 | 391 | — | 5 | 438 a b | — | 21 | 483 a b | 1 | 10 |
| 346 a b | — | 1 | 392 | — | 24 | 439 | — | 2 | 484 a b | — | 2 |
| 347 | — | 12 | 393 | 1 | 10 | 440 a-c | 1 | 4 | 485 | — | — |
| 348 | — | 5 | 394 | 1 | 5 | 441 | — | 13 | 486 | — | 10 |
| 349 a b | — | 10 | 395 | — | 2 | 442 | — | 20 | 487 | — | 15 |
| 350 | — | 15 | 396 a-d | 4 | — | 443 | — | 3 | 488 | — | 12 |
| 351 | — | 5 | 397 | — | 12 | 445 | — | 1 | 489 | — | — |
| 352 | 5 | 20 | 398 | — | 6 | 446 | 2 | 7 | 490 a-f | — | 3 |
| 353 | 2 | 26 | 399 | — | 6 | 447 | — | 21 | 491 | — | — |
| 354 | 1 | 7 | 400 | 3 | 12 | 448 | 1 | 13 | 492 a-f | — | 4 |
| 355 | — | 15 | 402 a-f | 45 | — | 449 | — | — | 493 a-c | — | 1 |
| 356 | — | 6 | 403 a b | — | 2 | 450 | — | 11 | 494 a-k | — | 2 |
| 357 | — | 1 | 404 a-c | — | 2 | 452 | — | 1 | 495 | — | — |
| 358 | — | 4 | 405 | — | 13 | 453 a-c | 6 | — | 496 | — | 1 |
| 359 | — | 4 | 406 a b | 2 | — | 454 | — | 5 | 497 | — | 2 |
| 360 | — | 16 | 407 | 1 | 15 | 455 | — | 1 | 498 | — | 5 |
| 361 | — | 3 | 408 | — | 8 | 455 A | — | 1 | 499 | — | — |
| 362 | — | 2 | 409 a-c | 3 | 9 | 456 a-d | 1 | 14 | 500 | — | 11 |
| 363 | — | 13 | 410 | — | 17 | 457 | — | 11 | 502 | — | 14 |
| 364 | — | 2 | 411 | — | 1 | 458 | — | 1 | 503 | — | — |
| 365 a-g | — | 3 | 412 a b | 1 | 23 | 459 a-c | — | 1 | 504 | — | 1 |
| 366 | — | 8 | 413 a-d | — | 3 | 459 A | — | — | 505 a-d | — | 1 |
| 367 | — | 6 | 415 | — | 3 | 460 a b | — | 1 | 506 | — | 7 |
| 368 | — | 2 | 416 a-d | — | 2 | 461 a-d | — | 5 | 507 | — | — |
| 369 | 3 | 15 | 417 a-e | — | 5 | 462 | — | — | 508 a b | — | 1 |
| 370 | — | 5 | 418 a-y | — | 20 | 463 a-c | — | 4 | 509 | — | 14 |
| 371 | — | 2 | 419 | — | 6 | 464 | — | 17 | 510 | — | 2 |
| 372 | — | 11 | 420 | — | 14 | 465 | — | 2 | 511 | — | 2 |
| 373 | — | 16 | 421 | — | 21 | 466 | — | 1 | 512 | — | — |
| 374 | — | 1 | 423 | 1 | — | 467 | — | — | 513 | — | 12 |
| 375 | — | 3 | 424 | 2 | 19 | 468 a b | — | 4 | 514 | — | — |
| 376 | — | 17 | 425 | — | 2 | 469 | — | — | 515 | — | 1 |
| 377 | — | 1 | 425 A a-c | 1 | 11 | 470 a-g | — | 2 | 516 | — | — |
| 378 | — | 16 | 426 | — | 13 | 471 | — | — | 517 | — | — |
| 379 | — | 3 | 427 a b | — | 16 | 472 a-g | — | 7 | 518 | — | — |
| 380 | — | 5 | 428 | — | 13 | 473 a-e | — | 6 | 519 | — | 7 |
| 381 | — | 1 | 425 A | — | — | 474 | — | — | 520 | — | — |
| 382 | — | 27 | 429 | — | 3 | 475 | — | 1 | 521 | — | — |
| 383 | — | 20 | 430 | 1 | 1 | 476 | — | — | 522 | — | 1 |
| 384 | — | 2 | 431 | — | — | 477 | — | 1 | 523 | — | 1 |
| 385 | — | 1 | 432 | — | 4 | 478 | — | 26 | 524 | — | — |
| 386 | — | 5 | 433 | — | 7 | 479 | — | — | 525 a b | — | 2 |
| 387 | 1 | 5 | 434 | — | 11 | 480 | — | 1 | 526 | — | 2 |
| 388 | — | 1 | 435 a b | 1 | 19 | 481 a-c | — | 25 | 527 | — | — |

| Nr. | Bl. | Nyr. | Nr. | Bl. | Nyr. | Nr. | Bl. | Nyr. | Nr. | Bl. | Nyr. |
|---|---|---|---|---|---|---|---|---|---|---|---|
| 528 | — | 2 | 576 | — | — | 622 | — | 6 | 667 | — | 1 |
| 529 | — | — | 577 | — | 6 | 623 | — | 1 | 668 | — | 4 |
| 530 | — | 1 | 578 | — | — | 624 | — | — | 669 a-e | — | 1 |
| 531 | — | — | 579 a-k | — | 4 | 625 a b | — | 10 | 670 | — | — |
| 532 | — | 2 | 580 | — | 18 | 626 a b | — | 3 | 671 a) | — |  |
| 533 | — | 2 | 581 | — | 7 | 627 | — | — | 671 b) | — | 20 |
| 534 a-c | — | 1 | 582 | — | 23 | 628 | — | — | 671 c) | — |  |
| 535 a b | — | 1 | 583 | — | 2 | 628 A | — | 2 | 672 | — | 5 |
| 536 a b | — | 4 | 584 a b | — | 8 | 629 | — | 2 | 673 | — | 6 |
| 537 | — | 13 | 585 | — |  | 630 | — | 1 | 674 | — | 5 |
| 539 | — | 8 | 586 | — | — | 631 | — | 10 | 675 | — | — |
| 540 | — | 1 | 587 | — | 1 | 632 | — | 20 | 676 a-e | — | 2 |
| 541 a b | — | 8 | 588 | — | — | 633 | — | 1 | 677 a b | — | 3 |
| 542 | — | 1 | 589 | — | — | 634 a-e | — | 1 | 678 | — | — |
| 543 | — | — | 590 | — | 1 | 635 | — | — | 679 | — | 1 |
| 544 | — | — | 591 | — | 2 | 636 | — | — | 680 a b | — | — |
| 545 a-w | — | 15 | 592 | — | 1 | 637 | — | — | 681 | 17 | 29 |
| 546 | — | 1 | 593 | — | 4 | 638 | — | 2 | 682 | — | 2 |
| 547 a-i | — | — | 594 | — | 3 | 639 | — | 4 | 683 a b | — | — |
| 548 | — | 2 | 595 | — | 2 | 640 | 2 | 17 | 684 a b | — | 3 |
| 549 a-c | — | — | 595 A | — | 9 | 641 | — | — | 685 a-d | — | 3 |
| 550 | — | 1 | 596 | — | 25 | 642 | — | 15 | 685 A | — | — |
| 551 a-e | — | 3 | 597 | — | 4 | 643 | — | — | 686 | — | — |
| 552 | — | — | 598 | — | 2 | 644 a b | — | 2 | 687 | — | 2 |
| 553 | — | — | 599 | — | 1 | 645 | — | 1 | 688 | — | 9 |
| 554 | — | 1 | 601 | — | 2 | 645 A a b | — | 2 | 690 a b | 2 | 19 |
| 555 | — | 4 | 602 | — | — | 646 | — | 1 | 691 | — | — |
| 556 | — | 2 | 603 | — | — | 647 a b | — | 5 | 692 | — | 1 |
| 557 a b | — | 1 | 604 | — | — | 648 49 | — |  | 693 | — | 1 |
| 558 | — | — | 606 | — | 1 | 650 a-e | — | 11 | 694 | 2 | 6 |
| 559 a b | — | 1 | 607 a b | — | 4 | 651 a-e | — | 2 | 695 | — | 5 |
| 560 a-c | — | 1 | 608 | — | — | 652 a-i | — | 4 | 696 | — | 8 |
| 561 a-d | — | 25 | 609 a-c | — | 8 | 653 | — | 11 | 697 a b | — | 1 |
| 562 | — | 17 | 610 | — | — | 654 | — | 6 | 698 | 2 | 26 |
| 563 | — | — | 611 | 3 | 2 | 655 a b | — | 3 | 700 | — | — |
| 564 | — | 2 | 611 A | — | 1 | 656 | — | — | 700 A | 1 | 12 |
| 565 | — | — | 612 | — |  | 657 | — | 1 | 700 B | — | — |
| 566 a b | — | 1 | 613 | — | 1 | 658 | — | — | 701 | — |  |
| 568 | — | 1 | 614 | — | 6 | 659 | — | 4 | 702 | — | 2 |
| 569 a-d | — | 1 | 615 | — | 1 | 660 | — | — | 703 a-e | — | 1 |
| 570 | — | 4 | 616 | — | 1 | 661 | — | 1 | 704 | — | — |
| 571 | — | — | 617 | — | 2 | 662 a b | — | 2 | 705 | — | — |
| 572 a-c | — | 2 | 618 a b | — | 2 | 663 | — | 24 | 706 | — | — |
| 573 | — | 1 | 619 | — | — | 664 | 1 | 13 | 708 | — | 3 |
| 574 | — | 4 | 620 a b | — | 4 | 665 | — | 22 | 711-29 | — | 11 |
| 575 | — | 11 | 621 | — | 6 | 666 | — | — | 730-34 | — | 2 |

| №. | Rt. | Ngr. | №. | Rt. | Ngr. | №. | Rt. | Ngr. | №. | Rt. | Ngr. |
|---|---|---|---|---|---|---|---|---|---|---|---|
| 735 | 2 | 12 | 779 | 2 | 8 | 824 | 1 | 2 | 870 | — | 22 |
| 736 | 2 | 5 | 780 | 5 | 15 | 825 | — | 10 | 871 | — | 7 |
| 736 A | 3 | 20 | 781 | — | 6 | 826 | — | 6 | 872 | — | 12 |
| 737 | 4 | 9 | 782 | 1 | 21 | 827 | — | 7 | 873 | — | 2 |
| 738 | 4 | 7 | 783 | — | 5 | 828 | — | 12 | 874 | — | 17 |
| 739 | 4 | 6 | 784 | — | 16 | 829 | — | 5 | 875 | — | 7 |
| 740 | 7 | 9 | 785 | — | 6 | 830 | — | 17 | 876 | — | 6 |
| 741 | 2 | 3 | 786 | 2 | 15 | 831 | — | 10 | 877 | — | 6 |
| 742 | — | 23 | 787 | — | 3 | 832 | 1 | 3 | 878 | — | 12 |
| 743 | 3 | 16 | 788 | — | 14 | 833 | — | 25 | 879 | — | 11 |
| 744 | 1 | 10 | 789 | 2 | 25 | 834 | — | 8 | 880 | — | 6 |
| 745 | 5 | 9 | 790 | — | 10 | 835 | — | 5 | 880 A | — | 1 |
| 746 | 1 | 6 | 791 | — | 6 | 836 | — | 12 | 881 | — | 6 |
| 747 | — | 23 | 792 | — | 10 | 837 | — | 16 | 882 | — | 7 |
| 748 | — | 4 | 793 | — | 6 | 838 | 1 | — | 883 | — | 9 |
| 749 | — | 10 | 794 | — | 6 | 839 | — | 13 | 884 | — | 7 |
| 750 | — | 5 | 795 | 2 | 25 | 840 | — | 7 | 885 | — | 7 |
| 751 | — | — | 796 | — | 6 | 841 | — | 6 | 886 | — | 14 |
| 752 | 1 | 1 | 797 | — | 6 | 842 | — | 14 | 887 | — | 16 |
| 753 | — | 2 | 798 | 1 | — | 843 | — | 6 | 888 | — | 9 |
| 754 | — | 5 | 799 | — | 14 | 844 | — | 8 | 889 | — | 17 |
| 755 | — | 6 | 800 | — | 11 | 845 | 1 | 10 | 890 | — | 4 |
| 756 | — | 4 | 801 | 1 | 16 | 846 | — | 9 | 891 | — | 8 |
| 758 | 3 | — | 802 | — | 17 | 847 | — | 9 | 892 | 2 | 13 |
| 759 | * |  | 803 | — | 9 | 848 | — | 6 | 893 | — | 6 |
| 760 | 5 | 12 | 804 | — | 12 | 849 | — | 16 | 894 | — | 2 |
| 761 | 6 | — | 805 | 1 | — | 850 | — | 10 | 895 | — | 7 |
| 762 | 1 | 5 | 806 | — | 18 | 851 | — | 14 | 896 | — | 4 |
| 763 | 1 | 3 | 807 | — | 20 | 852 | — | 18 | 897 | — | 6 |
| 764 | — | 5 | 808 | — | 12 | 853 | — | 13 | 898 | — | 3 |
| 765 | — | 3 | 809 | — | 8 | 854 | — | 5 | 899 | 5 | — |
| 766 | — | 3 | 810 | — | 8 | 855 | — | 27 | 900 | — | 9 |
| 767 | — | 1 | 811 | — | 9 | 856 | — | 8 | 901 | — | 8 |
| 768 | 1 | 16 | 812 | — | 13 | 857 | — | 1 | 902 | — | 5 |
| 769 A | — | 3 | 813 | 1 | 17 | 858 | — | 12 | 903 | — | 15 |
| 769 B | 3 | 29 | 813 A | — | 7 | 859 | — | 20 | 904 | — | 8 |
| 769 C | — | 4 | 814 | 1 | 10 | 860 | — | 6 | 905 | — | 7 |
| 770 | 2 | 10 | 815 | — | 10 | 861 | — | 6 | 906 | — | 20 |
| 771 | — | 16 | 816 | — | 8 | 862 | — | 9 | 907 | — | 2 |
| 772 | — | 16 | 817 | — | 6 | 863 | 1 | 2 | 908 | — | 20 |
| 773 | — | 8 | 818 | — | 22 | 864 | — | 5 | 909 | — | 8 |
| 774 | — | 7 | 819 | — | 5 | 865 | — | 6 | 910 | — | 8 |
| 775 | — | 10 | 820 | — | 10 | 866 | — | 8 | 911 | — | 3 |
| 776 | — | 16 | 821 | — | 8 | 867 | — | 12 | 912 | — | 2 |
| 777 | 3 | — | 822 | 2 | 10 | 868 | — | 18 | 913 | — | 12 |
| 778 | 1 | 15 | 823 | — | 17 | 869 | — | 6 | 914 | — | 6 |

* Zu 2337.

| No. | Rb. | Ngr. | No. | Rb. | Ngr. | No. | Rb. | Ngr. | No. | Rb. | Ngr. |
|---|---|---|---|---|---|---|---|---|---|---|---|
| 915 | — | 9 | 959 | — | 6 | 1005 | — | — | 1051 | 1 | 20 |
| 916 | — | 10 | 960 | — | — | 1006 | — | 6 | 1052 | 1 | 6 |
| 917 | — | 8 | 961 | — | 1 | 1007 | — | 12 | 1053 | 2 | — |
| 918 | — | 2 | 962 | — | 2 | 1008 | — | 6 | 1054 | 1 | — |
| 919 | — | 6 | 963 | — | 2 | 1009 | — | 1 | 1055 | — | 13 |
| 920 | — | 12 | 964 | — | — | 1010 | — | 11 | 1056 | — | 19 |
| 921 | — | 6 | 965 | — | 1 | 1011 | 2 | 12 | 1057 | — | 4 |
| 922 | — | 4 | 966 | — | 2 | 1012 | 2 | — | 1058 | 2 | — |
| 923 | — | 2 | 967 | — | 12 | 1013 | 2 | — | 1059 | — | 20 |
| 924 | — | 6 | 968 | — | 19 | 1014 | 1 | 10 | 1060 | — | 6 |
| 925 | — | 6 | 969 | — | 5 | 1015 | 1 | — | 1061 | 3 | 10 |
| 926 | — | 6 | 970 | — | 6 | 1016 | — | 16 | 1062 | — | 15 |
| 927 | — | 1 | 971 | — | 4 | 1017 | — | 20 | 1063 | 2 | — |
| 928 | — | 6 | 972 | — | 4 | 1018 | 2 | 12 | 1064 | — | 6 |
| 929 | — | 2 | 973 | — | 13 | 1019 | — | 6 | 1065 | — | 11 |
| 930 | — | 1 | 974 | — | 1 | 1020 | 2 | 5 | 1066 | — | 9 |
| 931 A | — | — | 975 | — | 2 | 1021 | — | 6 | 1067 | — | 16 |
| 931 B | — | 6 | 976 | — | 2 | 1022 | 2 | 13 | 1068 | 1 | 15 |
| 932 | — | 2 | 977 | — | — | 1023 | 2 | 13 | 1069 | — | 3 |
| 933 | — | 8 | 978 | — | 1 | 1024 | 3 | 9 | 1070 | — | 5 |
| 934 | 1 | 12 | 979 | — | 3 | 1025 | 3 | 15 | 1071 | 1 | 23 |
| 935 | — | 4 | 980 | — | — | 1026 | — | 6 | 1072 | 1 | 20 |
| 936 | — | — | 981 | — | 1 | 1027 | 1 | 5 | 1073 | — | 8 |
| 937 | — | 2 | 982 | — | 14 | 1028 | 1 | 12 | 1074 | — | 2 |
| 938 | 1 | 25 | 983 | — | 2 | 1029 | 3 | 9 | 1075 | 1 | 21 |
| 939 | — | 1 | 984 | — | 5 | 1030 | — | 6 | 1076 | — | 2 |
| 940 | — | 5 | 985 | — | 1 | 1031 | — | 27 | 1077 | — | 16 |
| 941 | — | 3 | 986 | — | 6 | 1032 | — | 11 | 1078 | 1 | 16 |
| 942 A | — | 3 | 987 | — | 15 | 1033 | — | 12 | 1079 | — | 26 |
| 942 B | — | 1 | 988 | — | 15 | 1034 | 8 | 8 | 1080 | 3 | 5 |
| 943 | — | 4 | 989 | — | 10 | 1035 | — | 2 | 1081 | — | 15 |
| 944 | — | 1 | 990 | — | 3 | 1036 | — | 8 | 1082 | — | 21 |
| 945 | — | 1 | 991 | — | 4 | 1037 | 2 | — | 1083 | 3 | 13 |
| 946 | — | 1 | 992 | — | 5 | 1038 | 2 | 25 | 1084 | — | 8 |
| 947 | — | 1 | 993 | — | 3 | 1039 | 2 | 10 | 1085 | 4 | 1 |
| 948 | — | 3 | 994 | — | 20 | 1040 | — | 25 | 1086 | — | 4 |
| 949 | — | 1 | 995 | — | 6 | 1041 | 6 | 1 | 1087 | 2 | 8 |
| 950 | — | 8 | 996 | — | 1 | 1042 | 2 | 12 | 1088 | 2 | 5 |
| 951 | — | 1 | 997 | — | 1 | 1943 | — | 6 | 1089 | — | 3 |
| 952 | — | 3 | 998 | — | 4 | 1044 | — | 6 | 1090 | 2 | — |
| 953 | — | 5 | 999 | — | — | 1045 | 9 | 1 | 1091 | — | 11 |
| 954 | — | 1 | 1000 | — | 6 | 1746 | — | 5 | 1091 | — | 17 |
| 955 | — | 12 | 1001 | — | 6 | 1047 | — | 23 | 1092 | 2 | — |
| 956 | — | 1 | 1002 | — | 4 | 1048 | — | 1 | 1093 | — | 1 |
| 957 | — | 1 | 1003 | — | — | 1049 | — | 3 | 1094 | — | 1 |
| 958 | — | 1 | 1004 | — | 1 | 1050 | — | 6 | 1095 | — | 1 |

| № | Rt | Ny | № | Rt | Ny | № | Rt | Ny | № | Rt | Ny |
|---|---|---|---|---|---|---|---|---|---|---|---|
| 1096 | — | 1 | 1142 | — | 3 | 1188 | — | 1 | 1233 | — | 5 |
| 1097 | — | 1 | 1143 | — | 3 | 1189 | — | 3 | 1234 | — | 4 |
| 1098 | — | 1 | 1144 | — | 1 | 1190 | — | 1 | 1235 | — | 1 |
| 1099 | — | 1 | 1145 | — | 12 | 1191 | — | 1 | 1236 | 1 | 4 |
| 1100 | — | 1 | 1146 | — | 29 | 1192 | — | 1 | 1237 | — | 3 |
| 1101 | — | 1 | 1147 | — | 20 | 1193 | — | 1 | 1238 | — | 1 |
| 1102 | — | 8 | 1148 | 3 | 25 | 1194 | — | — | 1239 | — | 1 |
| 1103 | — | 2 | 1149 | 1 | 17 | 1195 | — | 3 | 1240 | — | 1 |
| 1104 | — | 15 | 1150 | — | 7 | 1196 | — | 19 | 1241 | — | 1 |
| 1105 | — | 2 | 1151 | — | — | 1197 | — | 2 | 1242 | — | 2 |
| 1106 | — | 21 | 1152 | — | 2 | 1189 | 1 | 29 | 1243 | — | 1 |
| 1107 | — | 3 | 1153 | 2 | 20 | 1199 | — | 1 | 1244 | — | 2 |
| 1108 | — | 4 | 1154 | — | 8 | 1200 | — | — | 1245 | — | 2 |
| 1109 | — | 13 | 1155 | — | 16 | 1201 | — | 1 | 1246 | — | — |
| 1110 | — | — | 1156 | — | 9 | 1202 | — | — | 1247 | — | 4 |
| 1111 | — | 7 | 1157 | — | 25 | 1203 | — | 1 | 1248 | — | 2 |
| 1112 | — | 21 | 1158 | — | 16 | 1204 | — | 6 | 1249 | — | 1 |
| 1113 | 2 | — | 1159 | — | 7 | 1205 | 1 | 16 | 1250 | — | 2 |
| 1114 | — | 6 | 1160 | — | 10 | 1206 | — | 12 | 1251 | — | 6 |
| 1115 | — | 1 | 1161 | — | 4 | 1207 | 1 | 5 | 1252 | — | — |
| 1116 | — | 9 | 1162 | — | 12 | 1208 | — | 9 | 1253 | — | 2 |
| 1117 | — | 10 | 1163 | — | 2 | 1209 | 2 | 7 | 1254 | — | 4 |
| 1118 | — | 1 | 1164 | 3 | 20 | 1210 | 2 | 5 | 1255 | — | 3 |
| 1119 | — | 26 | 1165 | 1 | — | 1211 | 1 | 9 | 1256 | — | 4 |
| 1120 | 1 | 2 | 1166 | — | 15 | 1212 | — | 8 | 1257 | — | 1 |
| 1121 | — | 10 | 1167 | — | 5 | 1213 | — | 5 | 1258 | — | 2 |
| 1122 | 1 | 9 | 1168 | — | 1 | 1214 | — | 20 | 1259 | — | 2 |
| 1123 | — | 6 | 1169 | — | — | 1215 | — | 18 | 1260 | — | 1 |
| 1124 | — | 2 | 1170 | — | 2 | 1216 | — | 2 | 1261 | — | — |
| 1125 | — | 25 | 1171 | — | 2 | 1217 | — | 6 | 1262 | — | 6 |
| 1126 | — | 2 | 1172 | — | 2 | 1218 | — | 2 | 1263 | — | 2 |
| 1127 | — | 1 | 1173 | — | 3 | 1219 | — | 15 | 1264 | — | 4 |
| 1128 | — | 9 | 1174 | — | 2 | 1220 | — | 2 | 1265 | — | 1 |
| 1129 | — | 2 | 1175 | — | 8 | 1221 | — | 6 | 1266 | — | 4 |
| 1130 | — | 2 | 1176 | — | 1 | 1222 | — | 6 | 1267 | — | 1 |
| 1131 | — | 3 | 1177 | — | 1 | 1223 A | 1 | 5 | 1268 | — | 1 |
| 1132 | — | 2 | 1178 | — | 3 | 1223 B | — | 5 | 1269 | — | 12 |
| 1133 | — | 8 | 1179 | — | 6 | 1224 | — | 1 | 1270 | — | 11 |
| 1134 | — | 4 | 1180 | — | 2 | 1225 | — | 1 | 1271 | — | — |
| 1135 | — | 25 | 1181 | — | 3 | 1226 | — | 8 | 1272 | — | 1 |
| 1136 | — | 12 | 1182 | — | 1 | 1227 | — | 1 | 1273 | — | 1 |
| 1137 | — | 16 | 1183 | — | 2 | 1228 | — | 1 | 1274 | — | 5 |
| 1138 | 1 | 15 | 1184 | — | 1 | 1229 | — | 4 | 1275 | — | 15 |
| 1139 | — | 15 | 1185 | — | 1 | 1230 | — | 1 | 1276 | — | 1 |
| 1140 | — | 4 | 1186 | — | 2 | 1231 | — | 1 | 1277 | — | 1 |
| 1141 | — | 12 | 1187 | — | 1 | 1232 | — | 1 | 1278 | — | 1 |

| 𝕹. | Rt. | Ngr. | 𝕹. | Rt. | Ngr. | 𝕹. | Rt. | Ngr. | 𝕹. | Rt. | Ngr. |
|---|---|---|---|---|---|---|---|---|---|---|---|
| 1279 | — | 18 | 1325 | — | 1 | 1370 | — | 17 | 1414 | — | 1 |
| 1280 | — | 10 | 1326 | — | 2 | 1371 | — | 20 | 1415 | — | 7 |
| 1281 | — | 14 | 1327 | 5 | — | 1372 | — | 1 | 1416 | — | 18 |
| 1282 | — | 7 | 1328 | 17 | — | 1373 | — | 1 | 1417 | — | 11 |
| 1283 | — | 10 | 1329 | — | 2 | 1374 A | 1 | 22 | 1418 | — | 1 |
| 1284 | — | 8 | 1330 | — | 9 | 1374 B | — | 12 | 1419 | - | 24 |
| 1285 | — | 4 | 1331 | — | 13 | 1375 | — | 8 | 1420 | — | 1 |
| 1286 | — | 8 | 1332 | — | — | 1376 | — | 21 | 1421 | — | 2 |
| 1287 | — | 1 | 1333 | — | 1 | 1377 | — | 16 | 1422 | — | 1 |
| 1288 | — | 2 | 1334 | — | 3 | 1378 | — | 1 | 1423 | — | 3 |
| 1289 | — | 3 | 1335 | 1 | — | 1379 | — | 3 | 1424 | — | 12 |
| 1290 | — | 1 | 1336 | — | 16 | 1380 | — | 4 | 1425 | — | 1 |
| 1291 | — | 1 | 1337 | — | 6 | 1381 | — | 8 | 1426 | — | 2 |
| 1292 | — | 2 | 1338 | — | 1 | 1382 | — | 1 | 1427 | — | 1 |
| 1293 | — | 14 | 1339 | — | — | 1383 | — | 1 | 1428 | — | 2 |
| 1294 | — | 5 | 1340 | — | 11 | 1384 | 1 | 3 | 1429 | — | — |
| 1295 | — | 2 | 1341 | — | 9 | 1385 | — | 1 | 1430 | — | 6 |
| 1296 | — | 1 | 1342 | — | 3 | 1386 | — | 11 | 1431 | — | 1 |
| 1297 | — | 1 | 1343 | — | 6 | 1387 | — | 15 | 1432 | — | 1 |
| 1298 | — | 6 | 1344 | — | 1 | 1388 | — | 1 | 1433 | — | 1 |
| 1299 | — | 1 | 1345 | — | 2 | 1389 | — | 6 | 1440 | — | 1 |
| 1300 | — | 2 | 1346 | 1 | 11 | 1390 | — | 7 | 1441 | — | 1 |
| 1301 | — | 1 | 1347 | — | 22 | 1391 | 1 | 16 | 1442 | — | 6 |
| 1302 | — | — | 1348 | 1 | 4 | 1392 | — | 12 | 1443 | — | 11 |
| 1303 | — | 1 | 1349 | 1 | — | 1393 | — | 1 | 1444 | — | 9 |
| 1304 | — | — | 1350 | — | 1 | 1394 | — | 16 | 1445 | — | 7 |
| 1305 | — | 1 | 1351 | — | 1 | 1395 | 2 | 7 | 1446 | — | 1 |
| 1306 | — | 1 | 1352 | — | 1 | 1396 | — | 1 | 1447 | — | 6 |
| 1307 | — | 1 | 1353 | — | 7 | 1397 | — | 1 | 1448 | — | 6 |
| 1308 | — | 1 | 1354 | — | 2 | 1398 | — | — | 1449 | — | 1 |
| 1309 | — | 1 | 1355 | — | 1 | 1399 | — | 1 | 1450 | — | 3 |
| 1310 | — | — | 1356 | — | 2 | 1400 | — | 1 | 1451 | — | 6 |
| 1311 | — | 3 | 1357 | — | — | 1401 | — | 4 | 1452 | — | 10 |
| 1312 | — | 2 | 1358 | — | 15 | 1402 | 11 | 26 | 1453 | — | 15 |
| 1313 | — | 1 | 1359 | — | 9 | 1403 | 1 | — | 1454 | 7 | — |
| 1314 | — | 2 | 1360 | — | 1 | 1404 | — | 16 | 1455 | — | 1 |
| 1315 | — | 6 | 1361 | — | 1 | 1405 | — | — | 1456 | 3 | 29 |
| 1316 | — | 2 | 1362 | — | — | 1406 | — | 1 | 1457 | — | 16 |
| 1317 | — | 1 | 1363 | — | 1 | 1407 A | — | 25 | 1458 | — | 1 |
| 1318 | — | 1 | 1364 | — | 4 | 1407 B | — | 10 | 1459 | — | 14 |
| 1319 | — | 1 | 1365 | — | 8 | 1408 | — | 10 | 1460 | — | 9 |
| 1320 | — | 1 | 1366 A | 7 | — | 1409 | — | 10 | 1461 | — | 9 |
| 1321 | — | 5 | 1366 B | — | 1 | 1410 | — | 2 | 1462 | — | 2 |
| 1322 | — | 5 | 1367 | 1 | — | 1411 | — | 2 | 1463 | 2 | — |
| 1323 | — | 4 | 1368 | — | 5 | 1412 | — | 8 | 1464 | — | 13 |
| 1324 | — | 2 | 1369 | — | 6 | 1413 | — | — | 1465 | — | 15 |

| Æ. | Rt. | Ayr | Æ. | Rt. | Ayr | Æ. | Rt. | Ayr | Æ. | Rt. | Ayr |
|---|---|---|---|---|---|---|---|---|---|---|---|
| 1466 | — | 2 | 1511 | — | 18 | 1554 | 1 | 8 | 1600 | — | 9 |
| 1467 | — | — | 1512 | — | 10 | 1555 | — | 4 | 1601 | 2 | — |
| 1468 | — | 3 | 1513 | — | 4 | 1556 | — | 1 | 1602 | — | 6 |
| 1469 | — | 8 | 1514 | 1 | 15 | 1557 | — | 1 | 1603 | 1 | 8 |
| 1470 | — | 1 | 1515 | 2 | 2 | 1558 | — | 15 | 1604 | — | 11 |
| 1471 | — | 3 | 1516 | — | 13 | 1559 | — | 9 | 1605 | — | 10 |
| 1472 | — | 1 | 1517 | — | 1 | 1560 | — | 3 | 1606 | 1 | 5 |
| 1473 | — | — | 1518 | — | 6 | 1561 | — | 1 | 1607 | — | 12 |
| 1474 | — | 9 | 1519 | 4 | 8 | 1562 | — | 1 | 1608 | — | 7 |
| 1475 A | — | 17 | 1520 | 3 | 17 | 1563 | — | 4 | 1609 | — | 3 |
| 1475 B | — | 16 | 1521 | — | 8 | 1564 | — | 3 | 1610 | — | 12 |
| 1476 | — | 26 | 1522 | — | 1 | 1565 | — | 4 | 1611 | — | 9 |
| 1477 | — | 18 | 1523 | — | 8 | 1566 | 3 | — | 1612 | 5 | 12 |
| 1478 | — | 6 | 1524 | 1 | 15 | 1567 | 5 | — | 1613 | — | 4 |
| 1479 | 1 | — | 1525 A | — | 13 | 1568 | — | 6 | 7614 | — | 2 |
| 1480 | — | 18 | 1525 B | — | 3 | 1569 | 1 | 5 | 1615 | — | 3 |
| 1481 | — | 6 | 1526 A | 13 | — | 1570 | — | 3 | 1616 | — | 2 |
| 1482 | — | 5 | 1526 B | 1 | 10 | 1571 | — | 12 | 1617 | — | 18 |
| 1483 | 2 | — | 1527 A | — | 4 | 1572 | — | — | 1618 | — | 17 |
| 1484 | — | 7 | 1527 B | 1 | 15 | 1573 | — | 4 | 1619 | — | 7 |
| 1485 | — | 4 | 1528 | — | 11 | 1574 | — | 14 | 1620 | 1 | 4 |
| 1486 | 1 | 21 | 1529 | — | 2 | 1575 | — | 1 | 1621 | — | 19 |
| 1487 | — | 1 | 1530 | — | 24 | 1576 | — | — | 1622 | — | 27 |
| 1488 | — | 21 | 1531 | — | 1 | 1577 | 6 | 20 | 1623 | — | 2 |
| 1489 | — | 1 | 1532 | — | 1 | 1578 | 1 | 11 | 1624 | — | — |
| 1490 | 2 | — | 1533 | — | 21 | 1579 | — | 2 | 1625 | — | 1 |
| 1491 | — | 7 | 1534 | 1 | 2 | 1580 | — | 18 | 1626 | — | — |
| 1492 | — | 5 | 1535 | — | 1 | 1581 | — | 4 | 1627 | 1 | — |
| 1493 | — | 6 | 1536 | — | 6 | 1582 | — | 25 | 1628 | — | 18 |
| 1494 | 2 | 9 | 1537 | — | 1 | 1583 | 1 | — | 1629 | — | 8 |
| 1495 | — | 2 | 1538 | — | 2 | 1584 | — | 3 | 1630 | — | 7 |
| 1496 | — | 10 | 1539 | — | 8 | 1585 | 1 | 16 | 1631 | 1 | 17 |
| 1497 | — | 9 | 1540 | 1 | 29 | 1586 | — | 4 | 1632 | 2 | 8 |
| 1498 | — | 3 | 1541 | — | 25 | 1587 | — | 1 | 1633 | — | 4 |
| 1499 | — | 3 | 1542 | — | — | 1588 | — | 13 | 1634 | — | 17 |
| 1500 | 7 | 6 | 1543 | — | 4 | 1589 | — | 10 | 1635 | — | 19 |
| 1501 | — | 1 | 1544 | 2 | — | 1590 | — | 8 | 1636 | — | 8 |
| 1502 | — | 1 | 1545 | — | 1 | 1591 | — | 7 | 1637 | — | 2 |
| 1503 | — | 6 | 1546 | — | 24 | 1592 | — | 14 | 1638 | 2 | — |
| 1504 | — | 1 | 1547 | — | 6 | 1593 | — | 8 | 1639 | — | 1 |
| 1505 | — | — | 1548 | 4 | 11 | 1594 | — | 2 | 1640 | 8 | 12 |
| 1506 | 2 | — | 1549 | — | 20 | 1595 | — | 1 | 1641 | 2 | 6 |
| 1507 | — | 23 | 1550 | — | 1 | 1596 | — | 5 | 1642 | 1 | 23 |
| 1508 | — | 9 | 1551 | 3 | 24 | 1597 | — | 1 | 1643 | 1 | — |
| 1509 | — | 26 | 1552 | — | 3 | 1598 | — | 17 | 1644 | — | 4 |
| 1510 | — | 6 | 1553 | — | 6 | 1599 | 3 | 12 | 1645 | 1 | — |

| År. | Rg. | Nyr. | År. | Rg. | Nyr. | År. | Rg. | Nyr. | År. | Rg. | Nyr. |
|---|---|---|---|---|---|---|---|---|---|---|---|
| 1646 | — | 1 | 1692 | — | 4 | 1738 | — | 6 | 1784 | — | 3 |
| 1647 | — | 7 | 1693 | — | 5 | 1739 | — | 1 | 1785 | — | — |
| 1648 | — | 3 | 1694 | — | 4 | 1740 | — | 4 | 1786 | — | 2 |
| 1649 | — | 2 | 1695 | — | 1 | 1741 | — | 5 | 1787 | — | 4 |
| 1650 | — | 11 | 1696 | — | 1 | 1742 | — | 1 | 1788 | — | 6 |
| 1651 | — | 15 | 1697 | — | 13 | 1743 | — | 4 | 1789 | — | 15 |
| 1652 | — | 2 | 1689 | — | — | 1744 | — | 2 | 1790 | — | 14 |
| 1653 | — | 1 | 1699 | — | 5 | 1745 | — | 2 | 1791 | — | 1 |
| 1654 | — | 4 | 1700 | — | 5 | 1746 | — | 5 | 1792 | — | — |
| 1655 | — | 1 | 1701 | — | 8 | 1747 | — | 4 | 1793 | — | 3 |
| 1256 | — | 2 | 1702 | — | 7 | 1748 | — | 6 | 1794 | — | — |
| 1657 | — | 2 | 1703 | — | 1 | 1749 | — | 9 | 1795 | — | 1 |
| 1658 | — | 12 | 1704 | — | 4 | 1750 | — | 8 | 1796 | — | 2 |
| 1659 | 2 | 15 | 1705 | — | 1 | 1751 | — | — | 1797 | — | 12 |
| 1660 | — | 2 | 1706 | — | 23 | 1752 | — | 1 | 1798 | — | 1 |
| 1661 | — | 4 | 1707 | — | 1 | 1753 | — | 1 | 1799 | — | 8 |
| 1662 | — | — | 1708 | 4 | 15 | 1754 | 1 | 8 | 1800 | — | 12 |
| 1663 | — | 1 | 1709 | 2 | 15 | 1755 | — | 1 | 1801 | — | 18 |
| 1664 | 1 | 3 | 1710 | — | 12 | 1756 | — | 1 | 1802 | — | 1 |
| 1665 | — | 5 | 1711 | — | 5 | 1757 | — | 1 | 1803 | — | 1 |
| 1666 | — | 18 | 1712 | — | 11 | 1758 | — | 2 | 1804 | — | 7 |
| 1667 | — | 29 | 1713 | 3 | 13 | 1759 | — | — | 1805 | — | 5 |
| 1668 | — | 1 | 1714 | 2 | 16 | 1760 | — | 2 | 1806 | — | 6 |
| 1669 | — | 2 | 1715 | — | 14 | 1761 | — | 4 | 1807 | — | 16 |
| 1670 | 1 | — | 1716 | — | 7 | 1762 | — | 6 | 1808 | — | 1 |
| 1671 | 3 | — | 1717 | — | 9 | 1763 | — | 2 | 1809 | — | 2 |
| 1672 | 1 | 12 | 1718 | — | 23 | 1764 | — | 17 | 1810 | — | — |
| 1673 | — | 2 | 1719 | — | 8 | 1765 | — | 2 | 1811 | — | 7 |
| 1674 | — | 1 | 1720 | — | 4 | 1766 | — | 6 | 1812 | — | 3 |
| 1675 | — | 1 | 1821 | 1 | 8 | 1767 | — | 2 | 1813 | — | 13 |
| 1676 | — | — | 1722 | — | 10 | 1768 | — | 4 | 1814 | 1 | — |
| 1677 | — | 4 | 1723 | — | 1 | 1769 | — | 1 | 1815 | — | 7 |
| 1678 | — | 13 | 1724 | — | 6 | 1770 | — | — | 1816 | — | 2 |
| 1679 | — | 6 | 1725 | — | 10 | 1771 | — | — | 1817 | — | 9 |
| 1680 | — | 1 | 1726 | — | 7 | 1772 | — | 4 | 1818 | — | 2 |
| 1681 | — | 9 | 1727 | — | 8 | 1773 | — | 9 | 1819 | — | — |
| 1682 | — | 26 | 1728 | — | 1 | 1774 | — | 11 | 1820 | — | 4 |
| 1683 | — | 8 | 1729 | — | 10 | 1775 | — | 11 | 1821 | — | 17 |
| 1684 | — | 6 | 1730 | — | 8 | 1776 | — | 4 | 1822 | — | 1 |
| 1685 | — | 1 | 1731 | — | 5 | 1777 | — | 10 | 1823 | — | 1 |
| 1686 | — | 7 | 1732 | — | 1 | 1778 | — | 7 | 1824 | — | 6 |
| 1687 | 1 | 20 | 1733 | — | 12 | 1779 | — | 10 | 1825 | — | 3 |
| 1688 | — | 1 | 1734 | — | 15 | 1780 | — | 2 | 1826 | — | — |
| 1689 | — | 28 | 1735 | — | 8 | 1781 | — | 1 | 1827 | — | 7 |
| 1690 | — | 1 | 1736 | — | 1 | 1782 | — | 6 | 1828 | — | 1 |
| 1691 | — | 6 | 1737 | — | 2 | 1783 | — | 8 | 1829 | — | 1 |

| Ж | Я | Лр | Ж | Я | Лр | Ж | Я | Лр | Ж | Я | Лр |
|---|---|---|---|---|---|---|---|---|---|---|---|
| 1830 | — | 8 | 1876 | — | — | 1921 | 3 | 3 | 1966 | — | 16 |
| 1831 | — | 3 | 1877 | — | 1 | 1922 A | — | 9 | 1967 | — | 8 |
| 1832 | — | 12 | 1878 | — | 1 | 1922 B | — | 5 | 1968 | — | 2 |
| 1833 | — | 12 | 1879 | — | 1 | 1923 | — | 4 | 1969 | — | 1 |
| 1834 | — | 14 | 1880 | — | 3 | 1924 | — | 3 | 1970 | — | 6 |
| 1835 | — | 7 | 1881 | — | 6 | 1925 | — | 4 | 1971 | — | — |
| 1836 | — | 23 | 1882 | — | 3 | 1926 | — | — | 1972 | — | 1 |
| 1837 | — | 1 | 1883 | — | 5 | 1927 | — | 10 | 1974 | — | 18 |
| 1838 | — | 1 | 1884 | — | 10 | 1928 | — | — | 1975 | — | 10 |
| 1839 | — | 3 | 1885 | — | 10 | 1929 | — | 1 | 1976 | — | 6 |
| 1840 | — | 1 | 1886 | — | 10 | 1930 | — | 2 | 1977 | — | 6 |
| 1841 | — | 3 | 1887 | — | 5 | 1931 | — | 7 | 1978 | — | 4 |
| 1842 | — | 6 | 1888 | — | 8 | 1932 | — | 4 | 1979 | — | 6 |
| 1843 | — | 1 | 1889 | — | 4 | 1933 | — | 2 | 1980 | — | 16 |
| 1844 | — | 15 | 1890 | — | 9 | 1934 | — | 6 | 1981 | — | 1 |
| 1845 | — | 12 | 1891 | — | 9 | 1935 | — | 5 | 1982 | — | 5 |
| 1846 | — | 3 | 1892 | — | 17 | 1936 | — | 4 | 1983 | — | 1 |
| 1847 | — | 2 | 1893 | — | 1 | 1937 | — | 4 | 1984 | — | 8 |
| 1848 | — | 7 | 1894 | — | 3 | 1938 | — | 3 | 1985 | — | 7 |
| 1849 | — | 3 | 1895 | — | 2 | 1939 | — | 1 | 1986 | — | 12 |
| 1850 | — | 2 | 1896 | — | 2 | 1940 | — | 2 | 1987 | — | 2 |
| 1851 | — | 5 | 1897 | — | 3 | 1941 | — | 2 | 1988 | — | 4 |
| 1852 | — | 25 | 1898 | — | 3 | 1942 | — | 6 | 1989 | 1 | 15 |
| 1853 | — | — | 1899 | — | 3 | 1943 | — | 3 | 1990 | — | 2 |
| 1854 | — | 6 | 1900 | — | 7 | 1944 | — | 1 | 1991 | — | 1 |
| 1855 | — | 6 | 1901 | — | — | 1945 | — | 6 | 1992 | — | 2 |
| 1856 | — | 15 | 1902 | 1 | — | 1946 | 1 | 25 | 1993 | — | 3 |
| 1857 | — | 12 | 1903 | — | 1 | 1947 | — | 5 | 1994 | — | 5 |
| 1858 | — | 1 | 1904 | — | 1 | 1948 | — | 2 | 1995 | — | 4 |
| 1859 | — | 4 | 1905 | — | 1 | 1949 | — | 10 | 1996 | — | 6 |
| 1860 | — | 4 | 1906 | — | 1 | 1950 | — | 1 | 1997 | — | 1 |
| 1861 | — | 8 | 1907 | — | 4 | 1951 | — | 1 | 1998 | — | 7 |
| 1862 | — | 2 | 1908 | — | 4 | 1952 | — | 1 | 1999 | — | — |
| 1863 | — | 1 | 1909 | — | 1 | 1953 | — | 13 | 1900 | — | 1 |
| 1864 | — | — | 1910 | — | 10 | 1954 | — | 3 | 2001 | — | 10 |
| 1865 | — | 15 | 1911 A | — | 3 | 1955 | — | 2 | 2002 | — | 1 |
| 1866 | — | — | 1911 B | — | 3 | 1956 | — | 1 | 2003 | — | 1 |
| 1867 | — | — | 1912 | — | 8 | 1957 | — | 2 | 2004 | — | 1 |
| 1868 | — | 7 | 1913 | — | 6 | 1958 | — | 5 | 2005 | — | 4 |
| 1869 | — | 19 | 1914 | 1 | 10 | 1959 | 1 | — | 2006 | — | — |
| 1870 | — | 4 | 1915 | — | 9 | 1960 | — | 1 | 2007 | — | 17 |
| 1871 | — | — | 1916 | — | 1 | 1961 | — | 5 | 2008 | — | 3 |
| 1872 | — | 6 | 1917 | — | — | 1962 | — | 1 | 2009 | — | 6 |
| 1873 | — | 7 | 1918 | — | 2 | 1963 | — | 9 | 2010 | — | — |
| 1874 | — | 1 | 1919 | — | — | 1964 | — | 5 | 2011 | — | — |
| 1875 | — | — | 1920 | — | 3 | 1965 | — | 1 | 2012 | — | 3· |

| № | Rб | Лр | № | Rб | Лр | № | Rб | Лр | № | Rб | Лр | № | Rб | Лр |
|---|---|---|---|---|---|---|---|---|---|---|---|---|---|---|
| 2013 | — | — | 2058 | — | 9 | 2104 | — | 7 | 2149 | — | 25 | | | |
| 2014 | — | 12 | 2059 | — | 4 | 2105 | — | — | 2150 | — | 17 | | | |
| 2015 | — | 9 | 2060 | — | 5 | 2106 | — | 8 | 2151 | — | 2 | | | |
| 2016 | — | 5 | 2061 | — | 7 | 2107 | — | 4 | 2152 | — | 3 | | | |
| 2017 | — | — | 2062 | — | 13 | 2108 | — | 12 | 2153 | — | — | | | |
| 2018 | — | 10 | 2063 | — | 2 | 2109 | — | 5 | 2154 | — | 8 | | | |
| 2019 | — | 25 | 2064 | — | — | 2110 | — | 4 | 2155 | — | — | | | |
| 2020 | — | 1 | 2065 | — | 3 | 2111 | — | 11 | 2156 | — | 4 | | | |
| 2021 | — | 10 | 2066 | — | 4 | 2112 | 4 | 15 | 2157 | — | 1 | | | |
| 2022 | — | 11 | 2067 | — | 5 | 2113 | — | 6 | 2158 | — | 17 | | | |
| 2023 | — | 8 | 2068 | — | 2 | 2114 | — | 5 | 2159 | — | 8 | | | |
| 2024 | — | 8 | 2069 | — | 6 | 2115 | — | 2 | 2160 | — | 7 | | | |
| 2025 | — | 10 | 2070 | — | 10 | 2116 | — | 9 | 2161 | — | 15 | | | |
| 2026 | — | 6 | 2071 | — | 4 | 2117 | — | 7 | 2162 | — | 25 | | | |
| 2027 | — | 7 | 2072 | — | 1 | 2118 | — | 8 | 2163 | — | 4 | | | |
| 2028 | — | 9 | 2073 | — | 5 | 2119 | — | 1 | 2164 | — | — | | | |
| 2029 | — | 1 | 2074 | — | 5 | 2120 | — | 6 | 2165 | — | 9 | | | |
| 2030 | — | — | 2075 | — | 10 | 2121 | — | 4 | 2166 | — | — | | | |
| 2031 | — | 25 | 2076 | — | 4 | 2122 | — | 5 | 2167 | — | 23 | | | |
| 2032 | — | 8 | 2077 | — | 6 | 2123 | — | 6 | 2168 | — | 5 | | | |
| 2033 | — | 2 | 2078 | — | 20 | 2124 | — | 16 | 2169 | — | 1 | | | |
| 2034 | — | 9 | 2079 | — | 3 | 2125 | — | 5 | 2170 | — | 3 | | | |
| 2035 | — | — | 2080 | — | 2 | 2126 | — | 1 | 2171 | — | 1 | | | |
| 2036 | — | 3 | 2081 | — | 2 | 2127 | — | 1 | 2172 | — | 5 | | | |
| 2037 | — | — | 2082 | — | 4 | 2128 | — | 5 | 2173 | — | — | | | |
| 2038 | — | 12 | 2083 | — | 1 | 2129 | — | 1 | 2174 | — | 7 | | | |
| 2039 | — | 19 | 2084 | — | 1 | 2130 | — | 1 | 2175 | — | 9 | | | |
| 2040 | — | 8 | 2085 | — | 1 | 2131 | — | 7 | 2176 | — | 6 | | | |
| 2041 | — | 10 | 2086 | — | 2 | 2132 | — | 5 | 2177 | — | 5 | | | |
| 2042 A | — | 3 | 2087 | — | 16 | 2133 | — | 5 | 2178 | — | 1 | | | |
| 2042 B | — | 4 | 2088 | — | 4 | 2134 | — | 8 | 2179 | — | 6 | | | |
| 2043 | — | — | 2089 | — | 20 | 2135 | — | 17 | 2180 | — | 1 | | | |
| 2044 | — | 5 | 2090 | — | 18 | 2136 | — | 4 | 2181 | — | 5 | | | |
| 2045 | — | 1 | 2091 | — | 6 | 2137 | — | 6 | 2182 | — | 5 | | | |
| 2046 | — | 1 | 2092 | — | — | 2138 | — | 5 | 2183 | — | 9 | | | |
| 2047 | — | 3 | 2093 | — | 19 | 2139 | — | 4 | 2184 | — | 4 | | | |
| 2048 | — | 7 | 2094 | — | 5 | 2140 | — | 14 | 2185 | — | 21 | | | |
| 2049 | — | 20 | 2095 | — | 6 | 2141 | — | 22 | 2186 | — | 8 | | | |
| 2050 | — | 5 | 2096 | — | — | 2142 | — | 6 | 2187 | — | 1 | | | |
| 2051 | — | 15 | 2097 | — | 4 | 2143 | — | 2 | 2188 | — | 5 | | | |
| 2052 | — | 1 | 2098 | — | 6 | 2144 | — | 1 | 2189 | — | 1 | | | |
| 2053 | — | 1 | 2099 | — | 7 | 2145 A | — | 8 | 2190 | — | 16 | | | |
| 2054 | — | 1 | 2100 | — | 4 | 2145 B | — | 2 | 2191 | — | 2 | | | |
| 2055 | — | — | 2101 | — | — | 2146 | — | 5 | 2192 | — | 6 | | | |
| 2056 | — | 1 | 2102 | — | 8 | 2147 | — | 6 | 2193 | — | — | | | |
| 2057 | — | 5 | 2103 | — | 9 | 2148 | — | 4 | 2194 | — | 1 | | | |

| №. | Rt. | Nr². | №. | Rt. | Nr². | №. | Rt. | Nr². | №. | Rt. | Nr². |
|---|---|---|---|---|---|---|---|---|---|---|---|
| 2195 | — | 1 | 2234 | 1 | 19 | 2276 | — | 22 | 2317 | 2 | — |
| 2196 | — | 10 | 2235 | 1 | 7 | 2277 | — | 2 | 2318 | 2 | 7 |
| 2197 | — | 3 | 2236 | — | 3 | 2278 | — | 8 | 2319 | 10 | 1 |
| 2198 | — | 2 | 2237 | — | 11 | 2279 | — | 21 | 2320 | 2 | 11 |
| 2199 | — | 5 | 2238 | 1 | 20 | 2280 | — | 4 | 2321 A | 2 | 16 |
| 2200 | 1 | 10 | 2239 | — | 20 | 2281 | — | 13 | 2321 B | — | 4 |
| 2201 | — | 1 | 2240 | — | 2 | 2282 | — | — | 2322 | 5 | 18 |
| 2202 | — | 5 | 2241 | — | 6 | 2283 | 1 | 4 | 2323 | 1 | 8 |
| 2203 | — | 16 | 2242 | — | 1 | 2284 | 1 | 10 | 2324 | 3 | 16 |
| 2204 | 1 | — | 2243 | — | 7 | 2285 | — | 12 | 2325 | 2 | 29 |
| 2205 | — | 3 | 2244 | — | 1 | 2286 | — | 1 | 2326 | 1 | 1 |
| 2206 | — | 12 | 2245 | — | 13 | 2287 | — | 12 | 2327 A | — | 3 |
| 2207 A | — | 5 | 2246 | — | 1 | 2288 | — | 1 | 2327 B | — | 13 |
| 2207 B | — | 3 | 2247 | — | 1 | 2289 | — | 16 | 2328 | 6 | — |
| 2208 | 2 | 8 | 2248 | — | 8 | 2290 | — | 3 | 2329 | 3 | — |
| 2209 | — | 1 | 2249 | — | 18 | 2291 | — | 18 | 2330 | 1 | 18 |
| 2210 | — | 11 | 2250 | — | 2 | 2292 | — | 8 | 2331 | 1 | 2 |
| 2211 A | — | 10 | 2251 | — | 3 | 2293 | 1 | 16 | 2332 | 3 | — |
| 2211 B | — | 6 | 2252 | — | 16 | 2294 | 1 | 8 | 2333 | 1 | — |
| 2212 | 1 | 9 | 2253 | — | 2 | 2295 | 8 | 2 | 2334 | 2 | — |
| 2213 | 1 | 1 | 2254 | 1 | 5 | 2296 | 13 | — | 2335 | — | 6 |
| 2214 | — | 15 | 2255 | — | 3 | 2297 | 6 | 10 | 2336 | 1 | 17 |
| 2215 | 6 | 19 | 2256 | — | 3 | 2298 | — | 4 | 2337 | 15 | 29 |
| 2216 | — | 27 | 2257 | 1 | 6 | 2299 | 1 | 10 | 2338 | 2 | 4 |
| 2217 | 2 | 6 | 2258 | — | 1 | 2300 | — | 11 | 2339 | — | 2 |
| 2218 A | 4 | — | 2259 | — | 29 | 2301 | — | 1 | 2340 | — | 18 |
| 2218 B | 3 | — | 2260 | — | 18 | 2302 | — | 9 | 2341 | 5 | — |
| 2219 | 1 | 21 | 2261 | — | 12 | 2303 | — | 11 | 2342 | 1 | 10 |
| 2220 | — | 1 | 2262 | — | 9 | 2304 | — | 19 | 2343 | 2 | 8 |
| 2221 | — | 1 | 2263 | — | 2 | 2305 | 1 | 2 | 2344 | 2 | 16 |
| 2222 | — | 2 | 2264 | — | 8 | 2306 | — | 16 | 2345 | 6 | 8 |
| 2223 | — | 18 | 2265 | — | 20 | 2307 | — | 13 | 2346 | 2 | 20 |
| 2224 | — | 4 | 2266 | — | 17 | 2308 | — | 2 | 2347 | 2 | 10 |
| 2225 | — | 5 | 2267 | 2 | 17 | 2309 | — | 1 | 2348 | — | 25 |
| 2226 | — | 17 | 2268 | 6 | — | 2310 | 1 | 13 | 2349 | 1 | 21 |
| 2227 | — | 18 | 2269 | — | 15 | 2311 | 1 | 8 | 2350 | — | 10 |
| 2228 | — | 5 | 2270 | — | 14 | 2312 | — | 1 | 2351 | 2 | 12 |
| 2229 A | — | 16 | 2271 | — | 11 | 2313 | 1 | 21 | 2352 | — | 6 |
| 2229 B | 1 | 13 | 2272 | — | 25 | 2314 | 1 | 10 | 2353 | — | 18 |
| 2230 | — | 22 | 2273 | 1 | 21 | 2315 | — | 21 | 2354 | — | 10 |
| 2231 | 1 | 5 | 2274 | — | 6 | 2316 A | — | 21 | 2355 | 2 | 6 |
| 2232 | — | 11 | 2275 | — | 8 | 2316 B | 1 | 8 | 2356 | 1 | 1 |
| 2233 | 1 | 13 | | | | | | | | | |

Druck von J. B. Hirschfeld in Leipzig.